JN125125

オーストラリアの多文化社会をめぐる
ディスコースの分析

仲西　恭子

大阪公立大学出版会

はじめに

本論文は、『オーストラリアの多文化社会をめぐるディスコースの分析』と題し、白豪主義の終焉から約半世紀たったオーストラリアで、多文化社会がどのように受け止められているのかを明らかにすべく、多文化社会に関わるディスコースを社会的・歴史的コンテクストに照らしながら分析するものである。

研究の最初の契機は、筆者が大学院留学で渡豪した2001年に遡る。8月にタンパ号事件[1]が起き、オーストラリア領クリスマス島の沖合で上陸が認められず行き場を失った400人以上もの庇護希望者の行く末を心配するのと同時に、同じ海に囲まれた国家でありながら、日本とは異なり、オーストラリアには庇護希望者が海を越えてやって来ることに純粋に驚いた。また、翌月には9.11米国同時多発テロ事件、翌2002年にはバリ爆弾テロ事件[2]が起き、テロと難民問題を同列に扱う一部メディアの報道に関心を持つようになった。

加えて、当時、キャンパスに大勢いたアジア人留学生たちのその後が気になったことも研究の動機につながっている。彼らのほとんどが会計学を専攻していたのだが、それは会計学の学位が仕事に直結するためだった。卒業後は会計士として永住権を取得することを最終目標にしており、親が援助しているケースも少なくなかった。留学生は一般技術移住において優遇されていたとはいえ、ポイントシステムが変更されるたびに、移住計画を延期せざるを得なくなったり、不足分のポイントを補うためにさらなる進学を余儀なくされるなど、翻弄されることが多かった。それでも永住権や市民権を取得できた元留学生たちは、現在、キャリアサイクルの中期にさしかかっているはずだが、佐藤（2015, p.101）によると、南アジア出身の会計学専攻の元留学生のほとんどがサービス職、事務職、作業員など専門外の仕事についているという調査報告があるほか、会計士事務所や職能組合が保守的なために、アジア系など非白人留学生の就職が阻害されているという見解もあるという。彼らは、人種差別に苦しむことな

[1] 2001年8月26日、ノルウェーの貨物船タンパ号が公海上で難民を救助し、クリスマス島に向かうが、オーストラリア政府が領海への侵入を拒絶した事件。

[2] バリ爆弾テロ事件では、88人ものオーストラリア人が犠牲になった。

く、オーストラリア社会の成員として問題なく溶け込めているのだろうか。こうした問題意識が常にあった。

これまでにオーストラリアの多文化社会を研究する目的で、オーストラリアの移民国境警備省（DIBP）[3] のウェブサイトを対象にしたディスコース分析（仲西, 2015）、庇護希望者問題を伝えるオーストラリアの新聞記事の分析（仲西, 2016）、盗まれた世代（the Stolen Generations）[4] に関するオーストラリア政府の報告書の分析（仲西, 2017）を行ってきた。その中でも、政府の発表する多文化政策に関する報告書 [5] に登場する「多文化社会オーストラリア（multicultural Australia）」や「成功した（successful）」多文化社会という文言に、現実との乖離を感じると同時に、果たして誰の目から見て「成功」といえるのか、どのような状態を指して「成功」と呼んでいるのか疑問を持つようになった。大手スーパーマーケット・チェーンでの清掃担当者募集の広告に「インド人、アジア人を除く [6]」という応募要件が記載されていたり、スーパー[7]や電車内 [8]でアジア系の女性に向かって人種差別的な発言を浴びせる白人の様子を撮影した映像を見るにつけ、日常生活における人種差別は報道されるだけにとどまり、政府もメディアも根本的に解決する気はないのではないかとさえ感じる。こうしたことから、オーストラリアの多文化社会をめぐるディスコースの分析を研究テーマに据えることになった。

これまでにもオーストラリア社会の主流派による人種差別ディスコースについては数多くの研究 [9]が行われてきたが、本論文では、エスニックを擁護する

---

3 組織改編で、現在は内務省となっている。

4 20 世紀前半から半ばにかけて、オーストラリアの各州政府が混血のアボリジナルの子どもをヨーロッパ人社会に同化させる目的で親元から引き離し、ミッションや政府施設に収容し、一部を白人家庭の養子とした政策（藤川隆男, 2007, p.41）。

5 Australian Government Department of Home Affairs. (2017). *Multicultural Australia: Australia's multicultural statement, united, strong, successful.*

6 2012 年 8 月、スーパーマーケット・チェーン Coles の清掃作業員募集の広告に "No Indians or Asians" と書かれてあったことが問題になった（Ashley Hall, 2012, August 28）。

7 2020 年 7 月にスーパーマーケット・チェーンの Woolworths で買い物中のアジア系女性のグループが人種差別被害にあった（Emily Olle, 2020, July 8）。

8 2014 年 7 月にシドニー中央駅からストラスフィールド駅に向かう車内で起きた事件。居合わせた乗客がスマートフォンで一部始終を撮影した（Lucy McNally, 2014, July 31）。

9 これらの研究は本論第 3 章先行研究で紹介する。

立場の主流派のディスコースに加え、今世紀に入って社会階層を一気に駆け上がってきたアジア系移民二世のインタビューも分析対象に入れることで、新たな側面に触れていきたい。

本論文は第I部と第II部の2部構成をとる。第I部（第1章～第3章）は序論とし、研究の背景、研究の目的、理論枠組み、先行研究について述べる。第1章では、イギリスの流刑地としてのオーストラリアの始まりから、移民制限法（1901）による白豪主義政策、1970年代の多文化主義への政策転換、その後のアジア系移民の増加とアジア系ミドルクラスの形成までと人種差別の歴史を辿る。

第2章では、本論の理論枠組みを説明する。批判的ディスコース分析（CDA）の基本的な考え方について、Fairclough and Wodak (1997) とヴォダック＆マイヤー（2018）を基に概説した後、本論で理論枠組みとして使用するライジグル＆ヴォダック（2018）のディスコースの歴史的分析（DHA）について詳述する。DHAのディスコース・ストラテジーの説明では、指名・叙述ストラテジーと合わせて van Leeuwen (1996, 2008) の社会的行為者の表象のカテゴリーについても言及する。論証ストラテジーでは、ライジグル＆ヴォダック（2018）がアリストテレスに由来するトポスとファラシーの概念を用いているのに対し、本論では、スティーブン・トゥールミン（2003=2011）が提唱する議論モデルを用いて論証ストラテジーの検証を試みる。このトゥールミン・モデルについても論証ストラテジーの説明と合わせて紹介する。CDAのそのほかの分析ツールについても概説した後、最後に Bamberg (1997, 2004a, 2004b, 2004c, 2004d, 2006, 2011) および Bamberg and Georgakopoulou (2008) の提唱するポジショニング理論とスモール・ストーリーによるナラティブ分析について説明する。

第3章では、先行研究として、認知言語学的アプローチを用いたCDAの先駆者とも呼べる van Dijk (1984, 1987, 1991, 1992, 1998) のヨーロッパ諸国やアメリカにおける人種差別の研究をまず紹介し、その後、同じくCDAを用いた Teo (2000)、Nelson (2013)、Paltridge, Mayson and Schapper (2014) によるオーストラリアにおける人種差別の研究を紹介する。さらに、Stevens (2016) の中から、本論と関連性のある1970年代から1980年代のオーストラリア政府の移民政策や政府の発言のCDAによる分析結果を紹介する。また、第6章で分析の理論枠組みとして援用する Bamberg (1997, 2004b, 2004c, 2004d, 2006) と Bamberg and Georgakopoulou (2008) の「ポジショニング理論」を用いた先行研究もここで紹介する。

続く第II部では分析とその結果について考察する。第4章「多文化政策に関する公的報告書の分析」では、マルコム・ターンブル[10]率いる自由党・民主党連合政権[11]が2017年に発表した新たなオーストラリアの多文化政策に関する報告書をジュリア・ギラードおよびケビン・ラッドの前労働党政権や2000年代のジョン・ハワード自由党政権、そしてボブ・ホーク労働党政権の政策報告書と比較しつつ、DHAで分析し、ターンブル政権の多文化政策の特徴と多文化社会に取り組む姿勢、理想とする移民像に迫る。

第5章では「人種差別禁止法に対する政府とメディアの姿勢」と題し、人種差別禁止法（RDA）パートII A 18条C項の改正をめぐるディスコースを分析する。RDAが制定された政治的経緯、政府の18C改正に向けての動き、18Cの中身と改正の是非の争点について概説した後、ターンブル元首相の記者発表でのスピーチをDHAで分析することで、首相が改正案をどのように正当化しているのか、人種差別問題についてどのように考えているのかを明らかにする。続いて、首相のスピーチを受けての主要メディアの反応を分析し、メディアが18C改正に賛成なのか反対なのか、またどのようなディスコースで改正問題を語っているのかを明らかにする。

第6章は、「あるアジア系オーストラリア人のアイデンティティ構築」と題し、差別される側にいるエスニック・マイノリティのナラティブをポジショニング理論にCDAの分析ツールを合わせて分析し、エスニック・マイノリティが自身のアイデンティティをどのように捉えており、オーストラリアの多文化社会がどのように変容していくことを望んでいるのかを明らかにする。

終章である第7章では、本論の分析結果を整理した上で、本論文のまとめを行う。

---

10 研究テーマを設定したのはターンブル政権期であったが、その後、スコット・モリソンに首相が交代し、さらに2022年の総選挙では与野党交代となり、現首相は労働党のアンソニー・アルバニージー氏である。

11 恒久的な同盟関係にあるため連立ではなく連合体と呼ばれる（杉田弘也, 2012, p.56）。

本論文中での表記については、理論家以外の人名（政治家や一般人の名前）とオーストラリアの地名はカタカナ表記とし、組織・団体の名称については、日本語訳に加えて括弧内に英字略称を記す。また、本論文では「難民」、「庇護希望者」、「移民」という表現が頻出するが、国連難民高等弁務官事務所(UNHCR) の日本語版ホームページの記述に従い、“refugee” は難民、“asylum seeker” は庇護希望者、“immigrant” は移民として区別する。

最後に、本書は 2022 年度（令和 4 年度）に大阪府立大学大学院に提出した博士論文「オーストラリアの多文化社会をめぐるディスコースの分析」に加筆・修正を施したものである。恩師である大阪公立大学大学院の高木佐知子教授ならびに相田洋明教授、オーストラリアの政治とメディアについて適切な助言をくださった神奈川大学大学院の杉田弘也教授に深甚の謝意を表します。また、本書の出版にあたり、編集・校正にご尽力いただいた大阪公立大学出版会の八木孝司理事長、金井一弘編集長をはじめ編集部の皆様にも衷心より感謝申し上げます。

2024 年 3 月

カンタベリー大学（クライストチャーチ）にて

仲西　恭子

目　次

第 5 章　人種差別禁止法に対する政府とメディアの姿勢

第6章 あるアジア系オーストラリア人のアイデンティティ構築

第7章 まとめ

第 I 部

序論

第１章　オーストラリアにおけるマイノリティ差別問題

1. オーストラリアに潜む二項対立

オーストラリアは、地理的にはアジアに近接していながら、英語圏であるため、日本をはじめとするアジア諸国からの留学先に選ばれることが多く、近年、「教育」はオーストラリアの主要貿易品目の１つとなっている。しかし、「西洋でありながらアジアに近接している国家」というこのアンビバレンスはオーストラリアを長年悩ませてきた。アング＆ストラットン（1998, pp.39-63）によると、大英帝国の植民地として入植が始まって以来、世界を「西洋」と「その他」に分けるヨーロッパ中心的な政治的言説[1]によって、長らくオーストラリアは「西洋」として位置付けられ、近隣アジア諸国を脅威の存在と捉えてきたという。時代の変遷とともに、かつて無力だったアジア諸国が地域の中心的位置を占めるようになり、むしろオーストラリアの方が経済的に周縁に置かれるようになると、今度は、オーストラリアはアジアに仲間入りすべきだという主張が繰り返されるようになる。

オーストラリアの近年のアジア重視の姿勢は公教育においても然りで、2011年に施行されたナショナル・カリキュラム（Australian Curriculum）は、アジア太平洋地域の一員としてアジアやアジアとオーストラリアの関係性について知識と理解を深めるアジア・リテラシーの重要性を強調している（National Curriculum Board, 2009, p.5)。しかし、アング＆ストラットン（1998, p.41）は、オーストラリアのアジア化に関する支配的なレトリックが、オーストラリアとアジアの間の溝を埋める必要があると主張することによって、結局は、そもそも克服しようとしている言説上の二項対立を肯定してしまっていると指摘する。

また、経済の支配的ディスコースが「オーストラリアはアジアに仲間入りすべき」と主張する一方で、アジア諸国からの技術系移民の増加の現実に、「オーストラリアがアジアに呑み込まれる」と警戒してオーストラリアの西洋性をな

---

1 「言説」は「ディスコース」の同義語として使用されていることがあるが、2つの意味するところは完全には一致しない。ここでは訳書に従い「言説」を用いている。

んとか保持しようとする保守層も存在する。ハージ（2003, p.9）は、白人がヨーロッパ性や白人性、それに由来するライフスタイルと特権の喪失を恐れることを「白人の植民地パラノイア」と呼んでいる。このパラノイアは、1960年代から1980年代は鳴りを潜めていたが、ジョン・ハワード政権誕生とともに復活し、再び政治の表舞台に登場したという。

こうした一向に解消されない二項対立が、真にオーストラリアが「成功した多文化社会」になることを阻んでいると考えらえる。

2. 本研究の目的

本論の目的は、「政府および首相」、「メディア」、「マイノリティ」の3つの視座からオーストラリアの多文化社会をめぐるディスコースを分析し、多文化社会をそれぞれがどのようなものだと捉えているかを解明することである。

そのために、第4章では政府が発行する多文化政策報告書のディスコース分析を行い、ターンブル政権が考える多文化政策の特徴と多文化社会に取り組む姿勢、政府が理想とする移民像を掴む。

次に、どの多文化社会も直面するといえるのが人種差別問題であり、社会の主流派の人種差別問題に対する姿勢を明らかにする必要がある。オーストラリアには人種差別禁止法18条C項（18C）が設けられているが、ターンブル首相は多文化政策報告書の発表と日を同じくして18C改正の意向を発表した。改正内容は、18Cの文言を変更することで法律を緩めると同時に、申し立ての条件を厳しくする、マイノリティに不利なものであった。人種差別にお墨付きを与えるようなものだと批判が相次ぐ中、首相は改正案をどのように正当化しているのか、人種差別についてどう考えているのかを、首相のスピーチをディスコース分析することで明らかにする。また、首相スピーチ後の新聞報道を分析し、新聞各紙が18C改正に賛成なのか、反対なのか、また18C改正問題をどのようなディスコースで語っているのかを明らかにする。これらを第5章で行う。

第6章では、「あるアジア系オーストラリア人のアイデンティティ構築」と題して、差別される側にいるエスニック・マイノリティが、自分自身のアイデンティティをどのように捉え、オーストラリアの多文化社会がどのように変わることを望んでいるのかをポジショニング理論で分析し、明らかにする。

「政府および首相」、「メディア」のディスコース分析は、主流派のディスコースを知るためであり、政府報告書、記者会見でのスピーチ、新聞記事という公的なテクストを分析する。一方、「マイノリティ」のインタビューの分析は、差別される側のディスコースを知ることを目的として、アジア系移民二世であるベンジャミン・ロウのインタビューを取り上げる。オーストラリアの新聞メディアは主流派が支配しているため 、マイノリティに関しては、個人インタビューを分析対象テクストとした。

3. オーストラリア社会における人種とエスニック・グループ

オーストラリアは多民族国家であるが、ここで「人種」と「エスニック・グループ」について簡単に整理しておく。人種は、「本質的かつ恒久的であると見なされている身体的な違い（「表現型」）に基づく層別体系」（*The Blackwell encyclopedia of sociology*, 2007, p.3731）であり、ジョルジュ・キュヴィエ(1769-1832) の三大分類法では、白人、黄色人種、黒人に分類できる。一方、エスニック・グループ（ethnic group）は、リチャード・シャーマーホーンの論考[2]の定義を借りると、「実際あるいは想定される共通の先祖および共有される歴史的過去の記憶を持ち、彼らの同朋意識の典型を表すものとされる１つ以上の象徴的な要素に文化的な焦点を置いている集団で、(中略) 構成員がメンバーとしての自覚を持っている集団 (筆者訳)」(Schermerhorn, 1970, p. 12) である。土田 (2007, p. 221) は、「エスニシティ」の語源は古代ギリシャ語の「エトゥニコス」(ethnikos「異教徒」) にあり[3]、もともとは人種や人種化[4]にかかわる含意は持っていなかったと述べている。また、「異教徒」つまり「よそ者」、「他者」という意味であったことが、現代において「自己対他者」の文脈で「エスニック」が用いられていることと関係しているという興味深い指摘をしている。

[2] Richerd Schermerhorn (1970)

[3] 土田 (2007) は語源についてマルティニエッロ (2002, pp.20-21) を参考にしている。

[4] 人種化 (racialization) は、Miles & Brown (1989, pp.73-77) によると、人種による分類化 (racial categorization) の同意語であり、生来のもの、生物学的 (とされている) 特徴によって集団を分類する過程およびその分類に個人を振り分ける過程のことである。人種化は他者を定義付けることで、その対極に自分を定義付けるため、弁証法的プロセスであるといえる。

この人種とエスニック・グループの定義に基づき、2016 年の国勢調査[5]の結果からオーストラリアの人口を構成する人種とエスニック集団を図式化すると図 1-1 のようになる。

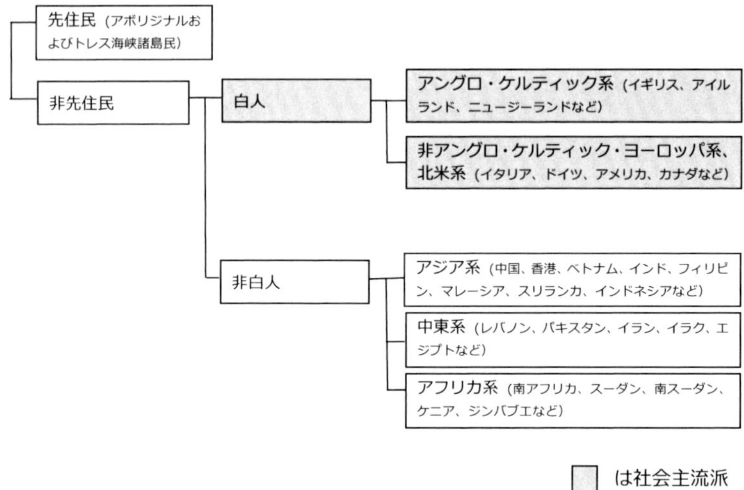

図 1- 1 オーストラリアの人種とエスニック・グループ

まず、オーストラリア人は、先住民と非先住民に大別でき、先住民はアボリジナルの人々[6]とトレス海峡諸島民に分けられる。彼らはオーストラリアの先住民族（Australia's First Peoples）であることから、非白人のエスニック・グループには敢えて分類しない。また、成人してから先祖のアボリジナルのアイデンティティに目覚める若者や過去の政府の同化政策の影響で混血化が進んだために肌の白い先住民も存在するが、本論は先住民問題を研究の領域には含めないため、複雑化を避けるために、図 1-1 では、「白人」は非先住民に限定している。次に、非先住民は、白人と非白人に分類できる。白人は、アングロ・ケル

5 Australian Bureau of Statistics. (2017, June 27). *2016 Census: Multicultural.*
6 本論では「アボリジニー」ではなく、「アボリジナル」あるいは「アボリジナルの人々」の呼称を用いる。オーストラリア先住民の呼称については、藤川隆男（2007, pp. 30-31）を参照。

ティック系、非アングロ・ケルティック・ヨーロッパ系および北米系で社会の主流派を構成している。非白人は、親族類型、宗教、言語、身体的な特徴、地理的な集住といった象徴的要素を考慮し、アジア系、中東系、アフリカ系に大別している。本論では、「主流派」は白人の意味で使用し、「非主流派」は先住民と非白人の意味で使用する。また、「エスニック・マイノリティ」は、先住民を除いた非白人の意味で使用する。

ユダヤ人は、ハラハー (Halakhah) と呼ばれるユダヤ宗教法の伝統やイスラエル国の帰還法 (1948) では「ユダヤ教徒」あるいは「ユダヤ人を母として生まれた者」のことを指す [7]。宗教グループともエスニック・グループとも議論できるが、本論では白人は主流派に分類しており、図 1-1 では非アングロ・ケルティック・ヨーロッパ系に相当する。

4. オーストラリアの社会背景

4.1. 白豪主義

オーストラリアは、18 世紀に大英帝国植民地として開拓がはじまり、長らくイギリスの流刑地として運営されてきた。19 世紀半ばに金鉱が発見されるとゴールド・ラッシュが始まり、中国人をはじめとするアジア系労働者がオーストラリア全土に広がっていき、各地で中国系移民排斥運動が起きるようになる(沢田, 2012)。中国系移民に対して入国税を課したり、既に廃棄された鉱山での採掘しか認めないといった内容を含んだ「中国人移民制限法」が 1877 年にクイーンズランド州で施行されると、それが契機となり各州で次々と同様の法律が制定されていった [8]。そして、1901 年のオーストラリア連邦成立とともに、全国的な「移民制限法 (Immigration Restriction Act 1901)」が制定され、白豪主義が政策として定着した。

白豪主義政策のもとでは、アジア人の流入を防ぐために、厳しい入国審査が行われた。白人は無審査で入国が許可されるのに対し、非白人は「教育のレベ

---

[7] 臼杵陽 (2012).「ユダヤ人」.大澤真幸、吉見俊哉、鷲田清一編.『現代社会学事典』(pp.1283-1284). 弘文堂.

[8] Joseph Lee (1889, p. 222) によると、1888 年には南オーストラリアで同様の法律が制定され、中国人は入国の際に入国税を求められ、検疫期間は 21 日と決められた。

ルの審査」と称して、英語以外のヨーロッパ言語の書き取りテストが行われた。建前上は、書き取りテストに合格すれば入国できる可能性があるとはいえ、高学歴のアジア系労働者も不合格になるほどの難関で、事実上、入国が不可能なシステムであった（竹田, 2000, p.44)。

白豪主義は、移民を制限する手段というだけではなく、「白人は、ほかのどの人種よりも優れており、オーストラリアから白人以外を排除することでその優位性を守らなければならない」というイデオロギーでもあった。そして、このイデオロギーは、イギリス出身の労働者階級の移民を含め、幅広い層のオーストラリア人に支持された（Jupp, 1991, p. 53)。

やがて移民制限は、第一次世界大戦で敵国となったドイツ、オーストリア、ハンガリー、ブルガリアにも対象を広げ、彼らの移住は 1926 年まで、トルコ人の場合は 1930 年まで制限されることになる。ギリシャ、アルバニア、ユーゴスラビア、エストニア、ポーランド、チェコからの移民も 1920 年代は人数の上限が設けられていた。1930 年にイタリア人を乗せた船 2 隻がオーストラリアに到着したが、彼らは前述の言語書き取りテストの対象となり、結果、既にオーストラリアに帰化していた者まで、資格を剥奪されることとなった。このように第一次大戦から、第二次大戦開戦前にかけては、人種および民族による排除が一番激しかった時期であり、戦間期の白豪主義がアングロ＝ケルティックの純血性を要求していたことは、オーストラリアが事実上の「イギリス領オーストラリア（British Australia）」であることも意味していた（Jupp, 2001, p.48）。

4.2. 多文化主義

しかし、第二次大戦後のオーストラリアは人口減少に悩むことになる。労働力が都市部に集中し、遠隔地へと分散しなかったことも影響し、水力発電所の建設や、灌漑施設の整備、道路や鉄道網の近代化といった公共事業、農業や鉱業といった主要分野に従事する労働力が不足した（Jupp, 1991, p. 71)。これに対応するためにチフリー労働党政権（1945-1949）のアーサー・コールウェル移民相が「人口を増やせ、さもなければ絶滅（“populate or perish”）」のスローガンのもと「大量移民計画」を打ち出す。初期の段階では、白人移民を対象としたものであったため、東欧・南欧諸国からの非英語母語話者の移民を中心に1950年までに約20万人が流入し、その後の10年間での移住者の数は100万人となった(Soutphommasane, 2015, p. 32)。

1973年になると、ウィットラム労働党政権(1972-1975)が、移民法を改正し、これまでの人種を基準にした移民審査を廃止するとともに、個人のさまざまな能力をポイントで表示し、合計点の高い移民を受け入れる新方式の導入を決定する。これは、アジア太平洋地域との関係が自国経済を発展させる上で重要性を増し、白豪主義がその障壁となりつつあったためである。「多文化主義」という言葉は、ウィットラム政権の移民大臣のアル・グラスビー[9]によってこの年に初めて提唱され、ウィットラムの罷免後に成立したフレイザー保守連合政権[10](1975-1983)によって本格的に導入される。

フレイザー政権下では、1978年のガルバリー・レポート[11]の提言をふまえ、文化的多様性に対する意識向上、社会的結束、理解、寛容促進の目的で、1979年にthe Australian Institute of Multicultural Affairs (AIMA)が設立されたほか、SBSによる多言語放送が開始され、移民への英語の授業、通訳・翻訳サービスも提供されるようになった。

フレイザー政権下では、非ヨーロッパ系移民が本格的に増加する(Stevens, 2016, p. 26)。レバノン難民の受け入れも積極的に行われ、1976年から1977年の1年間で1万700人を受け入れた(p.106)。1977年からはベトナム難民が急増し、1978年に難民認定機関としてDORS (the Department of Refugee Status)を設立するなど、世論の対応に追われる(p.111)。難民を多数受け入れているアメリカやアジア諸国からの要請といった外圧もあり、徐々にベトナム難民の受け入れを拡大していく(p.107)。また、家族呼び寄せプログラムも制度化された(竹田,1991, p.44)。

1983年の総選挙でフレイザー政権からホーク労働党政権(1983-1991)に交

9 アル・グラスビーは、オーストラリアの多文化主義の父と呼ばれる人物で、ウィットラム政権で1972年から1974年まで移民大臣を務めた後、コミュニティ間関係に関する政府の特別顧問に任命され、人種差別禁止法の起草作業にあたる。1975年7月29日、同法の発布と同時に初代コミュニティ関係コミッショナー(Commissioner for Community Relations)に就任する(アル・グラスビー, 2002, pp. 195-196)。

10 フレイザー率いる保守連合政権の構成は自由党と地方党(現・国民党)。

11 多文化主義政策に関する調査・勧告書。

代した後、しばらくは家族呼び寄せプログラムは拡大されていたが、政権がスティーヴン・フィッツジェラルド元大使に託した移民政策についての政策提案報告書（通称：フィッツジェラルド・レポート[12]）により、移民政策は、経済的国益をより重視したものへと転換を迫られることになる。報告書は、家族呼び寄せプログラムの移民は、技能が低く、生産性が低く、国家の負担になると批判しており、移民受け入れ政策においてはエスニシティよりもオーストラリアの経済成長と発展にどれだけ貢献できる可能性があるかを重視すべきだと記されていた。1980年代後半からオーストラリアの景気が後退し、失業率が上昇すると、ホーク政権は、ビザ取得のためのポイントシステムの改定を繰り返し、家族呼び寄せビザにおいても、より技術と年齢（若年層の方が高ポイント）を重視するようになり、「家族の再会（family reunification)」を重視する政府のレトリックとは裏腹に家族呼び寄せプログラムは徐々に縮小され、「技術独立移民」が拡大されていった（Stevens, 2016, pp.48-53)。

一方、選挙に敗れて野党に転じた自由党内では、温情的で社会福祉を重視するウェット派の社会自由主義（wet social liberals）と小さな政府および自由市場促進を重視するドライ派（dry neoliberals）の間で闘争が起き、フレイザー元首相および移民大臣として政権を支えたイアン・マクフィーとマイケル・マッケラーらウェット派がドライ派に大敗する。自由党は「自由市場」、「個人消費者の自由」、「社会保守主義」を促進する方向に進み、この流れはハワード政権で一層加速する（Stevens, 2016, p.46)。

こうして、ネオリベラリズムの経済合理化の影響を受けた自由党と労働党は、経済に関しては理念が同じになり、ただ求める経済変革のスピードが異なるというだけになった（Stevens, 2016, p.48)。このように多文化主義という理念は表面上、ウィットラム政権から現在に至るまで政権交代に関係なく守られてきたが、移民政策の面でその性質がかなり変容した。優秀な人材を人種、民族的・国民的出自にかかわらず活用し、グローバル競争に勝つことを目指す多文化主義に変容した結果、オーストラリアで歓迎される移民は、福祉コストのかからない、ミドルクラスやエリートとなり、経済的に自立できる移民と政府の支援

---

12 Committee to Advise on Australia's Immigration Policies. [Chairman, Stephen FitzGerald].(1988).

を必要とする移民の間で分断化が進んだ。塩原（2017, pp.40-43）は、このような経済主義的多文化主義をネオリベラリズムのイデオロギーと親和的な多文化主義という意味で、「ネオリベラル多文化主義」と呼んでいる。

4.3. アジア系移民の増加

多文化主義への転換後の移民政策によってオーストラリアではアジア系移民が急増することになるのだが、竹田（1991, pp.39-48）はその要因として以下の3 つを挙げている。

1) 1970 年代の移民審査における「ポイントシステム」の採用
2) 「家族呼び寄せプログラム」の実施
3) 1980 年代後半の「ビジネス移民制度」の導入

1) の「ポイントシステム」とは、個人の能力を重視した選別方式であり、年齢、教育水準、技能熟練度、職歴、英語力などを点数化し、ポイントの合計が高い移民を優先的に受け入れるというものである。政府はヨーロッパ系移民の受け入れを想定していたものの、優秀なアジア人が高いポイントを獲得し、結果、アジア系移民が合法的に大量に移住して来るようになった（pp.40-41）。

2)「家族呼び寄せプログラム」の実施は、元来、ギリシャ系移民やイタリア系移民の要望を政府が考慮したものであった。しかし、個人主義のヨーロッパよりも家族の結びつきの強いアジア人（人道的見地から受け入れられたインドシナ難民も含む）が多数利用する結果となった（p.45）。

3)「ビジネス移民制度」とは、一定金額を持参して入国し、オーストラリアへ投資することを条件に永住権を与えるというもので、移民がもたらす経済効果が期待された。この条件に合致したのも、やはり当時経済発展が著しかったアジア諸国からの移民希望者であったという（p.46）。

これらに加えて、1989 年の天安門事件も中国出身者が増加するきっかけとなった。事件後、オーストラリア国内に合法的に滞在しているすべての中国人の短期滞在ビザと学生ビザが延長され、約 4 万 2 千人の中国人留学生に永住権が付与されることになった（Zhou, 2019）。永住権の付与は、ホーク首相（当時）

が中国からの留学生に対し、希望すればすべてに永住権を付与すると言明したためであり、その後の「家族呼び寄せプログラム」の利用もあって、中国出身者は急増した（杉田, 2013, p. 4)。その後も多くの中国人が自由と個人の成功を求めてオーストラリアに留学し、彼らの多くは永住権を獲得し、最終的に移住している（Ommundsen, 2000, p.90)。

このような政府の移民政策により、ミドルクラス出身のアジア系移民が増加した。また、1970年代に移住したインドシナ難民の第二世代や、戦後の「大量移民時代」にヨーロッパの非英語圏から移住した移民の二世もオーストラリアで成功して専門職に就く者が増加し、多文化的ミドルクラス(multicultural middle class）と呼ぶに相応しい集団が形成されていった（Colic-Peisker, 2009, p. 1)。

4.4. アジア系移民論争

アジア系移民が増加した結果起こったのが移民論争である。事の発端は、1984年3月17日に歴史家であるメルボルン大学のジェフリー・ブレイニーがビクトリア州ウォーナンブールのロータリークラブで行った移民政策を批判する演説である。彼の主な主張は、「東南アジアからの移民、特にベトナム難民は就労の見込みもなく、納税者の税金で暮らしている」、「今の移民政策は大多数のオーストラリア国民に対する配慮を欠いている」、「このままでは過去30年間続いた国民の移民政策への支持は弱まる」であった。メディアがこの演説を取り上げたことがきっかけに、議論はオーストラリア中に拡散し、議会で取り上げられるに至った（Stevens, 2016, pp. 25-31)。*The Sydney Morning Herald* の一面には、政治的公正性（PC）を批判する内容のブレイニーの署名入りの論説記事[13]が掲載され、「アジア系移民のもたらす不利益を論じる者は、強力な兵器で攻撃される。その兵器とは、たったの二音節から成る言葉、つまり人種差別主義者だ（“those who try to discuss the disadvantages of Asian migration have to face a powerful weapon. The weapon is a word of only two syllables: racist.”）」と主張した。

---

[13] Geoffrey Blainey, “Blainey: Why I'm not a racist,” *The Sydney Morning Herald*, (1984, May 10). p.1.

ブレイニーの論争によって、保守系議員間では、オーストラリアが受け入れる移民の民族構成についての批判が高まった。

また、その 4 年後の 1988 年には当時野党だった自由党党首のハワードが、アジア系移民の受け入れ数削減を主張[14]しており、非ヨーロッパ系移民の受け入れは議論を呼ぶものであり、人種にこだわらない移民政策への道のりはまだ長いということが露呈した。

4.5. ハンソン論争

オーストラリアの人種差別問題の歴史を語る上で、もう 1 つ非常に重要な政治論争がある。連邦下院議員のポーリン・ハンソンが引き起こした「ハンソン論争」である。

ハンソンは、1994 年にクイーンズランド州のイプスウィッチ市議会議員に初当選し、その後 1995 年 8 月に自由党に入党した。同年 11 月にはクイーンズランド州オクスリー選挙区の連邦総選挙の自由党候補となるも、過激な人種差別発言が原因で選挙直前の 1996 年 2 月に自由党から除名を警告され、自ら離党することを選んだ。無所属で出馬した結果、下院議員に当選したハンソンは 1996 年 9 月 10 日に連邦下院にて初演説を行ったが、その内容はオーストラリア先住民やアジア系移民に対して差別的なものであった。多文化主義を廃止し、移民の同化を促進すべきであるという主張を展開し、1980 年代からアジア系移民が急増したことを理由に挙げ、「我々（＝オーストラリア）は、アジア人に呑み込まれる危機にある（“I believe we are in danger of being swamped by Asians")と発言した。

関根（2000）によると、ハワード首相は、最初はハンソンを譴責することに躊躇していたという。しかし、マレーシアのマハティール首相が、この問題に対するオーストラリア政府の対応を批判したことで、ハンソン論争は次第に国外でも大きく取り上げられるようになり、同時にオーストラリア国内においてもフレイザー元首相やキーティング前首相、さらにホーク元首相もハンソン批判を展開するようになった。ハワード首相は、ようやくマニラでの APEC 開催

[14] ハワードの発言内容と分析は第 2 章 2.4 項で詳述する。

が間近に迫った1996年10月、連邦上下両院において超党派による反人種差別決議を行い、ハンソンの見解はオーストラリア国民を代表するものではないと明示し、ハンソン論争に決着をつけた（関根, 2000, pp.129-137)。

しかし、ハンソンが1997年4月に自らが党首となり極右のワン・ネイション党を結党したことで、第二次ハンソン論争が始まる。過去の連邦・州政府により実施されたアボリジナルの子どもの強制里子政策に関して、政府は謝罪すべきだという議論が沸き起こった際には、謝罪を拒否するハワードに対して、ハンソンが支持を表明したため、さらに謝罪論争が拡大した。ワン・ネイション党は、有識者・学生を中心に国民の批判を受けていたにもかかわらず、結党後最初の世論調査では約10パーセントもの支持を集め、その後も勢力を拡大していった。そして1998年6月のクイーンズランド州議会選挙では、23%の得票率で11議席を獲得し大躍進する（関根, 2000, pp.138-144)。しかし、この頃がワン・ネイション党の絶頂期であり、この後、党内紛争により勢いを徐々に失い、同年10月の連邦上下両院早期総選挙ではハンソンも落選する。ハンソンは2003年に党代表を下りてから政治助成金詐欺で実刑判決を受けるが、控訴の末、逆転無罪となっている（越智, 2005, pp.298-299)。その後、連邦および州選挙に立候補しては落選をくり返し、しばらく政界から姿を消すこととなり、第二次ハンソン論争も終焉を迎えたが、ハンソンは2013年に再びワン・ネイション党に入党し、翌2014年には党首に返り咲き、2016年の連邦選挙でクイーンズランド州から上院議員に党員ほか3名とともに当選している。上院での初演説は、「我々は、我々とは相容れない文化とイデオロギーを持つイスラム教徒たちに呑み込まれる危険の中にいる（“We are in danger of being swamped by Muslims who bear a culture and ideology that is incompatible with our own”)」という、おおよそ20年前にアジア人を攻撃した下院での初演説を彷彿とさせるようなイスラム教徒に対して差別的な内容であり、「私は復活した。でも1人ではない（ “I'm back but not alone”)」と高らかに復活を宣言した[15]。

[15] Pauline Hanson (2016).

4.6. 現代のオーストラリア人

オーストラリアの国勢調査は5年ごとに行われる。入手可能な最新の調査結果は2016年に実施されたものである[16]。2016年現在のオーストラリアの人口は2340万人である。家庭で話される言語は300言語以上にのぼり、上位5言語は、英語のみが72.7パーセント（1702万417人）、中国語が2.5パーセント（59万6711人）、アラビア語が1.4パーセント（32万1728人）、広東語が1.2パーセント（28万943人）、ベトナム語が1.2パーセント（概数表記のため広東語と同率になっているが、27万7400人）。2017年6月17日付の *The Sydney Morning Herald*[17]に2016年の国勢調査の結果が掲載されており、海外生まれのオーストラリア人は人口の26.3パーセントで、出生国は上位からイギリス、ニュージーランド、中国、インド、フィリピンの順となっている。さらに、海外生まれのオーストラリア人および両親のどちらかが海外生まれのオーストラリア人が人口の約半分を占めるという結果も出ている。「平均的」移民の姿は、「イギリス生まれの44歳」だが、州別に見てみるとクイーンズランド州の平均的移民はニュージーランド生まれ、ビクトリア州はインド生まれ、ニューサウスウェールズ州は中国生まれでシドニーとメルボルンという大都市を抱えるニューサウスウェールズ州とビクトリア州では、アジア系の移民が特に増加していることがわかる。つまり、「オーストラリア人」の実態は、もはやアングロ・ケルティックス（Anglo-Celtic Australian）だけではなく、アジア系オーストラリア人（Asian-Australian）もその一部を成しているといえる。

4.7. 人種差別

次に、一般オーストラリア市民の人種差別の実態を統計的に明らかにした研究を紹介する。西シドニー大学（Western Sydney University）のケビン・ダン教授率いる研究チームが2001年から2008年にかけて行った調査研究では、大半のオーストラリア人は多文化共生に好意的である一方で、41パーセントものオーストラリア人が、誰がオーストラリアに帰属すべきかについて、非常に狭い考えをもっていることが判明した。さらに、国民の一割は、人種によって

[16] Australian Bureau of Statistics. (2017, June 27). *2016 Census: Multicultural.*
[17] Peter Martin (2017, June 27).

優劣があり、人種別に隔離すべきだと考えていることも明らかになった。人種差別を受けた経験の有無について、「ある」と回答した人に対し、差別を受けた具体的な場所を尋ねると、店舗やレストランが 17.8 パーセントと最も多く、続いて職場が 17.5 パーセント、学校が 16.6 パーセントだった（複数回答可）。状況については、「敬意に欠ける扱いをされた（You are treated less respectfully)」、「信用できないというような態度をとられた（People act as if you are not to be trusted)」、「侮辱された（You are called names or similarly insulted)」といった回答が寄せられた。さらに、オーストラリア人同士の交流を見てみると、「ほかの文化圏出身者と交わることがあるか」という問いに対し、「ほとんどない」あるいは「まったくない」という回答は、職場において 17.6 パーセント、社会生活（交友関係）で 20.7 パーセント、スポーツ・サークルで 30.6 パーセントという結果であった（Dunn, Forrest, Babacan, Paradies, & Pedersen, 2011)。多文化社会オーストラリアのはずが、人種間での交流のない社会生活を送っている社会集団が多数存在することが明らかになった。

また、人種問題が絡んだ大規模な暴動や暴行事件もあり、2005 年にはニューサウスウェールズ州クロヌラでレバノン系住民に対する白人による 6 千人規模の暴動（クロヌラ暴動）が起こり、2009 年にはメルボルンやシドニーを中心にインド人留学生襲撃事件（curry bashing)[18]が相次ぎ、一時は豪印の外交問題にまで発展した。

4.8. 人種差別禁止法第 18 条 C 項成立の歴史的背景

1965 年、第 20 回国連総会で「あらゆる形態の人種差別の撤廃に関する国際条約（略称：人種差別撤廃条約）」が採択され、1969 年に発効した。オーストラリアも 1966 年に当時の外相のポール・ハズラックによって調印されたが、国内法が整備されず、批准されないまま 8 年が経過する。

ようやく 1974 年に条約批准に向けて法案が連邦議会に提出されるが、上院で野党保守連合の反対に遭い、大幅な削除と修正を余儀なくされ、「人種差別撤廃条約」の第 4 条 a 項（次頁抜粋）が締約国に課している義務の 1 つである「禁

18 オーストラリアの若者がインド人留学生を襲う事件が横行した。この一連の事件で "curry bashing" という言葉が生まれ、アルクの英辞郎にも収録されている。

止している行為をすべて犯罪として扱う」という点を盛り込むことができないまま、翌 1975 年「人種差別禁止法（Racial Discrimination Act 1975）」として成立する。

[人種差別撤廃条約第 4 条 a 項]

人種的優越又は憎悪に基づく思想のあらゆる流布、人種差別の扇動、いかなる人種若しくは皮膚の色若しくは種族的出身を異にする人の集団に対するものであるかを問わずすべての暴力行為又はその行為の扇動及び人種主義に基づく活動に対する資金援助を含むいかなる援助の提供も、法律で処罰すべき犯罪であることを宣言すること。

[下線は筆者]（外務省ホームページ[19]より）

それから 20 年近くが経過した 1994 年、キーティング政権が今度こそ人種差別撤廃条約の第 4 条 a 項の実現を目指し、人種的憎悪を民事上の権利侵害および連邦犯罪法上の犯罪とする人種的憎悪禁止法の法案を連邦議会に提出する。刑事関連の部分は、再び連邦議会上院で否決されてしまうが、民事関連条文は承認され、人種的憎悪禁止法（Racial Vilification Act 1995[20]）として成立し、「人種差別禁止法」には「Part II A－人種的憎悪に基づく不快感を与える行為の禁止」として、18A から 18D までの項が新たに導入された。

このように、オーストラリアでの人種差別禁止法 18C は、人種差別撤廃への動きが国民の間で湧き起こったからではなく、政治的判断により成立した法律なのである。

4.9. 18 条 C 項

18C の正式名称は Racial Discrimination Act 1975、Part II A Section 18C であり、以下の抜粋の通り、人種、皮膚の色、または民族的・国民的出自を理由に行われる、個人または集団に不快感を与え（offend）、侮辱し（insult）、屈

---

19 外務省（2021 年 9 月 7 日）「人種差別撤廃条約」外務省ホームページ

20 人種的憎悪禁止法成立までの詳しい経緯は Australian Human Rights Commission.(n.d.) *The passage of the Racial Hatred Act 1995* を参照されたい。

辱を与え (humiliate)、脅迫する (intimidate) 合理的な恐れがある公的な行為を禁止している。

[人種差別禁止法 Part II A: Section18C]

> Section 18C provides that it is unlawful for a person to do an act, otherwise than in private, if the act is reasonably likely, in all the circumstances, to offend, insult, humiliate or intimidate another person or a group of people, and the act is done because of the race, colour or national or ethnic origin of the other person or of some or all of the people in the group.
>
> (オーストラリア人権委員会ウェブサイト[21]より、下線は筆者)

クープ (2013, pp. 4-5) によると18Cが、被害感情を重視したものになっているのは、連邦性差別禁止法 (Sex Discrimination Act 1984) が1992年に改正された際に導入されたセクシャルハラスメント禁止条項の趣旨と文言に合致させたためであるという。

表現の自由を守るために、適用除外項目として18Dが設けられており、芸術作品、科学・学術研究、公益に関わる事象または問題についての公正なコメントは、分別をわきまえ、かつ誠意をもってなされた場合においては除外される (AHRC)。

4.10. 申し立てと18C論争

申し立ては、被害者がオーストラリア人権委員会に対して行い、同委員会が受理した場合にのみ調停が始まる。調停で和解が成立しない場合は、被害者は連邦裁判所か連邦巡回裁判所[22]に提訴できる。しかし、実際は、提訴後に裁判所に棄却されるケースも多いため、オーストラリア人権委員会による個々の案件の扱い方について改善がなされるべきだとの声も上がっている。

---

21 Australian Human Rights Commission (AHRC) (2014).

22 オーストラリアには連邦裁判所体系と州（準州）裁判所体系が併存しており、連邦巡回裁判所とは、前者の体系に属し、簡易な事件を処理する裁判所。

オーストラリア人権委員会の 2017-2018 年次報告書[23]によると、同委員会が受理した人種差別禁止法に基づく申し立ての総件数 616 に対して、Part II A の人種的嫌悪（racial hatred）に関する申し立ての割合は 89 件の 14 パーセントとなっている。被害にあった場所・状況別にみると、「雇用」(Employment）と「財とサービスの提供」(Providing goods and services）が半数以上を占めていることから、職場生活や求職活動中、公共施設の利用中、買い物や銀行などの主要な日常生活の場で被害に遭うリスクをいつもマイノリティは抱えているといえる。

表 1-1 は 18C に関する主な出来事を著者がまとめたものだが、便宜上ターンブル政権期（2015-2018）とそれ以前を境に改正運動を前・後期に分けている。本論第 5 章では 18C 改正議論が成熟したといえる改正運動後期の記事を扱う。

表 1-1　RDA 制定から 18C 改正運動後期まで

	年月日	出来事
制定	1975 年	ウィットラム労働党政権下で RDA が制定される
	1995 年	キーティング労働党政権下で人種的憎悪禁止法が成立し、RDA に Part II A（18A~18D）が追加される
改正運動前期	2011 年 9 月 28 日	アンドリュー・ボルト が執筆した 2009 年 4 月 15 日付の ‘It's so hip to be black'と 2009 年 8 月 21 日付の記事 ‘White fellas in the black’ が 18C に違反するという判決を受ける
	2013 年 9 月 18 日	18C 改正を公約に掲げたアボットが首相に就任（在任期間 2015 年 9 月 15 日まで)
	2014 年 3 月 23 日	法務長官ジョージ・ブランディスが議会上院で “People do have the right to be bigots”（人々には偏狭な考えを持つ権利がある）と人種差別を容認すると受け取れる発言をする
	2014 年 8 月 5 日	アボットが RDA 改正を断念
改正運動後期	2016 年 11 月 4 日	クイーンズランド工科大生への訴えが退けられる（事件発生は 2013 年 5 月)
	2016 年 11 月 11 日	メリッサ・ディニソンが風刺画家ビル・リークへの訴えを取り下げる
	2017 年 2 月	ビル・リークが人権に関する連邦議会合同委員会に参考人として出席し、18C について発言
	2017 年 3 月 10 日	ビル・リーク死去
	2017 年 3 月 21 日	ターンブルが 18C 改正案を発表
	2017 年 3 月 30 日	上院が改正案を否決

[23] Australian Human Rights Commission (n.d.). *2017-18 Complaint statistics.*

まず、18C 制定後からターンブル政権発足直前までの「改正運動前期」の主要な出来事として、18C の改正の議論の発端となったアンドリュー・ボルト事件がある。News Corp Australia のコラムニストであるアンドリュー・ボルトは、ヘラルド・サン紙（*The Herald Sun*）にアボリジナルの人々に関するコラム、“It's so hip to be black”「黒人になるのは格好いい」(2009 年 4 月 15 日付）と、“White fellas in the black”「黒人を装った白人」(2009 年 8 月 21 日付）を掲載した。いずれも肌の白いアボリジナルは、自らのキャリア・アップのためや政治的理由からアボリジナルのアイデンティを利用しているという内容であり、18 人のアボリジナルの実名が挙げられていた。名指しされた 1 人のパット・イートックは、アンドリュー・ボルトと記事を掲載したヘラルド・サン紙の発行元である The Herald and Weekly Times を相手取り裁判を起こし、2011 年 9 月 28 日に勝訴した。裁判では、ボルトの記事が不快感などを与える (offend) 合理的な恐れがあったかどうかの「客観性」が争点の 1 つとなったが、ボルトが「一般的オーストラリア社会における社会通念上の一般人 (reasonable person)」を基準に判断すべきだと主張したのに対し、裁判所は、それでは人種差別をかえって強化する恐れがあるとし、「対象となっている集団の中の社会通念上の一般人」の観点から行われるべきと判断した。つまり、イートックと同じく、白い肌でありながらアボリジナルを先祖に持ち、自らもアボリジナルとしてのアイデンティティを持ち、アボリジナルのコミュニティからもその一員として認められている集団における一般人を基準に合理的な恐れがあるかが判断されることとなった。そして、ボルトの記事は、対象となっている集団のアイデンティティの正当性に疑問を投げかけており、皮膚の色を人種的アイデンティティの決定要素としたことにより、不快感が与えられ、侮辱される合理的な恐れがあったと認定された。さらに、同記事は他人に否定的または批判的な態度を引き起こす力があり、屈辱を与えられ、脅迫される合理的恐れがあったことも認定された（クープ, 2013, p. 8)。本章 4.9 項で述べた通り、表現の自由を保護するために 18D という条項があるが、ボルトの場合、記事内容に誤りが多く、事実の歪曲が含まれていたため、「公正なコメント (fair comment)」とは認められず、18D は適用されなかった。

この判決以降、オーストラリア社会の一部で、18C は民主主義の「表現の自由」を不当に制限しており、改正されるべきだという主張が強まる。トニー・アボット元首相もその1人であり、野党時代に、自分が首相になれば18Cを廃止にすると選挙公約し、2013年9月の総選挙後に首相に就任してから公約を実行に移そうとした。アボット内閣の閣僚で法務長官[24]だったジョージ・ブランディスは、2014年3月、上院で労働党上院議員のノヴァ・ペリス[25]から "Won't removing section 18C facilitate vilification by bigots?" (18Cを削除すれば、偏狭な考えを持つ人たちによる中傷が増加するのでは)という質問を受けた際に、"People have the right to be bigots, you know. (人々には偏狭でいる権利がある)"、"in a free country people do have the rights to say things that other people find offensive or insulting or bigoted[26]. (自由な国なのだから、人々は他人の気分を害したり、侮辱したり、偏狭な発言をする権利がある)" と発言し、物議を醸した。アボリジナルの人々のコミュニティ、エスニック・コミュニティ、人権専門家、心理学専門家、法曹界から18Cの廃止は、人種的憎悪にお墨付きを与える危険性があると懸念の声が上がり、アボットは結局、2014年8月に18Cの廃止を断念せざるをえなくなった。

続いて、「改正運動後期」の18Cをめぐる主要な出来事(訴訟など)についてStone (2015) を参考に概説する。2015年9月にターンブル政権が発足すると、18Cに関わる主要な事件が2件起こり、18C廃止論争が再燃することになる。1つはNews Corp Australiaの風刺画家(cartoonist)のビル・リークが全国紙の *The Australian* (2016年8月4日付)に掲載した風刺画が、18Cに違反するとしてオーストラリア人権委員会に申し立てされた事件である。問題となった風刺画には、アボリジナルの警官が、補導したアボリジナルの少年を父親の前に突き出す様子が描かれており、吹き出しには "You'll have to sit down and talk to your son about personal responsibility." (ご子息に個人の責任というものをじっくり教えてやってくれ)と言う警官の台詞と、缶ビールを片手に応

---

24 法務長官(豪:Attorney General)は、国会議員で閣僚の1人で最高法律顧問(小学館『ランダムハウス英和大辞典』)。「司法長官」とも日本向けメディアでは訳されている。

25 ノヴァ・ペリスはアトランタ五輪女子ホッケーで金メダルを獲得し、アボリジナル初の金メダリストとなった後、陸上競技に転向し、1998年のコモンウェルスゲームズでも金メダルを獲得した。2013年に労働党に入党し、同年9月に連邦上院議員として北部準州より選出された(Claire Sheridan, 2019, April, 30)。

26 Emma Griffiths (2014, March, 24).

対する父親の “Yeah right. What's his name then?” (わかった。それで、この子の名前は？) という台詞が書かれており、「トラブルメーカーのアボリジナルの少年」と「子供の名前すら憶えていない、親としての責任と自覚がないアボリジナルの男性」が表象されていた。この風刺画について西オーストラリア在住のアボリジナルの女性、メリッサ・ディニソンがオーストラリア人権委員会に申し立てを行ったが、ビル・リーク側に和解調停に応じる意思がないと判断し、同年 11 月に申し立てを取り下げている。その後、ビル・リークは、2017 年 2 月に人権に関する連邦議会合同委員会 (Parliamentary Joint committee on Human Rights) に出席し、オーストラリア人権委員会は、18C を楯にして一般市民を迫害しているという主張を展開した[27]。

もう 1 つの事件は、クイーンズランド工科大学 (Queensland University of Technology、以下 QUT) の職員のシンディ・プライヤーが白人学生 3 人を訴えた事件である。2013 年 5 月、当該学生 3 人がアボリジナルの学生専用のコンピューター室を利用しているのに気付いたプライヤーが退出を促したころ、学生のうち 1 人が大学の Facebook のグループ・ページに “Just got kicked out of the unsigned indigenous computer room. QUT [is] stopping segregation with segregation.” (今、先住民学生専用のコンピューター室を追い出された。QUT は人種隔離によって人種差別を防止している) と書き込んだ。もう 1 人の学生は “I wonder where the white supremacist computer lab is.” (白人至上主義者用のコンピューター室はいったいどこにあるのやら) と書き込み、さらに 3 人目は、“ITT Niggers” (黒人［アボリジナル］) について書いていくスレ」と書き込んだ[28]。これらが発端となり、プライヤーがオーストラリア人権委員会に申し立てを行い、同委員会は調停による和解を進めようとしたが、1 年以上が経過しても和解は進まなかったため、事案の扱いそのものが打ち切りになる。その後、プライヤーは連邦裁判所に提訴するが、結局 2016 年 11 月に勝訴の見込みがないとして裁判所に訴えを退けられた。

2017 年 3 月にビル・リークが心臓発作で死去すると、ターンブル首相は、“Bill Leak, one of Australia's most courageous defenders of free speech” (ビ

27 Bill Leak (2017, February 15)
28 本人は “ITT Niggers” という書き込みについて否定している。

ル・リークは、オーストラリアで最も勇敢な言論の自由の守護者だった）と称え、18C 改正の動きを再び加速させていき、2017 年 3 月 21 日の記者会見を迎える。しかし、結局、この改正案は同月 30 日に上院で否決されるのだが、3 月 21 日は国連人種差別撤廃デー（1966 年制定：International Day for the Elimination of Racial Discrimination）[29]であり、特にオーストラリアでは 1999 年よりハーモニー・デーと呼ばれる多文化を祝う日と定めているだけに、首相の記者発表は物議を醸した。記者発表のあった日、アジア系オーストラリア人の作家・コメンテーターのベンジャミン・ロウは、「連合政権がハーモニー・デーに人種差別禁止法に手を加えることを祝して、『ハッシュタグ・フリーダム・オブ・スピーチ』[30]で人種差別の経験談を共有しよう」と政府に対する皮肉を込めたツイートで 18C 改正反対運動を開始する。たちまちこのスレッドにはさまざまな人種差別の経験談や意見が寄せられた。ロウのツイッターによる 18C 改正反対運動は、ザ・ガーディアン（*The Guardian*）のウェブ版[31]でも取り上げられた。また、新聞各紙も首相の記者発表を受けて、関連記事を次々と掲載した。ちなみにフェアファクス ― イプソスが 1400 人を対象に実施した世論調査によると、78 パーセントの回答者が法改正に反対していた（Knott, 2017）。なぜ、ターンブル首相が世論を無視してまで改正しようとしたのか、その理由は与党内の右派からの強い要望があったためだと報じられている。

4.11. 圧力団体の移民政策に対する立場

Stevens (2016) によると、オーストラリアには政府の移民政策に影響を与える圧力団体が存在し、それらは「経済成長連合（the economic growth coalition）」、労働組合（labor unions）、利他的・人権擁護団体（altruistic/humanitarian advocates）の 3 グループに整理できる。経済成長連合には、オーストラリア商工会議所（ACCI）、オーストラリア建設業協会（MBA）、ビジネス・カウンシル・オーストラリア（BCA）が入っており、持続

---

[29] 1960 年 3 月 21 日、南アフリカ共和国でアパルトヘイトに反対する平和的デモ行進が警察の発砲を受け、多数の死傷者が出た（Sharpeville massacre）。1966 年に国連はこの日を世界人種差別撤廃デーとすることを決議した。

[30] ＃FreedomOfSeech.

[31] Anna Livsey (2017, March 21).

的な移民政策の拡大が、労働人口増加と消費増加をもたらし、経済を刺激すると主張している。一方で、オーストラリア建設・林野・鉱山・エネルギー労働組合（CFMEU）は、短期技術系ビザ保持者を雇用する前に、まずオーストラリア人に求人募集を出すことを企業に徹底するよう政府に要望している。つまり、CFMEUは、移民が低賃金で働くために、賃金が下がり、オーストラリア生まれのオーストラリア人の職が奪われるという従来型の主張を維持しているのだ。利他的・人権擁護団体には、教会団体、難民支援グループ、オーストラリア民族組織委員会連盟（FECCA）[32]があり、移民の家族の寛容な受け入れ、難民の受け入れ、移民定住への支援、不法移民の強制収容の廃止を訴えている（Stevens, 2016, p.14）。また、佐藤（2015, p.113）によると、教育業界は「外国人留学生」受け入れ促進を支持しているという。国際教育は、留学生によって大きな外貨収入と雇用を創出するからである。

5. オーストラリアのメディア

第5章で新聞記事を扱うため、ここでオーストラリアのメディアについて若干の説明しておく。オーストラリアの新聞業界は、メディア王として知られるルパート・マードックが所有するNews Corp Australiaのマードック系とフェアファクス（Fairfax）系の二大グループによる寡占市場である。フェアファクスは2018年に民放大手のナイン・エンターテイメント・ホールディングス（Nine Entertainment Co. Holdings Limited）に吸収合併されているが、本論で扱う記事がフェアファクス保有時代のものであることから、フェアファクス系と呼ぶことにする。

5.1. マードック系

ロンドンで『デイリー・エクスプレス』（*Daily Express*）の編集に携わったのをきっかけにジャーナリズム業界に入ったルパート・マードックは、1954年に父の訃報を受けてオーストラリアに帰国し、『アデレード・ニューズ』と『サンデー・メール』を引き継いだ（Encyclopaedia Britannica）。1960年には、シド

32 オーストラリア民族組織委員会連盟（1979 設立）は、ボランティアの政治組織として各民族コミュニティと連邦組織の政策をつなぐ機関。政治政党ではない。

ニーの夕刊紙 *The Daily Mirror* をフェアファクスから買収し、1964年には全国紙のブロードシートである *The Australian* を刊行する。1972年に資本家のフランク・パッカーから *The Daily Telegraph*（1879年創刊）と *The Sunday Telegraph* を買収し、後に前者を *The Daily Mirror* と統合させ、1996年より現在の *The Daily Telegraph* となった。1985年には、Fox テレビ（Fox Broadcasting company）を米国で設立するための法的要件を満たすために米国に帰化している（Encyclopaedia Britannica）。日刊紙 *The Herald Sun* を擁するメルボルンの The Herald and Weekly Times も1987年に買収したほか、米国の *The Wall Street Journal* や英国の *The Times* も所有している。

マードック系は、基本的に政治・社会問題に関しては保守派の新聞である。伝統的に労働党には反対姿勢を貫き、自由党を支持することが多かった。しかし、ウィットラム労働党政権（1972-1975）を支持していた時期もあるほか[33]、1999年の共和制移行の議論では、共和制に賛成しており、政治・社会問題のすべてについて保守的であるとも一概にはいえない。全国紙の *The Australian* について、Manne (2011, p. 3) は、「きわめてイデオロギー性の強い新聞であり、経済についてはネオリベラリズムの大義を推し進める姿勢を打ち出している」と述べている。

5.2. フェアファクス系

1841年にジョン・フェアファクスがチャールズ・ケンプとともに、フレドリック・ストークスより買収したのが、現在のフェアファクス系の旗艦紙 *The Sydney Morning Herald* である（当時は、週刊紙であり、*The Sydney Herald* という新聞名だった）(Isaacs & Kirkpatrick, 2003)。同紙はジョン・フェアファクスのもと1850年代、1860年代に保守路線を確立し、その後もフェアファクス一族による実質的な運営と保守路線の保持によって着実に発展を続けた新聞であり（メリル, 1970, p. 224)、現在は北部準州を除く全国で読むことができる。

[33] しかし、ジョン・カー総督によるウィットラム首相罷免の原因となった1975年の「憲法危機」では、所有する *The Australian* で首相に対して厳しい論陣を張らせたという(越智道雄, 2005, p. 85)。

フェアファクス系の影響力のある日刊紙には、メルボルンを中心に講読されている *The Age* も挙げられる。同紙は創刊以来、一貫してリベラルな立場を維持している。メリル（1970）の調査[34]では、最も良質で、権威のある世界の新聞100選の中に、唯一のオーストラリアの新聞として選ばれている。データとしてやや古いため、現在の新聞の評価として妥当とはいえないものの、同紙がオーストラリアの老舗の新聞であることを十分に証明する材料である。仲西(2016）では、同紙を対象にディスコース分析を行ったが、移民や難民に対して温情的な姿勢であることがわかっている。全国紙としては、1951年創刊のタブロイド版日刊ビジネス紙の *The Australian Financial Review* が挙げられる。

5.3. 豪大手ニュース・メディアのジャーナリスト

Henningham（1993）は、豪大手ニュース・メディアに雇用されているジャーナリストを対象にオーストラリア初の包括的な全国調査を行い、政治的志向は、中道が約4割、左派が約4割、右派が約2割を占めることを明らかにした。また、ジャーナリストの社会環境、生まれ育った家庭の経済的環境、民族性、学歴、政治的志向といった調査項目の結果から、オーストラリアのジャーナリストはミドルクラス出身者が大多数の 61 パーセントを占め、そのほとんどがアングロ・サクソン系であり、学費の高い私学出身者の割合は、国内平均を大きく上回ることがわかった。ジャーナリストの80.9パーセントは、オーストラリア生まれで、海外生まれのジャーナリストの3分の2以上がイギリス、アイルランドあるいはニュージーランド出身で、アジア系は1パーセント未満であったという。この調査結果から、オーストラリアのジャーナリズムは、ミドルクラスの白人が支配していることがわかる。

---

[34] John. C. メリル（1968 [1970]）は、世界の主要日刊紙を選定すべく、アメリカ国内の研究者による複数の調査結果に自らの調査研究結果を加えて、新聞を優秀性の度合いに従って分類する「エリート・プレス・ピラミッド」を組み立てた。ピラミッドは、最も質が優れ、権威の高い新聞を頂上に、4 段階に分かれており、第 1 級エリート(Primary Elite)（10紙)、第2級エリート(Secondary Elite)（20紙)、第3級エリート(Tertiary Elite)(30紙)、準エリート(Near Elite)（40紙）の100紙が選定されている。

6. オーストラリアの選挙制度と白豪主義終焉後の歴代政権

オーストラリアは上院と下院の二院制を取っており、3 年に一度の総選挙で、下院の 151 議席（任期 3 年）と上院の 76 議席（概ね任期 6 年）のうち約半数が改選される[35]。下院は小選挙区制、上院は州単位の比例代表制を採用している。「上院が下院と同じ力をもっているのが特徴」（杉田, 2020, p.162）であり、本章 4.8 項で述べた人種差別禁止法がなかなか成立に至らなかったのも、法案が上院を通過できなかったからである。オーストラリアは、自由党と労働党の事実上の二大政党制となっている[36]。自由党は中道右派の政党であり、オーストラリア国民党とは連合を組んでいる。労働党は中道左派である。白豪主義終焉後のオーストラリアの政権を時系列的にまとめたのが表 1-2 であるが、特に本論で言及されることが多い首相を網掛け表記にしている。

表 1-2　オーストラリアの首相（第 21 代–第 31 代）

第	首相	政党	在任期間	
21	ゴフ・ウィットラム	労働党	1972. 12	1975. 11
22	マルコム・フレイザー	自由党	1975. 11	1983. 03
23	**ボブ・ホーク**	労働党	1983. 03	1991. 12
24	ポール・キーティング	労働党	1991. 12	1996. 03
25	**ジョン・ハワード**	自由党	1996. 03	2007. 12
26	**ケビン・ラッド**	労働党	2007. 12	2010. 06
27	**ジュリア・ギラード**	労働党	2010. 06	2013. 06
-	**ケビン・ラッド**	労働党	2013. 06	2013. 09
28	トニー・アボット	自由党	2013. 09	2015. 09
29	**マルコム・ターンブル**	自由党	2015. 09	2018. 08
30	スコット・モリソン	自由党	2018. 08	2022. 05
31	アンソニー・アルバニージー	労働党	2022. 05	現在

1996 年から 2007 年にかけては、ハワード自由党の長期政権が続いていた。政権交代で労働党のケビン・ラッドが第 26 代首相となるが、2010 年にジュリ

35　オーストラリア議会（Parliament of Australia）公式ウェブサイトの情報による。

36　杉田弘也（2012, p.56-68）によると、現在のオーストラリアはジョバンニ・サルトーリの分類による「二大政党制」に当てはまるが、将来的に社会的リベラルな政党が台頭してくれば、穏健な多党制へとシフトする可能性はあるという。

ア・ギラードとの党内権力闘争の末、首相の座を退くことになる。2013 年に選挙の顔として再び党首に返り咲いたものの、総選挙には敗れ、6 年ぶりの政権交代で自由党のトニー・アボットが第 28 代首相に就任する。同氏もわずか 2 年で党内の勢力争いに負け、2015 年 9 月に「自由党内最リベラル」（杉田, 2020, p.172）のマルコム・ターンブルが第 29 代首相に就任する。ターンブル氏も、支持率が低迷してくると与党内で「首相おろし」が活発化し、2018 年 8 月 24 日に辞任に追い込まれ、スコット・モリソンが首相の座に就いた。2022 年 5 月の総選挙を経て、2024 年 1 月現在では労働党のアンソニー・アルバニージーが第 31 代首相を務めている。

第 2 章　理論枠組み

1. 批判的ディスコース分析（CDA）とは

本章では、第 II 部の分析で用いる理論枠組みについて概説するが、はじめに主たる理論枠組みである CDA (Critical Discourse Analysis) と、CDS (Critical Discourse Studies) について説明しておく。CDA (批判的ディスコース分析) はフェアクラフを中心に多くの理論家によって研究されており、CDA をタイトルに用いた著書や論文は多数あり、言語学の 1 つのパラダイムとして定着しているといえよう。しかし、ヴォダック＆マイヤー (2018, pp. 3-4) によると、1990 年代から使用されるようになった CDA という用語は、その名称から批判的ディスコース分析をする「方法」であると誤解されることが多かったという。実際には CDA に唯一の方法などなく、また特定の理論を指すわけでもない。多種多様なアプローチからプロジェクトの性質に合わせて最も適切なアプローチを取ることができ、学際的かつ折衷的であることが CDA の特徴である。このためヴォダック＆マイヤーは、批判的ディスコース分析を行う研究者の理論、方法、分析、応用、実践を含めて、批判的ディスコース研究 (CDS) と呼ぶことを好み、推奨するようになった。しかし、本論では、従来通りの CDA あるいは「批判的ディスコース分析」という名称で統一している。

CDA においてディスコース[1]とは、社会的実践としての言語使用の 1 つの形態であり、ディスコースとそれを取り囲む状況、制度と社会構造はお互いに影響を与え、お互いを形作る弁証法的関係にある。そして、ディスコースの実践は、社会の現状の維持や再生産に寄与することも、社会の現状の変革に貢献することもでき、非常に大きなイデオロギー的効果を持ちうる (Fairclough & Wodak, 1997, p.258)。

---

[1] ディスコースは学問領域によっては「談話」と訳され、文のレベルを超えた意味的まとまりをもった言語的単位として定義される。本論における「ディスコース」は、フェアクラフ理論に依拠しており、フーコーの「ディスクール “discours”」の流れを汲んだものである。大文字の表記の ‘Discourse’ の場合は「『表象作用』をになう言語の働きを指す語」を指し、小文字の ‘discourse’ の場合は「じっさいに＜言われたこと＞・＜書かれたこと＞の集合」を指す (ミシェル・フーコー, 2006, p.61)。

CDAでは、社会的不平等は言語使用によって表現され、構成され、正当化されるという考えのもと、言語に表れた支配、差別、権力、管理の構造を分析し、イデオロギーや権力を脱構築することを関心事としている（ヴォダック&マイヤー, 2018）。

CDAの目的は、潜在的に存在する差別や不平等といった社会問題を分析で顕在化することである。社会の中には、当然視されているものの見方、考え方が多く存在する。例えば、エスニック・マイノリティについてよく言われるディスコースを挙げると、「言語、宗教、文化、生活様式が異なること（“difference”）が原因でエスニックとホスト社会のメンバーとの軋轢が起きている」や「(社会が)移民で溢れ返っている（“swamped”）」などがある。そして、メディアによって特定のエスニック・グループと麻薬取引などの組織犯罪やテロリストなどを関連付けるような報道がなされるたびに、社会の主流派は報道を事実として鵜呑みにし、結果、マイノリティに対して否定的なディスコースが流布していく。一方、エスニック・マイノリティたちは、このような考え方を当然視しない。彼らにしてみれば、マイノリティを社会の周縁に追いやり、不平等な地位に貶めるような考え方なのである。こうした社会で当たり前とされ、「前提」とされている考え方がディスコースの中でどのように構築され、どのようにして伝えられているかを暴き、明らかにするのがCDAである。

CDAはM.A.K. Halliday (1994) の選択体系機能文法からも影響を受けている。機能主義では、言語を記号体系（semiotic system）として捉え、実生活で使用される状況を重視し、文化コンテクストと状況コンテクストの中にテクストを位置付けることを意識している。そして、テクストは「観念構成的」、「対人的」、「テクスト的」メタ機能を持っていると考える。機能文法の言語の機能に着目したテクスト分析の手法は、CDAの研究者が、テクスト作成者の動機や隠された意図や目的を暴いたり、テクスト作成者の態度、見解、偏見を発見し、解釈する上で有益なツールとなっている。たとえば、Transitivity Analysisといわれる態の変換がその1つである。初期のCDAの代表的研究の1つであるHodge and Kress (1993) は、このTransitivity Analysisで、受動態を用いることで動作の受け手がテーマ[2]となり強調される一方で、動作主が省略されている新聞記事の例を示した。そして、新聞報道が態の変換という文法上の操作を用いて、特定の政治的イデオロギーを正当化し、強化していることを指摘した。

2. ディスコースの歴史的アプローチ

本論の分析では、CDAの中でもライジグル&ヴォダック（2018）が提唱するディスコースの歴史的アプローチ（discourse historical approach、以下DHA）の分析ツールを主に用いる。

DHAは、解釈学的アプローチであり、ヴァン・デイクの社会認知アプローチとは異なるが、ヴァン・デイクのいくつかのコンセプトやカテゴリーを採用している。例えば、ヴォダックのin-groupに対する好意的な表象（positive self-presentation）とout-groupに対する否定的な表象（negative other-presentation）といった概念はヴァン・デイクのアプローチにも見られる。

DHAは、フェアクラフやヴァン・レーヴェンといったハリデーの選択体系機能文法の流れを汲んだ批判的ディスコース分析、さらにキーンポイントナー[3]などのレトリック論や議論学、それに加えてドイツの政治言語学の影響も受けている。これらはすべて言語学やコミュニケーション学の下位分野の理論だが、これらとは別に、DHAは、批判理論の社会哲学的志向を支持しており、「テクストやディスコースの内部をみる批判」、「社会診断的批判」、「予知的批判」の3つの相互に関連する側面を持つ。

ライジグル&ヴォダック（2018, p.35）によると、この3つの側面は次のように解釈できる。「テクストやディスコースの内部をみる批判」は、テクスト内またはディスコース内の構造上の一貫性の欠如や、（自己）矛盾、パラドックスやジレンマを発見することを目的とする。「社会診断的批判」は、背景知識を利用し、社会理論やさまざまな学問分野から得た理論的モデルを活用して、ディスコース事象を解釈し、ディスコース的実践の説得的・操作的な性質を暴くことであ

---

[2] ハリデーは、マテジウスが創設者となったプラーグ学派のテーマ・レーマの概念を受け継ぎ、テーマは節の最初のポジションに来て、その節が語ろうとするメッセージの起点となると説明している（M.A.K. Halliday, 1994, chapter 3, 'Clause as message'）。

[3] Manfred Kienpointner

る。「予知的批判」とは、「コミュニケーションの改善を模索すること」と説明されているが、社会的実践全般について、将来起こりうる結果を予見して批判することで、変革や改善に貢献することと換言できる。たとえば、予知的批判により、病院や官公庁での言語障壁をなくすための提案が行われることが可能となるし、学校教育という領域においては、「移民ばかりを集めたクラスを編成してはならない」といったガイドラインが作成されたり、法廷において、多言語への対応のみならず、社会文化的要素を考慮した裁判の進め方が検討されることが可能になる。

ライジグル＆ヴォダック（2018）は、ディスコース的出来事の解釈をめぐって、なぜある解釈がほかの解釈より妥当なのかを理論的に正当性を証明することと、偏見や先入観が解釈に影響するリスクを軽減することの重要性を説いている。そのために用いられるのが三角測量（the principle of triangulation）の原則であり、これに従うことで可能な限りコンテクストを明らかにすることができる。三角測量は、以下の4つのレベルを考慮したコンテクスト概念に基づいている。

1) 言語またはテクスト内にある共テクスト、および共ディスコースそのもの
2) 発話、テクスト、ジャンル、ディスコースの間の間テクスト的、間ディスコース的関係
3) ある特定の「状況コンテクスト」の社会的変数と制度的枠組み
4) より広範な社会的、歴史的コンテクスト。それにはディスコース実践が埋め込まれており、かつ関連する

（ライジグル＆ヴォダック, 2018, pp. 43-44）

この4つのレベルを考慮して分析するためには、共テクスト、共ディスコース、間テクスト的関係、間ディスコース的関係を捉えるのみならず、その背景にある社会問題や歴史を含めた視点が必要となる。

「間テクスト性」とは、ライジグル＆ヴォダック（2018, p.40）によると、過

去と現在の両方において、テクストがほかのテクストと結びついていることを意味する。その結びつきとは、主題や主たる社会的行為者について言及したり、同一の事象について言及したり、ほのめかしや喚起、主たる根拠を 1 つのテクストから次のテクストに移すことなどによって生み出される。

間テクスト性に関連して、「再コンテクスト化」についても説明する。ライジグル&ヴォダック（2018, p.40）によると、再コンテクスト化は、ある要素を新しいコンテクストへと移す過程のことであり、本論の場合なら、首相のスピーチのテクストと、そのスピーチについて報じる新聞記事を比較することで再コンテクスト化の過程がわかる。スピーチの中の一部が記事に引用されたとき、その引用は、新聞記事というコンテクストの中で新たな意味を獲得しているのである。

次に、「間ディスコース性」は、ディスコースがほかのディスコースと相互につながっていることを意味し、たとえば、移民に関するディスコースが、留学生という教育ディスコースのトピックに言及している場合、両ディスコースは間ディスコース的関係にあるといえる。

ライジグル&ヴォダック（2018, pp. 46-47）によると、DHA による分析では、まず、第 1 段階として特定のディスコースにおける特定の内容やトピックを決定した上で、第 2 段階として後述するディスコース・ストラテジーの使用を調べ、そして最終段階として、言語的手段およびコンテクスト依存の言語的実現を調査する。

ライジグル&ヴォダック（2018, p.46）は、ディスコース分析をする上で、着目すべき 5 つのポイントを挙げているが、それらはすなわち、後述する 5 つのディスコース・ストラテジーを暴くことである。本論の内容に合わせると分析のポイントは次の通りとなる。

1) 人物は言語的にどのように名付けられ、参照されているか（指名ストラテジー）
2) 彼らにはどのような特徴、性格、性質、特性が備わっているとされているか（叙述ストラテジー）
3) どのような議論および論証スキームを用いて、特定の人物や特定の社会

集団は、他者を除外したり、差別したり、抑圧したり、搾取することを正当化したり、合法化しているのか（論証ストラテジー）

4) どのような観点からこうした指名、叙述、論証が行われているか（観点化ストラテジー）

5) それぞれの差別的な発話は、明示的に行われているのか、強調されているのか、緩和されているのか（強調・緩和ストラテジー）

（ライジグル＆ヴォダック, 2018, p.46 を参考に要約）

ライジグル＆ヴォダック（2018）は、テクスト作成者は、程度の差こそあれ、目的達成のために、意図的にストラテジーを利用すると考えており、「ストラテジーというのは、一定の社会的、政治的、心理的あるいは言語的ゴールを達成するために採用された、ある程度意図的な実践プランを意味する」（p. 47）と述べている。つまり、先述の 5 つの着眼点は、テクスト作成者の意図とストラテジーを暴くためのものである。

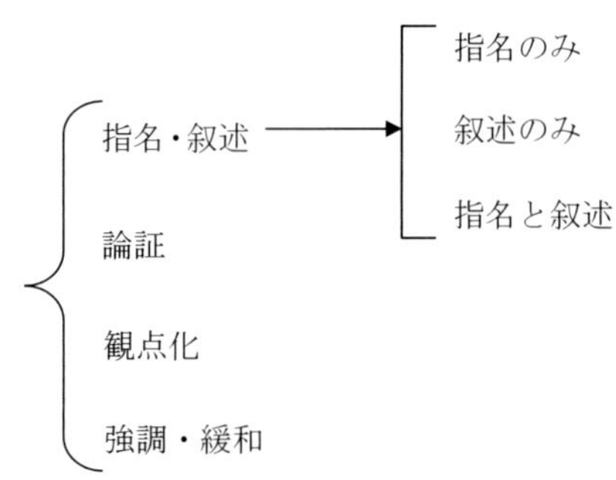

図 2-1 ディスコース・ストラテジー　（ライジグル＆ヴォダック（2018, p. 47）を改変）

上図 2-1 のディスコース・ストラテジーのシステム・ネットワークは、ライジグル＆ヴォダック（2018, p. 47）の考えを元に改変し、図式化したものである。ライジグル＆ヴォダックのディスコース・ストラテジーは、形式・意味の観点から分類されており、その分類に基づき、テクストの書き手がどのようなストラテジーを用いて、どのような意味生成がなされているのか分析することができる。図 2-1 の波括弧は同時に複数のストラテジーを選択できること (AND) を意味しており、隅括弧は三者択一 (OR) を意味している。図は時系列と関係なく、あくまで論理構造を表しており、左から右に展開している。ライジグル&ヴォダック (2018) では、指名、叙述、論証、観点化、強調・緩和は、5 つの独立したストラテジーとして扱われ、階層化されていないが、図 2-1 では、指名ストラテジーと叙述ストラテジーは「指名・叙述ストラテジー」として同じカテゴリーに分類され、大きく 4 つのストラテジーに分類している。これは、本論の実際のストラテジー使用状況を見たときに、指名ストラテジーか叙述ストラテジーか判断が難しいものが散見されたためである。この点に関し、Reisigl and Wodak (2001, p. 45) も次のように指名ストラテジー (nomination strategies)と叙述ストラテジー (predicational strategies) の境界は曖昧であり、指名ストラテジーの中には、ある特定の叙述ストラテジーに分類可能なものも含んでいると述べている。

> They (=Predicational strategies) cannot neatly be separated from the nomination strategies. Moreover, in a certain sense, some of the referential strategies can be considered to be specific forms of predicational strategies, because the pure referential identification very often already involves a denotatively as well as connotatively more or less deprecatory or appreciative labelling of the social actors. (p.45)
>
> [(=) は筆者]

図 2-1 の第 2 番目の階層で、①指名のみ、②叙述のみ、③指名と叙述、の 3 つのパターンに分類しているが、指名ストラテジーの中には、その名詞そのものが差別的なニュアンスを含んでいるため、わざわざ修飾語をつけなくても差別的な意味を伝えているものもあれば、指名ストラテジーの後の埋め込み文の中で叙述ストラテジーが使われているパターンが多いことを考慮して改良を加えた点である。波括弧 (AND) は、2 つ以上のストラテジーが同時に使用されるケー

スを示しているが、論証ストラテジーや観点化ストラテジーの中に、注意の引用符を用いた指名・叙述ストラテジーが現れることもあるし、強調語彙が用いられた強調・緩和ストラテジーが現れることもあり、そうしたパターンもこのシステム・ネットワークでは網羅できるようになっている。

次項より、各ストラテジーの詳細を記す。

2.1. 指名ストラテジー

社会的行為者やモノ、現象や事象、過程および行動への言及の仕方のことを指名ストラテジーと呼ぶ。たとえば、野球チームの監督が選手に暴力[4]をふるったとする。記者会見で監督本人や所属先が問題となった行為について、「暴力」ではなく、「行き過ぎた指導」という表現を用いた場合、それは指名ストラテジーにあたる。暴力をふるった事実に言及することを避けることができ、しかも「指導」には「教え導く」という肯定的意味があるため、「本人のために良かれと思ってやったのだ」という印象を聞いている者に与える。同様に、同僚や同級生に対して行った「いじめ」を「かわいがり」というのも本人は嫌がっていなかったという印象を強調するための社会的行為に対する指名ストラテジーである。

社会的行為者やモノに対しては、人名、直示語、グループのメンバーを表す表現を用いる方法が挙げられる。レッテル貼り（labelling）や比喩的表現の使用も指名ストラテジーである。たとえば、庇護希望者（asylum seekers）を表す表現の１つである "boat people" は、「難民船（でやってくる）難民」という換喩の使用である。さらに "queue jumper"（列に割り込む人）には、UNHCR を通して正式に難民申請をする者よりも結果的に早く難民認定される可能性があることから「ずるい」、「卑怯だ」という否定的な意味が込められていると解釈できる。違法な手段でオーストラリアに入国したという点を強調して、広く庇護希望者を "undocumented immigrants" や "illegal immigrants" と呼ぶこともしばしばである。このように「庇護希望者」の類義語として扱われている語彙は非常にたくさんある。Fowler (1991, p.85) は、ある文化のディスコースの中で、偏見や先入観の対象となっている人・モノや考え方を指す類義語のようなものが大

[4] 信濃グランセローズ（2014 年 7 月 23 日）

量に存在している状態を指して次のように過剰語彙化（over-lexicalization）と呼んでいる。

> … over-lexicalization, which is the existence of an excess of quasi-synonymous terms for entities and ideas that are a particular preoccupation or problem in the culture's discourse. (p.85)

過剰語彙化は、特定の人、モノ、考え方について、本来同義語でない語を同義語のように使用するストラテジーであり、オーストラリアのコンテクスにおいては、このような "asylum seekers" の過剰語彙（"undocumented immigrants"、"illegal immigrants"、"queue jumpers"、"boat people"）は、オーストラリア国内の庇護希望者はすべて違法な手段で入国した不法移民であるという印象を与える。さらに近年では、"middle-class refugee"（中流難民）や "economic refugee"（経済難民）という語彙を、その対義語としての "real refugee"（本物の難民）と組み合わせて使用することによって、「オーストラリアに入国してくる難民の大半は、戦火や迫害を逃れて来たのではなく、オーストラリアの豊かな生活を享受したいがために、ブローカーに多額の現金を支払ってやって来た偽物である」という印象を与え、受け入れ国側であるオーストラリア国民の難民に対する感情を悪化させて偏見を持たせている。

2.2. van Leeuwen の社会的行為者の表象

前項で、指名ストラテジーについて概説したが、次にヴァン・レーヴェンの社会的行為者理論の一部を紹介する。DHA の指名ストラテジーには、van Leeuwen (1996, 2008) による社会的行為者の表象のカテゴリーから借用されているものが多いためである。たとえば Reisigl and Wodak (2001, pp. 46-52) でも、van Leeuwen の社会的行為者の表象カテゴリーが用いられている。以下に van Leeuwen (1996, p.66) のシステム・ネットワークの中にある表象ストラテジーについてその一部を概説する。尚、ストラテジー名の和訳は筆者によるものである。

まず、書き手の関心や目的に応じて、社会的行為者がテクスト内に描かれている場合と描かれていない場合に分かれる。前者が包含（Inclusion）で後者が排除（Exclusion）である。排除には隠蔽（Suppression）と背景化（Backgrounding）の2つの下位タイプがある。

隠蔽では、社会的行為は描かれているが、その行為の担い手である社会的行為者への言及がなく、社会的行為や社会的出来事に対する責任が曖昧化される。代表的な手法は、受動態での動作主の削除であるが、ほかにも名詞化（nominalization）や過程名詞（process noun）の使用による隠蔽の手法もある。背景化とは、排除されている社会的行為者が、問題となっている行為に関する部分では言及されていないが、テクストのどこかでは言及されており、その社会的行為者が誰なのか推量できる場合である。分詞を伴った非定形節での主語の省略（ellipses in non-finite clauses with *–ing* and *–ed* participles）やto-不定詞、並列節での主語の省略という形で具現化される場合は、単純に同じ節あるいは同じ複合節内に省略された社会的行為者が含まれている。隠蔽と同じような文法的手法で具現化される場合もあるが、背景化の場合は、必ずテクストのどこかでその社会的行為者についての言及がある。背景化の度合いは、具現化のされ方によって異なるものの、いずれも社会的行為者が直接言及される回数を減らす役割を果たしているといえる（van Leeuwen, 1996, pp.38-41）。

次に、図2-2に示す通り、社会的行為者が描かれている場合、一般化される場合（Genericisation）と特定化される場合（Specification）があり、特定化される場合は、特定の個人として単数形で描かれる個人化（Individualisation）と集団・グループとして描かれる同化（Assimilation）に分かれる。そして同化はさらに、"a lot of~" や "forty percent of ~" などの助数詞や数量詞を伴う数量化（Aggregation）と助数詞や数量詞は用いず、複数名詞で "all Australians" と呼んだり、"the community" などのような集合名詞や集団を意味する名詞で呼ぶ集団化（Collectivisation）に分かれる。ただし、社会的行為者を集団として言及する場合でも、本来、関連性のないはずのものを関連付けてグループとして一緒に表象する場合は、関連化（Association）として区別している。たとえば「中国人と先住民」"Chinese and Indigenous people" や「非白人のエスニックの人たち」"non-white ethnic peoples" などは関連性のない集団を関連付けている例といえる。

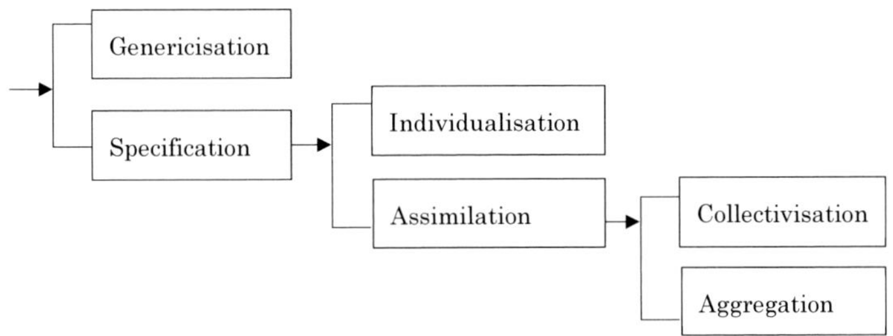

図 2- 2 van Leeuwen (1996, p.66) のシステム・ネットワーク（一部を抜粋）

以上、van Leeuwen (1996) の社会的行為者の表象のカテゴリーで特に DHA の指名・叙述ストラテジーに関連性のあるものを紹介した。

2.3. 叙述ストラテジー

叙述ストラテジーは、指名ストラテジーと同じで、社会的行為者やモノ、現象や事象、過程および行動を対象としているが、特にそれらの特徴、特性、質に関する表象の仕方のことを指す。DHA の初期の研究、たとえば Reisigl and Wodak (2001, pp.243-244) では、叙述ストラテジーの具体例が分析結果として示されているだけで、装置についての文法的な説明が欠如していたが、ライジグル&ヴォダック (2018, p.47) では、叙述形容詞および限定形容詞、同格、前置詞句、関係節、接続詞句、不定詞、分詞節ならびに比喩的表現など装置の文法的枠組みが表に整理されている。そこで、本論では叙述ストラテジーの捉え方はライジグル&ヴォダック (2008) に依拠する。

次に、2019 年 10 月に脱税が報じられた芸能人の記者会見[5]での謝罪のセリフを例に叙述ストラテジーの使用を見てみることにする。

5　ヤフーニュース「チュートリアル徳井の会見全文 1」(2019 年 10 月 24)

「このたびは私のだらしなさ、怠慢によりまして、しっかりとした納税をすることができず、ちゃんと税金を納めていらっしゃる国民の皆様方に対して、多大なるご迷惑をおかけして、それから、多大なる不快感を与えてしまったことを本当に申し訳なく思っております。」

(ヤフーニュース)

ここで、この社会的行為者は、「脱税」と報道されている事に対して、「申告漏れ」であると主張したいのである。脱税は意図的で悪質だが、申告漏れは意図的ではない。そこで、自分のことを常日頃から「だらしなくて、怠慢である」と叙述することで、「意図的ではない」、つまり「脱税ではない」ということを婉曲的に伝えている。さらに、「ちゃんと税金を納めていらっしゃる国民の皆様方」という国民に対する叙述ストラテジーは、税金を納めていなかった自分を卑下することで、世間の怒りをやわらげようとして用いられていると解釈できる。

ヴォダックは、指名ストラテジーと叙述ストラテジーを区別しているものの、実際は指名と叙述の両方のストラテジーが併用されるケースは多い。特に、限定形容詞と名詞の組み合わせの場合や（例　the flawed legislation)、第 2 文型 (SVC) において、指名ストラテジーが主語に用いられ、補語の叙述形容詞が叙述ストラテジーの役割を果たしているケース（例　Turnbull is incorrect.）が散見される。

書き手は、叙述ストラテジーによって個人や集団、モノや事象に対して、明示的あるいは暗示的に、肯定的あるいは否定的な評価的属性を付与する。これは社会的行為者や事象を好意的あるいは否定的にラベリングするストラテジーであり、書き手と同じ意見の社会的行為者に対しては、肯定的な属性ばかりを付与し、対立する意見を持つ社会的行為者に対しては否定的な属性を与えることで、二項対立構造を形成し、イングループとアウトグループを形成するのに役立つ。

2.4. 論証ストラテジー

先述の三角測量の原則を重視し、DHA が用いているアプローチの 1 つが、論証ストラテジー (argumentation strategies) であり、その中にあるのがトポス[6] の理論である。これらは、DHA に特有のものであり、フェアクラフやヴァン・レーヴェン、ヴァン・デイクといった CDA のほかの理論家は用いていない。論証（argumentation）について、Reisigl and Wodak (2016) は次のように説明している。

> Argumentation is a linguistic as well as a cognitive pattern of problem-solving [...]. Its purpose is to persuade recipients via convincing (sound) arguments and / or suggestive fallacies.
>
> (Reisigl & Wodak, 2016, p.35)

つまり、「論証とは、受け手を説得することを目的とした問題解決の言語的、認知的パターン」ということになる。書き手がテクストの中である主張をする際、それを読者に受け入れさせるために、知識、確信の程度と理論的識見からその主張の妥当性を訴えたり、実践的規範、倫理的・道徳的規準に鑑みて「何がなされるべき／なされるべきでない」、「何が推奨されるべき／禁止されるべき」かを訴え、納得させる。批判的議論において、妥当性を明らかにし、見定めることを可能にするような建設的な論証のルールとして、Reisigl and Wodak (2001, pp.70-71) は 10 項目を挙げており、それをまとめたのが次頁の表 2-1 である。この 10 のルールについては、ライジグル＆ヴォダック（2018, pp.50-51）でも述べられているが、Reisigl and Wodak (2001) の方が個々のルールの説明がわかりやすい。論証ストラテジーにおいては、健全な論証スキーマが用いられることもあれば、こうした規則が破られ、示唆的な誤謬（ファラシー）が用いられる場合もある（ヴォダック, 2018, pp.48-80)。誤謬とは、論証の過程に論理的または形式的な瑕疵があり、その論証が妥当でないことである。

6 ギリシャ語で「場」を意味する。単数形は topos で、複数形は topoi。本論ではいずれの場合もトポスと呼ぶ。

表 2- 1 建設的な論証のルール (Reisigl & Wodak 2001, pp.70-71) [筆者訳]

番号	ルールの名前	ルールの内容
1	議論の自由	参与者は互いに主張を提示することと、互いの主張に疑問を呈することを妨げてはならない。
2	理由を述べる義務	主張を提示する者は誰であれ、求められればその主張を弁護できなければならない。
3	対立する側の先行するディスコースについて正確に言及すること	主張に対する攻撃は、実際に相手が提示した主張について行われなければならない。
4	「事実に即する」義務	ある主張の弁護は、その主張に関連する論証を提示することによってのみ、なされなければならない。
5	暗黙の前提への正確な言及	参与者は、言葉に表さなかった暗黙の前提に縛られうる。逆に、相手は発言から推論できない前提に基づいて攻撃されてはならない。
6	共有する出発点の尊重	共有する出発点に属する根拠によって弁護されたなら、その主張は最終的に弁護されたとみなされなければならない。 前提は、誤って共有する出発点としてみなされてはならない。また逆に共有する前提は否定してはならない。
7	説得力ある根拠と論証スキームの利用	一般に認められた論証スキームを正しく適用した根拠によって主張が弁護されたなら、その主張は最終的に弁護されたとみなされなければならない。 説得力のある論証スキームが正しく適用されて弁護されていない場合、主張は最終的に弁護されたと捉えてはならない。
8	論理的妥当性	推論的なテクストにおいて用いられる根拠は、有効であるか、あるいは、1つ以上の言葉にされていない前提を明瞭化することによって有効であると認められなければならない。
9	議論の結果の受容	弁護に失敗した場合、参与者は、自身の主張を取り下げなければならない。また、参与者が弁護に成功した場合は、相手が参与者の主張について呈した疑問を取り下げなければならない。
10	表現の明確さと正確な解釈	曖昧で不明瞭な定式は使用してはならず、また、できうる限り正確な解釈がなされなければならない。

次にトポスについてだが、Reisigl and Wodak (2016, p. 35)[7] はキーンポイントナーの考え方を基本とし、トポスは「結論規則」であり、(複数ある) 根拠と結論 (すなわち主張) とを結びつけるものであり、(複数ある) 根拠から結論へと至る過程を正当化するものと定義している。さらに、ライジグル&ヴォダック (2018, p.50) では、「トポスは社会的に慣習化されていて、常に繰り返し現れる」ものであり、必ずしも明示的に表現されることはないものの、「『もし x なら、y である』あるいは『y である。なぜなら x だから』といった、条件節または因果関係を表す文に言い換えて、明示的に表すことができる」とも述べられている (p.50)。これらの説明を基にすると、根拠、結論、トポスの関係は、以下の図 2-3 のように表すことができよう。

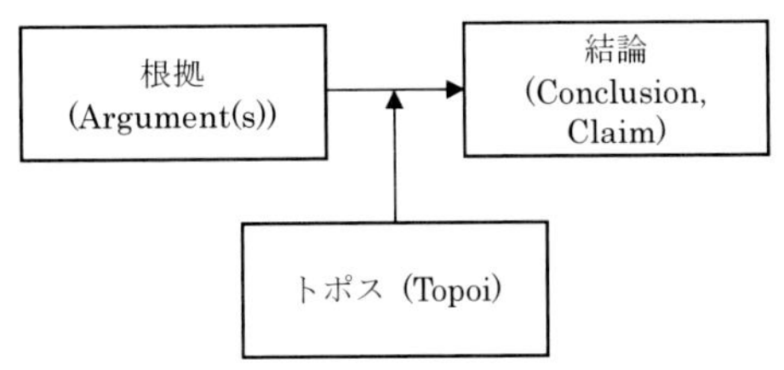

図 2-3 根拠、結論、トポスの関係

(Reisigl & Wodak (2016, pp.50-53) の記述内容を元に作成)

Reisigl and Wodak (2001) は、典型的な内容についての論証スキームの分析は、トポスのリストを基に行うことができると述べており、1) 有用性、有利性 2) 無用性、不利性 3) 定義、名前の解釈 4) 危険と脅威 5) 人道主義 6) 正義 7) 責任 8) 負担、負荷 9) 財政 10) 現実 11) 数 12) 法と権利 13) 歴史 14) 文化 15) 悪用、がリスト化されている (p.75)。

ヴォダック (2010, p.107) でも、具体的なトポスの例として、同様のリストが提示されており、さらに、Wodak (2009, pp. 42-44) でも、一部が異なるものの同様のリストに「権威のトポス」と「緊急性のトポス」を加えて「一般的なトポ

7 基本的に M. Reisigl and R. Wodak (2016) の解釈については訳書を参考にするが、訳書と解釈が異なる部分については、原書に筆者のオリジナルの訳を加えていく形式を採る。

ス」として紹介されており、会議で議題を交渉する際や、自身の関心、見解、立場に同意するよう説得する際に用いられると説明がなされている。さらに、Reisigl (2008, p.117) は、国民のトポス (Topos of the people) 、国民の民主的参加のトポス (Topos of [the people's] democratic participation) を挙げており、トポスの抽象度に差異があることがわかる。

こうしたライジグルやヴォダックによるトポスのリストの追加はどのようにして可能となるのか、何を基準にしているのかがDHAに関する一連の論文の中で説明がなされていない点とトポスのリストの中に、「ディスコース」と思われるものが混ざっている点を指摘したŽagar (2010, p.7) は、トポスのリストから当てはまるものを利用するのではなく、データから主張へと結びつける理由付けが何であるのかを丁寧に見て、論証を再構築できることが大切であると主張している。

林 (2015, p. 88) も名嶋義直・神田靖子(編)(2015) の論考の中で Wodak の DHA について書かれた章 (pp.157-198) について、テクストの事例がトポスの事例と見なせる根拠を見いだすことができないと述べ、トポスの説明が不明瞭であると指摘し、英国の論理哲学者トゥールミン (2011)[8]の議論モデルを紹介している。

さらに Reisigl and Wodak (2009) は、"In the present context, we refer to several topoi which are mentioned in the literature, but we also coin new names for topoi and fallacies which occur in our specific data." (p.114) と述べており、特定のデータに新しく表れたトポスや誤謬については、新たに命名すると言明している。

以上の点から、トポスは扱うデータによって、追加・削除が無限に可能であり、リストのすべてを正確に把握して本論に適用するのは困難であるといえる。また、筆者は、リストに挙げられているトポスがすべての言語文化圏において社会的に慣習化されているとはいい難いと考える。そこで、本論では、トポスのリストは敢えて利用せず、論証が健全なものか、誤謬を含むものなのかをトゥールミン (2011) が提案した議論モデルを援用して検証を行う。福澤 (2002) による

[8] Stephen Toulmin (1958) の改訂版が Stephen Toulmin (2003) であり、改訂版の翻訳がスティーヴン・トゥールミン (2011) である。本論ではこの改訂版の翻訳を使用する。

とトゥールミン・モデルでは論証の正しさだけでなく、1 つの議論がどれだけ論証されているのかをチェックし、説得力の高さを判定することができるという。

トゥールミン（2011）のモデルには、「主張・結論（Claim, Conclusion）」、「根拠・データ（Grounds, Data）」、「理由付け（Warrant)」の 3 つの議論の基本要素がある。図 2-4 のように「主張・結論」を支える根拠を「根拠・データ」と「理由付け」に分けて考え、根拠・データを背景に理由付けを介して結論を導く行為を論証と呼ぶ（福澤, 2002, p.72-110）。データとは特に実証可能性が高い根拠のことであり、理由付けとは隠れた根拠である。このモデルは表面と深部の構造となっており、「主張・結論」と「根拠・データ」は表面にあるが、「理由付け」は表出しておらず、「理由付け」は再構築することで表面にあらわれる。

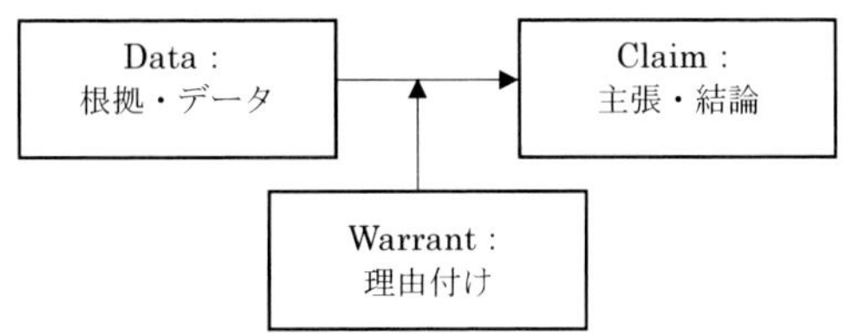

図 2-4 トゥールミン・モデルの 3 要素

（Toulmin（2003, p.92）の図を元に作成）

トゥールミンのモデルの完成形では、さらに 3 つ要素があり、図 2-5 のようになるが、本論で用いるのは図 2-4 の 3 つの基本要素である。

まず、理由付けを支持する「裏付け（Backing)」である。次に、理由付けの効力に関して保留条件を示す「反証（Rebuttal)」である。これは、あらかじめ理由付けが保証できない条件を想定しておき、「〜でない限りは」というふうに保留条件を設定しておくことである。最後は、理由付けの確かさの程度を表す「限定詞（Qualifier)」である。

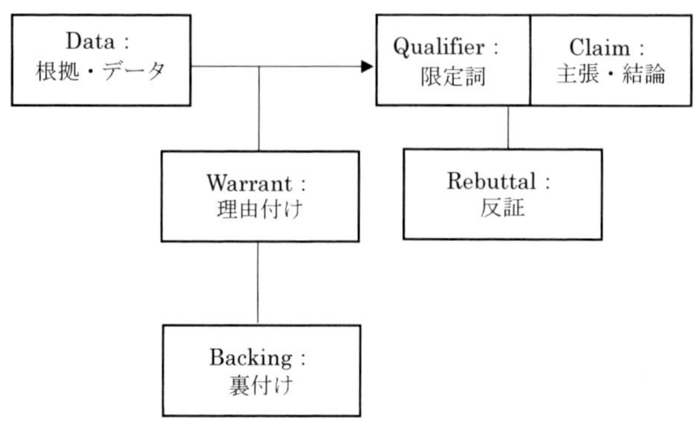

図 2-5 トゥールミン・モデルの 6 要素

(Toulmin (2003, p.97) の図を元に作成)

ここで、第 1 章で述べたブレイニー論争から 4 年後の 1988 年 8 月 25 日に、当時野党だった自由党党首のハワードが後の「ハワード論争」を引き起こす原因となったアジア系移民制限に関するスピーチの一部をトゥールミン・モデルで説明したい。(抜粋 1) は、ハワードの発言である。

(抜粋 1)

ハワード：I do believe that <u>if in the eyes of some in the community</u> it [=Asian immigration] is too great, it would be in our immediate term interest and supportive of social cohesion if it were slowed down a little, so that the capacity of the community to absorb was greater.

(Errington, W., & van Onselen, P., 2007, p.157)

オーストラリア・コミュニティの一部の目にアジア人の移民が多すぎると映るのであれば、少し受け入れのペースを落として、コミュニティの吸収能力が大きくなるようにすれば、我々の短期的な利益になり、社会結束を支えてくれると私は思います。　[下線, 日本語訳, (=) は筆者]

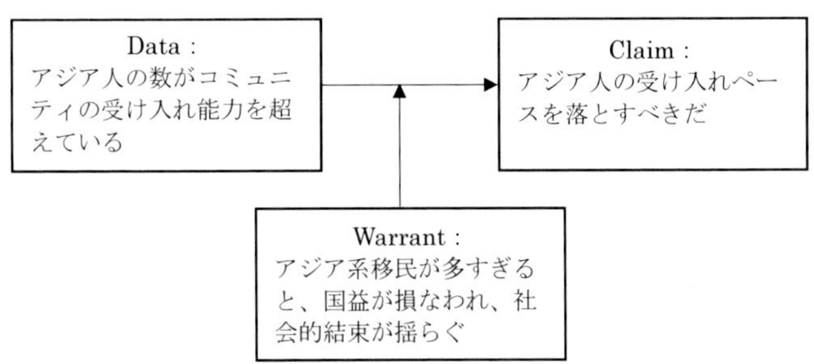

図 2-6 ハワードのアジア系移民制限に関するスピーチ

図 2-6 は、ハワードの発言をトゥールミン・モデルに当てはめた場合の 3 つの要素を示している。ハワードは、自分自身の主張として語ってはいるものの、「〜だったら…なのに」と仮定法過去を用いて、あくまで仮定の話と限定することでやや婉曲気味に主張している。そして、主張の根拠（Grounds / Data）である、「アジア人の数がコミュニティの受け入れ能力を超えている」については、アジア系移民が何人なら適切に受け入れられるのか、その人数も示されていない。"if in the eyes of some in the community"（下線部）では、オーストラリアン・コミュニティ、つまりオーストラリア国民の目から見て、アジア系移民が多すぎるという不確かな根拠から「アジア人の受け入れのペースを落とすべきだ」と主張している。では、なぜアジア人の数を減らさなければならないのか。ハワードの主張の隠れた根拠、つまり理由付け（Warrant）は、アジア人が多いと社会的結束が損なわれ、オーストラリア・コミュニティに不利益をもたらすということであり、少しずつ in-group に加えていくのであれば、異質なアジア人でも受容できるということである。ハワードはあたかも常識的な話をしているかのように話すが、アジア系移民に反対する者たちは、裏付ける根拠もなしに「アジア人が多いと社会的結束が揺らぐ」という人種差別的な考えを共有しているのである。

ここまで、トゥールミン・モデルについて概説したが、トゥールミン・モデルを用いて主張の理由付けを掘り出すことができれば、トポスのリストに依存せずとも、説得力の高さや、議論の矛盾をあぶりだすことができよう。

2.5. 観点化ストラテジー

観点化ストラテジーは、ライジグル＆ヴォダック（2018, p.47）によると、「書き手または聞き手の観点の位置付けおよび、関わり（involvement）や距離を表現すること」であり、観点化ストラテジーの言語的装置としては、「直示、疑問符、ディスコース・マーカー／ディスコース・パーティクル」が挙げられている。ほかにも、直接話法、間接話法、自由話法といった引用や、垣根表現、メタファーなども装置として考えられる。分析において、これらの装置の使用に着目することで、テクストの中の指名や叙述、論証がどのような観点から表現されているのか、発話者が他者との関係において、どのような位置取りをしているのかを知ることができる。

2.6. 強調・緩和ストラテジー

発話内効力（illocutionary force）を強調したり、緩和したりすることで命題に対する認識的立場（epistemic status）を修正・加減するのが、強調・緩和ストラテジーである。ライジグル＆ヴォダック（2018, p.47）は、指小辞（diminutives）および拡大辞（augmentatives）、付加疑問、仮定法、いいよどみ、曖昧表現・誇張（hyperboles）、緩叙法（litotes）、間接発話行為（indirect speech acts）、発言・感情・思考を表す動詞の使用を通して具現化されると述べている。

論証ストラテジーの説明で使用した本章 2.4 項の（抜粋 1）を今度は強調・緩和ストラテジーの観点から分析してみる。まず、動詞 “believe” と仮定法の使用が緩和ストラテジーとして機能していることが挙げられる。“do” は強調であるものの、“believe” という動詞は、強い主張ではなく、自分の考えの一端を述べたことになり、表現を緩和する働きがある。また、「もし、コミュニティの視点から見て、アジア人の移民が多すぎるのであれば、」という仮定法は、「アジア人の移民を制限すべき」という意見と自分自身の距離を取るために観点化ストラテジーを使用しながら、「多すぎる」（too great）という強調表現によって、過度に受け入れているという印象を与えている。これらのストラテジーによって、アジア人の数が過度に多いという現実があり、その人数抑制を求めるのは、あくまでコミュニティの声だということになる。それもコミュニティ全員ではなく、「一部（some)」の声であると緩和ストラテジーも使用されている。こうして人数抑制の主張から距離を取ることで、ハワードは、アジア人からの批判を和らげることを狙っているといえる。また、もう 1 つ緩和ストラテジーとして機能しているのが仮定法であり、それは、「少し受け入れのペースを落として、…すれば、…であろう」の部分である。「ペースを落とすべきだ」と義務的モダリティー（should, must, ought to など）を用いて発言すれば、直接的な首相の強い主張になるところを、仮定法が婉曲効果を与えている。

3. そのほかの CDA の分析ツールおよび分析のポイント

3.1. ヘッドラインの分析

van Dijk (1998) によると、ヘッドラインにはメイン・トピックを読者に示し、リードと共に記事の要約を形成し、最も重要な情報を伝える機能がある。このディスコース・スキーマタ（discourse schemata）は、複雑な情報を整理する機能を果たし、ディスコース・ジャンルを決定付ける特性としても機能する（p.271）。

また、メイン・トピックや鍵となる事実を示すヘッドラインの機能が働いていると読者が認識している限りにおいては、ヘッドラインは、読者が記事の続きを「理解する」ためのイデオロギー的基準を設定することで、読者の記事解釈に影響を与えることもできる（Allan, 2004, p.83)。

ヘッドラインには意味論上の機能のほかに語用論上の機能もあり、促す(urging)、警告する（waring)、報告する（informing）の 3 つの言語行為（speech acts）の機能も持つものもある（Iarovici & Amel, 1989, pp. 441-443）。

しかし、すべてのヘッドラインがこれらに集約されるわけではなく、あまり重要でない出来事や細部に焦点を当てたヘッドラインが付けられるケース（Bell, 1991, pp.188-189)、引用文がヘッドラインになっているケース、記事本文に現れていない要素がヘッドラインに含まれているケース、記事を作成した記者とは別の編集者が長年の経験で培われた直感を頼りにヘッドラインを付けるケースも存在する（Dor, 2003,p. pp.697-698, p.707）。さらに、記事の要約でもなければ出来事の詳細でもなく、読者に謎かけをするようなヘッドラインも存在し、そのようなヘッドラインは、謎かけによって、まず読者のフレーム（frame）や信念体系（belief system）を作動させ、その後、読者がテクストを読むとその謎が解けるようになっている（Lindemann, 1990)。この種類のヘッドラインは、タブロイドによく見られるが、本論第 5 章で取り上げるタブロイド記事にも登場する。

編集者が、社会的責任よりも購買部数を伸ばすことを追求してヘッドラインを決めるため（Pfau, 1995, p.138)、ヘッドラインが記事内容に忠実につけられていない場合もある。Pfau (1995) はヘッドラインを操作して人種や階級にフレーム化すると、人種や階級のスキーマが実験対象者の中で作用し、記事の解釈に影響が出るという仮説を立て、126 人の大学生を対象に、都会で起こった抗議活動（urban unrest）に関する実際の新聞記事本文と意図的に操作された 3 種類のヘッドラインを用意して実験を行った。用意されたヘッドラインは、「黒人による暴動」という表現を含む "14 cops hurt <u>in black riot</u> at B'klyn Navy Yard"（下線は筆者、以下同様）と、「労働組合による暴動」という階級に関わる表現を含んだ "14 cops hurt <u>in Union riot</u> at B'klyn Navy Yard" と、中立的なヘッドラインの "14 cops hurt in B'klyn" の 3 つであった。実験対象者は、記事を読んだ後にアンケートに回答したが、人種に関わるヘッドラインのついた記事の方が、ほかの 2 つより暴力が凄惨であると回答し、警察官が負った怪我についても、人種に関わるヘッドラインの方がより深刻であると回答した。また、デモ参加者の大義については、中立的なヘッドラインよりも人種や階級が絡んだヘッドラインの方が正当性を認める回答が多く、逆に中立的なヘッドラインでは、デモ参加者が取った行動の正当性が最も認められなかった。このように Pfau (1995) の実験では、ヘッドラインの操作によって異なるスキーマが作用し、読者のテクスト理解に影響を与えるという仮説が立証された。

3.2. 引用

フェアクラフは、バフチンの対話性理論（Bakhtin, 1981）の考え方を基に、テクストに取り込まれた著者以外の社会的行為者の発話の引用を他者の「声」と呼んでいる（フェアクラフ, 2012, p.66)。テクストに取り込まれたさまざまな他者の「声」とオーサーは、お互い関わり合い、対話を続けるというのが対話性理論の考え方である。本論の分析では、どのような社会的行為者の「声」がどのような形式（直接引用・間接引用、注意の引用符）でどの程度の頻度でテクストに組み込まれているのか、どのようにフレーム化されているのかも分析のポイントとなる。フレーム化とは、テクストに組み込んだ「声」をテクストのほかの部分との関係においてどのように文脈化するかということであり、引用動詞の種類や使用のされ方に着目することで明らかにすることができる。

以下は、Caldas-Coulthard (1994) を元に作成した引用動詞（quoting verbs）の種類であるが、本論で引用動詞を分析する際には、この分類に依拠することとする[9]。

表 2- 2 引用動詞の種類（based on Caldas-Coulthard, 1994, p.306）

<table>
<tr><th colspan="3">Speech-reporting verbs</th></tr>
<tr><td>Neutral structuring verbs</td><td></td><td>say, tell, ask, enquire, reply, answer</td></tr>
<tr><td rowspan="3">Metapropositional verbs</td><td>assertives</td><td>remark, agree, assent, accept, correct, counter, announce</td></tr>
<tr><td>directives</td><td>urge, instruct, order</td></tr>
<tr><td>expressives</td><td>accuse, grumble, lament, confess, complain, swear, claim</td></tr>
<tr><td>Metalinguistic verbs</td><td></td><td>narrate, quote, recount</td></tr>
<tr><th colspan="3">Descriptive verbs</th></tr>
<tr><td>Prosodic</td><td></td><td>cry, intone, shout, yell, scream</td></tr>
<tr><td rowspan="2">Paralinguistic</td><td>voice qualifier (manner)</td><td>whisper, murmur, mutter</td></tr>
<tr><td>voice qualification (attitude)</td><td>laugh, giggle, sigh, gasp, groan</td></tr>
<tr><th colspan="3">Transcript verbs</th></tr>
<tr><td rowspan="2">Discourse signalling verbs</td><td>relation to other parts of discourse</td><td>repeat, echo, add, amend</td></tr>
<tr><td>discourse progress</td><td>pause, go on, hesitate, continue</td></tr>
</table>

表 2-2 の Neutral structuring verbs は、書き手が発話内容の字義通りの意味を読者に伝えるときに用いる動詞であり、say や tell が当てはまる。この時、書

[9] Caldas-Coulthard（1994, p.306）では "explain" を Metapropositional verbs (assertives) に分類しているが、筆者は Neutral structuring verb と判断したため、表 2-2 から敢えて削除している。

き手は中立的であり、書き手の発話に対する評価は付随しない。

Metapropositional verbs は書き手による話者に対する解釈を強調した動詞である。話し手が担う役割によって assertives [主張型]、directives [命令型]、expressives [表現型] に分類できる。assertives には、announce (発表する)、などがあり、directives には、urge (促す) などがあり、expressives には grumble (不平を述べる) などが含まれる。Metapropositional verbs は読者をある特定の出来事の解釈へと導くことができる。これを [主張型] の "announce" と [表現型] の "grumble" を例に説明すると、"announce" が聞き手との社会的関係において、発話者にパワーがあり、発言内容にも正当性があるように感じさせるのに対し、"grumble" は話し手の方にはパワーがなく、しかも「不平不満を言う」というネガティブな性質が読者に印象付けられて、発言内容にも正当性を感じさせない (Machin & Mayr, 2012, pp. 57-59)。

Metalinguistic verbs は、話者が使用する言語の種類を特定する動詞で、narrate なら「主観的コメントを付すこと」であるし、recount なら「物語ること」に特定される。

Descriptive verbs は、コミュニケーションの相手がいる場合において、相互行為を描写するものであり、相互行為の種類によって Prosodic と Paralinguistic に分かれる。例えば、whisper という引用動詞は、「ささやく」という行為の様態から、発話者が大声で発話できない状況と、発話者をとりまく社会的行為者の力関係を示している。

Transcript verbs は、テクスト構成的機能を持ち、"he added" や "he continued" のようにディスコースの展開を強調し、引用文とディスコースのほかの部分との関連付けを行う (Caldas-Coulthard, 1994, p. 306) 。

これらの多様な引用動詞を使い分けることで、テクストの書き手は、ある特定の社会的行為者には権威があり、発言に正当性があるように見せることができ、別の社会的行為者は卑屈に見せ、言い分に正当性がないように見せることもできる。

3.3. イデオロギー

van Dijk (1998, p.29-30) によると、イデオロギーとは本質的に社会的なものであり、集団の成員や人々の集合体で共有され、社会構造と関連する。集団の成員が、日々の実践の中で、個人的に集団のイデオロギーを支持し、承認し、使用することもある。Fairclough (1989, p.1-2) によれば、イデオロギーは、人々が言語的相互行為を成すときに暗黙のうちに従っている慣習、つまり、普段は意識されず「常識」とされている前提であり、既存の社会関係、権力関係、権力の差異を正当化する手段である。

フェアクラフ (2012) は、イデオロギーの機能は、支配を達成し、それを維持するために、特定の意味を普遍化しようとすることであり、ある主張がイデオロギー的であるかどうかの判断は、その主張およびそれに関連する主張が、ある特定の社会生活の領域に対して持つ因果作用を検討し、その主張とその主張の行為化や教化が、権力関係を維持したり、変容させたりすることに寄与するかどうかを問うことで可能であると述べている。社会に受け容れられやすいディスコースには、イデオロギーが隠されているとも述べており、そのイデオロギーを明らかにする重要性を指摘している (pp.52-71)。

これらを本論のオーストラリアのコンテクストで考えてみると、たとえば、政府が発行する文書やスピーチに頻繁に登場する「多文化社会オーストラリア」という文言には「オーストラリアは多文化社会である」という命題の前提があり、その文言を含んだテクストは、「多文化社会」を広めるイデオロギー的機能を果たしているといえる。

オーストラリアにおける多文化主義は、1970年代の導入時から時間をかけて定着したイデオロギーだが、その内容は時とともに大きく変容している。塩原 (2017) によると、1970年代から1980年代までは、ベトナム難民を多数受け入れる手厚い福祉を特徴とした包摂的な多文化主義の時代であり、当時の「移民」の表象は、社会の下層に属する人々としての「アジア系移民」が中心であったという。当時の多文化主義は、ベトナム難民を中心に移民を受け入れることを国民にごく自然なことと思わせ、納得させるイデオロギー的機能を果たしていたのであろう。しかし、多文化主義は、1980年代から徐々にネオリベラルな性質のものへと移行し始める。塩原 (2010, p.63) によると、移民受け入れ政策における選別性の強化とミドルクラス的多様性の礼賛がネオリベラル多文化主義の特色であるという。

多様性を受け容れつつも、経済的に自立できる移民を対象にした内容に政府の政策を変えることで、ミドルクラス中心のネオリベラル多文化主義のイデオロギーが行為化され、さらに政府関係のウェブサイトや政府刊行の移民関連のパンフレット、新聞報道において、ミドルクラス移民の表象ばかりが使用されることで、国民のなかに「多文化社会における移民とは、ミドルクラス市民である」というイデオロギーが形成されて行き、それがごく自然で一般的な多文化ディスコースの特徴として受け容れられるようになり、国民に教化されていく。人々の心や考え方は特定のイデオロギーを含んだディスコースに日常的にさらされることによって変化していくからである。

こうして政府は、ミドルクラスを中心に据えた多文化主義イデオロギーによって、ネオリベラル主義の価値観に基づいた国家運営を維持し、国内にまだ多数存在する福祉を必要とする移民や、難民審査を待つ庇護希望者を背景化し、技術系移民を国の経済成長のために利用し続けていくことができるわけである。

3.4. 説得のためのレトリック戦略

DHA によるディスコース・ストラテジーのほかに、鈴木 (2007) で紹介されているスピーチなどで用いられる説得のためのレトリック戦略の使用も分析のポイントに加える。本論では鈴木 (2007, p.120-124) が挙げているもののうち、「対句法 (parallelism)」、「再言 (repetition)」、「対照法 (antithesis)」、「同一視 (identification)」を用いる。「対句法」は、類似表現を一文中で繰り返し使用することで、聞き手にわかりやすく議論を印象づける修辞法である。「再言」は、複数の文中で類似表現を用い、類似表現の部分のメッセージを強調する効果がある。「対照法」は、正反対の考えを対照させる技巧で、しばしば対句法と組み合わせられる。「同一視」は、発言者自身に関してあるイメージを醸成することで、発言者と聞き手の間に共通の絆を形成する戦略のことである。

4. ポジショニング理論

第 5 章の新聞記事の分析の一部と、第 6 章のインタビュー・ナラティブの分析にポジショニング理論を援用する。ポジショニングとは、Davies and Harré (1990) が提唱した相互行為における自己とアイデンティティ構築の概念である。

この概念をさらに相互行為研究に導入したのが Bamberg (1997) であり、ポジショニング理論と Labov and Waletzky (1967) に代表される伝統的なナラティブ分析の手法を関連付ける目的で、ポジショニング理論のストーリーテリング分析への応用を生産的に試みている (Bamberg, 1997, p. 336)。

ポジショニング理論では、相互行為における参与者間の関係性を「ポジション」という概念を用いて捉える。ここでいうポジションとは、インタビューの場における司会者とインタビュイーや、問診における医者と患者のような社会から与えられる役割や機能を表すものではなく、刻一刻と変化する相互行為における動的な立ち位置をさす。参与者は、常にお互いにポジションを表明し合い、交渉し合いながら相互行為を達成していく。ナラティブを 3 つのレベル (レベル 1, 2, 3) から分析し、語り手や聞き手のポジションを明らかにすることにより、語り手や聞き手が表出し、(再) 構築していくアイデンティティや自己[10]を分析することができる。

Bamberg (2004b, pp.335-337) を基に各レベルについて概説すると、まず、レベル 1 は、語りの世界である。使用される言語装置に注意を払いながら、物語世界の時間と空間の中で、語り手がほかの登場人物との関係において、自己 (語り手が登場人物でない場合は、物語の主人公) をどのように位置付けているか、そして、ストーリーのテーマを明らかにし、語り手のアイデンティティの主張を見いだす。Bamberg (2004b) では、物語世界の時間と空間の中で、登場人物がどのような人物として位置付けられているかを分析する上で、態や動詞、時制の使用の仕方といった文法的な側面に加え、語り手がファーストネームを用いているのか、人称代名詞を用いているのか、誰 (あるいは何) をテーマに据えているのかといった点にも注目している。

レベル 2 では、インタビューという相互行為の場において、インタビュイー、司会者、マイクを向けられた聴衆が相互に関係性を築いていくのだが、語り手であるインタビュイーが自分自身を司会者や聴衆にどのように見られたい、理解

[10] Michael Bamberg (2011, p. 4) は、アイデンティティと自己 (self) の違いについて、「自己」を社会的文化的カテゴリー (性別、職業、社会階級、人種など) で差別化してラベル付けして提示するのが「アイデンティティ」だと述べている。つまり、アイデンティティを脱構築すると「自己」が見えてくるということにもなろう。

されたいと思っているのか、自分自身をどのように位置付けているのかと同時に、司会者や聴衆によって語り手がどのように位置付けられているのかも言語的要素から分析・考察できる。また、相互行為のある時点で、なぜ語り手が会話のターンを取り、スモール・ストーリーを語ったのかなどの相互行為の手段についての考察もこのレベルで行う。

レベル1、2を経て、語り手は徐々にポジションを構築していくが、レベル3では、その場、その時の会話の場面を越えて成立する「自分とは何者か」(‘Who am I?’)という問いに答えようとする。そこで、語り手のポジションが文化的ディスコースや規範的ディスコースと照らし合わせて、それらを尊重するものなのか、中立的なのか、距離を置いているのか、批判的なのか、覆すものなのか、抵抗するものなのかを分析し、語り手が自己やアイデンティティをどのように位置付けているかを解釈する。

このように3つのレベルで分析することで社会の中で語り手が指向する自己の位置付けが明らかになる。尚、本論では、一時的な立ち位置は「ポジション」、機能や関連性の面などから捉えたより包括的な「自分とは何か」を表すものを「アイデンティティ」と呼ぶことにする。

5. スモール・ストーリー

ポジショニング理論を用いた分析で、重要な要素となるのがナラティブに立ち現われるスモール・ストーリーである。初期のナラティブ研究の1つであるLabov and Waletzky (1967) は、話者が自身の経験をテーマに独話した談話構造を分析した結果、ナラティブの基本構造は、「要約 (abstract)」、「導入 (orientation)」、「複雑な行為 (complicating action)」、「評価 (evaluation)」、「解決 (resolution)」、「終結 (coda)」から成ることを明らかにした。「スモール・ストーリー」とはBamberg and Georgakopoulou (2008, p.379) によると、ナラティブの一種でありながら基本構造 (canon) を持ったビッグ・ストーリーと比較すると構成要素が揃っておらず、基本から逸脱したナラティブであり、また字義通り短いストーリーであることが多い。

Bamberg and Georgakopoulou (2008, p. 381) は、以下の引用にある通り、今まさに起こっている出来事や、未来の出来事、仮定の出来事、共有している

(知っている) 出来事についての語りのみならず、(以前の) 語りや語りの先送りおよび語りの拒否についての言及もスモール・ストーリーと呼んでおり、ナラティブ・アクティビティの中でもこれまで取り上げられることが少なかった領域を捉える包括的な用語として用いられている。

> …we have been employing 'small stories' as an umbrella term that captures a gamut of underrepresented narrative activities, such as tellings of ongoing events, future or hypothetical events, and shared (known) events, but it also captures allusions to (previous) tellings, deferrals of tellings, and refusals to tell.
>
> [原文ママ] (Bamberg & Georgakopoulou, 2008, p. 381)

初期のナラティブ研究では、ナラティブは語り手が時系列に沿って一貫して過去の出来事を独白する物語として考えられていたため、「相互行為」という観点が欠けており、ナラティブの内容そのものに関心が向けられることもなかったが、近年ではナラティブは語り手によってだけではなく、その場の相互行為によって作り上げられるものとして捉えられる傾向がある (ホルスタイン&グブリアム, 2004)。Bamberg and Georgakopoulou (2008) もナラティブを相互行為として捉え、人々の生活の中におけるナラティブが果たす社会的行為や社会的機能を明らかにする目的で意識的にインタビューの中に立ち現れるスモール・ストーリーを研究している。その中で、人々が日常生活において、いかにストーリーを用いて自分が何者であるかという意識を構築しているのかを分析している。ナラティブは人生を振りかえるための道具ではなく、時間・空間において、キャラクターを作り上げる機能を備えた建設的な手段 (constructive means) である。自己とは絶えず変化するものだという視点に立って、ナラティブを用いたアイデンティティ研究を行うことで、スモール・ストーリーが交渉される場を調べ、話者がある特定の自己を確立するために、いかなる手段をナラティブの中で用いたのかを経験的に精査することが可能となる (2008, pp.379-381) 。

Georgakopoulou (2007, pp.31-60) は、20時間に及ぶ会話を分析した結果、

スモール・ストーリーを (1) 未来や仮定の出来事に関するもの (projections)、(2) 共有しているストーリー (shared stories)、(3) 最近の出来事あるいは面白い出来事に関するもの (breaking news)、(4) その他、の 4 つに分類している。

日本でも、Bamberg and Georgakopoulou (2008) に基づき、秦 (2013, 2014) をはじめとする研究者によってスモール・ストーリーの研究が行われている。有田 (2013) は、日本人女性 4 人による結婚観についての会話とその中で立ち現われるスモール・ストーリーを分析し、参加者がストーリーにおける登場人物、相互行為におけるほかの参加者とのポジション、また社会における支配的ディスコースに対する自分のポジションをいかに提示し、交渉するのかを明らかにした。

ポジショニング理論とスモール・ストーリーの関係性だが、本論のインタビュー・ナラティブの分析においては、図 2-7 のように捉える。インタビュー・ナラティブは、レベル 1、レベル 2、レベル 3 に分けられるが、スモール・ストーリーは、レベル 1 に立ち現われたり、レベル 2 の相互行為の中であらわれることもある。スモール・ストーリーは、レベル 3 でも共有されており、言わば各レベルの中を自由に行き来する動的なものとして捉える。

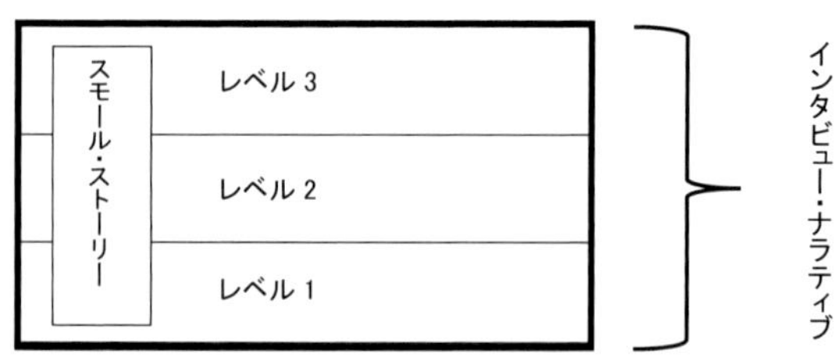

図 2-7 ナラティブとスモール・ストーリーの関係

6. 参与枠組みの概念

最後にテクストの「書き手」について本論における捉え方を説明しておく。本論では、社会的出来事であるテクストを産出する者を「書き手」と呼ぶこととする。Goffman (1981, pp.144-145) は相互行為における参与者の役割について論じた「参与枠組み」という概念の中で、話し手 (書き言葉における書き手も含めて考える）が発話に対して持つ役割としてアニメーター、オーサー、プリンシパル、フィギュアの 4 役を挙げている。アニメーターはテクストを発声する、いわゆる拡声器の役割を担い、オーサーは、テクスト作成において、内容を考え、どのような感情と言葉で表現するかを選択する。そして、プリンシパルは、発話の責任者であり、表現された内容の信念の主体者であり、その話された言葉によってその立場が確立される主体である。最後に、フィギュアは、発話を通して描写あるいは演じられる人物である。これらの役割を 1 人の人間がこなしているとは限らず、たとえば、本論第 5 章で扱うターンブル首相のスピーチでは、首相にスピーチ・ライターが存在すれば [11]、その人物がオーサーになり、首相の役割はアニメーター、プリンシパル、フィギュアであるとも議論できるだろう。しかし、首相はスピーチ・ライターが用意したスピーチ原稿を一部変更したりするであろうし、その言葉に感情を乗せてスピーチをするであろうし、その言葉に対して最終的な責任を担う者である。ゆえに、オーサーの役割と完全に切り離されるわけではなく、4 役を 1 人で担っていると議論できる。本論第 5 章では、首相のスピーチは、首相がこれら 4 役をこなしているものと捉えて分析していく。

以上が、本論で用いる理論枠組みの概論である。次章では、これらの理論を用いた先行研究を概説し、本論との関係性について述べる。

[11] Andrew Clark (2018, Aug 10) によると、2015 年 9 月 14 日から 2017 年 6 月開催の The IISS Asia Security Summit の頃まで John Garnaut 氏がターンブルのスピーチ・ライターを務めていた。

第 3 章 先行研究

1. CDA に関する先行研究

1.1. 新聞報道の中のエスニック・マイノリティ

ヴァン・デイクはジャーナル *Discourse & Society* を 1990 年に創刊するなど CDA 研究の発展に大きく寄与した研究者である。van Dijk (1984) は、オランダでの人種差別を対象にした研究で、イングループ (in-group) によるマイノリティ集団に対する差別的な行為の正当化や合理化に注目し、差別の 7 つの D (the 7 D's of Discrimination) の存在を指摘した。それらは、マイノリティを支配し (Dominance)、差別的に扱い (Differentiation)、遠ざけ (Distance)、彼らに対する偏見を広め (Diffusion)、イングループによって引き起こされた社会・経済問題の責任を転嫁し (Diversion)、まるで二流市民であるかのように扱い、傷つける行為のことである (Depersonalization or Destruction)。そして、これらの行為すべてが日常生活で実践されている (Daily discrimination)。van Dijk (1984) は、人種差別は認知的・社会的現象で、イングループの利益を守るための社会的機能であると論じている。

van Dijk (1987) は、オランダのアムステルダムと米国カリフォルニア州のサンディエゴを中心にインタビュー・データを集め、日常の会話と対人コミュニケーションに焦点を当て、白人がエスニック・マイノリティに対してどのような考えを持っており、白人が属するグループ内でどのようにエスニック・マイノリティのことを話題にしているのかを分析した。結果、van Dijk (1987) は、「人々は、いわゆる社会原則 (social principle) 、つまり自分たちイングループの基本的目標、規範、価値に照らして集団を判断する傾向があり、もし、ある特定のアウトグループがこれらの原則と相容れない特質を持っていると考えれば、それらの特質を否定的に評価することがわかった」 (p. 197) とし、偏見に満ちた態度とは、差異化とカテゴリー化を行い、その異質性を徹底的に根本から否定することであると主張した。

van Dijk (1991) は、英国とオランダのタブロイド紙を中心にエスニック問題を報じる記事の構成、意味、スタイルなどを分析した。ヘッドラインの分析では、ジャーナリストや編集者は、自分たちがニュース・レポートの主要なトピックと捉えているものを主観的に表現し、エスニック・マイノリティの否定的な役割を強調する傾向があることを明らかにした。主題およびトピックの分析では、マイノリティは、移民問題、犯罪、暴力（特に暴動）、民族間関係（特に人種差別）などの典型的なトピックと関連付けられる傾向があるほか、教育のトピックにおいては、必ず「問題」や「対立」が前景化されることがわかった。van Dijk（1991）は、こうしたエスニックに対する否定的な記事の背景には、秩序、権威、忠誠、愛国心、自由という支配的なイデオロギーが作用していることが明らかであり、新聞読者を対象にした実証的研究結果を踏まえた上で、メディアがエスニックに関してコンセンサスを作り出し、人々の意見や態度の自由を厳しく制限することで人種差別の再生産を行っていると述べている。また、リベラル派の高級紙には、巧妙かつ微妙な書き方でエスニック問題を報道し、タブロイドによく見られるような攻撃的で偏見のある話題化とスタイルは使用しない傾向があるという。リベラル派の新聞が、アパルトヘイトなどあからさまな差別や人種差別主義には反対しながらも、積極的差別是正措置や厳格な人種差別禁止法には賛成しない点について、リベラル派はエスニック問題となると、「リベラル」というより「寛容」なだけだと van Dijk（1991）は指摘している。そして、マイノリティのジャーナリストが少なく、マイノリティの編集者がほぼ存在しない欧州において、こうした「寛容」が陰湿な「現代の人種差別主義」を形成している可能性があり、教科書やメディア、雇用、日常会話における微妙なステレオタイプ化や微妙な差別の実践こそが、実はより克服しがたい問題なのかもしれないと問題提起している。

次に、カナダの学校に在籍する移民の子どもに関する新聞報道の CDA 研究を紹介する。カナダは 1960 年代の移民法改正以来、多文化主義を社会的価値に位置付け、人道的な移民を受け入れてきた。Yang（2014）は、2001 年のアメリカ同時多発テロ事件以降の新聞記事で、幼稚園から高校までの教育に関するものをデータベース検索で絞り、CDA の手法で質的研究を行ったが、その結果、まず、移民の若者は「英語がうまく話せない集団」という立場に据えられており、言語が人種や民族に代わる移民のゲートキーパーとして作用していることがわかった。Yang（2014）は、政治的に公正な表現や前向きな表現を用いても、多文化を祝うディスコースは移民の言語能力を低く評価するディスコースに結局つながっており、彼らの学業、さらに社会的地位の達成度の差異を正当化することにつながっていると問題提起している。また、Yang (2014) は本論と同じく Caldas-Coulthard (1994) の引用動詞の分類を用いて、戦略的な引用の配置を分析したが、実力主義を前景化し、社会のエリート層に有利な記事解釈を読者に促すような引用動詞の選択と話者の選択があったことを明らかにしている。マイノリティの実名に言及するときは、エスニック色の強い名前ばかりが挙げられており、その選択の仕方から、人種化がうかがえたとも述べている。結論として、メディアは実力主義を正当化し、人種のステレオタイプを繰り返し利用することで、社会の主流派に肩入れしており、カナダの多文化主義の公的ディスコースとマスメディアのディスコースには乖離があり、政治ディスコースでは包摂的な社会をうたいながら、メディアは移民をよそ者と位置付けていることがわかった。

続いてオーストラリアの新聞記事を対象にした CDA 研究を紹介する。Teo (2000) は、シドニー郊外のキャブラマタ[1]に拠点を置くギャング組織 5T[2]による麻薬密売を報じる *The Sydney Morning Herald* と *The Daily Telegraph* の記事を Fowler, Hodge, Kress, and Trew (1979)、Fowler (1991)、van Dijk (1996)、Fairclough (1989, 1992/1993) といった複数の CDA 研究者の枠組みを用いて分析している。前半は量的研究であり、ヘッドラインの分析では、警察は権威として表象され、5T は犯罪と関連付けられていることを確認した。この結果は、主流派は好意的に、マイノリティは否定的に表象されるという van Dijk (1987) のイングループとアウトグループに対する評価 (evaluation) の仕方に符合している。また、過剰語彙 (over-lexicalization, Fowler, 1991) によって、5T は狂暴かつ非人間的な集団として表象され、さらに麻薬密売人は「アジア系」というカテゴリーでステレオタイプ化 (categorical stereotyping) されているこ

1 越智道雄(2005, pp.283-293) によると、Cabramatta は 1970 年代までは、中央・東欧移民の町だったのが、徐々にベトナム系を中心とするインドシナ系の町へと変わった。ベトナム移民が増加した頃には、オーストラリア経済が不況となり、ベトナム系男性の失業率は、全国平均の 3 倍にまで達したという。

2 5T は、オーストラリアに受け入れられる前に、難民キャンプで孤児になった少年が主体となっていた (越智道雄, 2005, p.290) 。

とが明白になった。一般化[3] (Genericisation) の手法で、書き手はベトナム人に対する差別と偏見を記事に埋め込み、ベトナム人を他者化 (othering) することで、社会の主流派である白人とエスニックの間で「我々」対「彼ら」の二項対立構造を深めている。

引用パターンの分析では、過度に主流派のエリートの発言が引用され、当事者である 5T やベトナム人の発言の引用は見られなかった。これは力を持つ者が社会の周縁にいる者に対する社会的コントロールを維持するために利用する引用パターンであり、オーストラリアにおいてメディアのオーナーや管理者を白人が占めていることが非白人の声を組織的に排除する原因となっているとTeo (2000) は述べている。

また、キャブラマタという町のステレオタイプ化もメディアによる影響が大きいと述べている。時を経てベトナム系が多く住む町に変貌したことは事実であるが、「キャブラマタのアジア化」と「キャブラマタの犯罪都市化」の 2 つはメディアによって関連付けられ続け、時間の経過とともにごく当たり前のことと受け容れられるようになってしまった。シドニーのメディアは 5T を誰もが認めるキャブラマタの麻薬王だと喧伝し、キャブラマタを「オーストラリアのヘロインの中心地」と呼ぶ。こうしたメディアの「宣伝活動」により、キャブラマタには犯罪者が集まるようになり、キャブラマタはその評判に応えるかのように犯罪が頻発する町になっている。

Teo (2000) は、論文の後半では *The Sydney Morning Herald* と *The Daily Telegraph* の両紙からサンプル・テクストを選び、Halliday (1994) の機能文法を用いて、新聞ディスコースの構造の比較分析を行っている。過程構成分析の結果、2 紙は対照的な結果を示した。*The Daily Telegraph* では「麻薬の売人」

[3] Genericisation は、一般化といい、特定のグループ・個人の特徴をより一般的な人達に当てはめることである (Theo van Leeuwen, 1996, 2008)。たとえば、5T の犯罪行為と Asian, Vietnamese, Southeast Asian, Asian は必ず関連付けられている。5T をアジア人やベトナム人とステレオタイプ化することは、ただ単に民族ごとに分類しているのではない。我々の彼らや彼らの行動に対する態度に影響を及ぼしてくるのである。イデオロギー上重要なのは、より評価的でなく、より事実的な一般化のほうが、疑問を抱かれずに自然と受け容れられやすいことである。アジア人やベトナム人であることは、キャブラマタの密売屋だけでなく、すべてのギャングや密売屋と永久に同一視されるかもしれない。こうしたステレオタイプ化で、主流派である白人とエスニックの間で不健全な Us vs Them の精神性を蔓延させてしまう。

が行為者や発言者となっていたが、*The Sydney Morning Herald*では、「警察」が行為者としてテーマの位置に置かれ、警察が厳しく 5T を取り締まっていることが前景化されていた。語彙的結束性（lexical cohesion）の観点からの分析では、*The Sydney Morning Herald*は身体への攻撃に関する語彙や、警察の専門性を強調する語彙、軍隊を連想させる語彙（militaristic metaphors）によって、警察が 5T を本格的に取り締まり、成果を挙げているという解釈に至るように読者を誘導しており、5T との戦いにおける警察の地位と存在意義を高めようとするイデオロギー的動機が見られると Teo は考察している。

「我々」対「彼ら」という考え方は、オーストラリアの歴史と経済力がこれまでに醸成してきた権力構造を下支えするための重要な社会心理学的概念であり、それゆえ 5T による犯罪と 5T のアジア化は、必要なステレオタイプとなっているとし、その上で、Teo (2000) は、これまでメディアはエリートの社会支配を強化し、再生産する役割を担ってきたが、これからの使命は積極的にマイノリティの「声」や「顔」を読者に聞かせたり、見せたりすることで、多様で多元的な社会としてオーストラリアのコンセプトを作り直すことであると述べている。そして、その変化を起こすためには、まず人々が、何が起こっているのかを自覚し、権力の再生産のディスコース戦略を認識し、暴くことであると締めくくっている。

1.2. 人種差別の否定のディスコース

白人の主流派の間では、エスニックに対する差別や偏見が日常会話や組織化されたテクストやトークによって醸成され、共有されている。それにもかかわらず、エスニックに対して否定的態度を取っている事実を否定し、隠すようなディスコースの戦略を取るのだが、これが白人による「人種差別の否定」であり、現代の人種差別の特徴の 1 つである（van Dijk, 1992)。

van Dijk (1992) は、テクストやトークを対象に、エリート層による人種差別の否定が人種差別の再生産に果たす役割を社会と個人のレベルで検証している。社会レベルでは、議会での討論や新聞報道といった公的ディスコースに焦点を当てて研究しており、その点において本論と関連性が強い研究である。van Dijk は、否定のタイプとして 4 つ挙げており、それらは 1) act-denial（そんな事は全く言っていない／していない）、2) control-denial（わざとではない／偶然だ）、3) intention-denial（そんなつもりで言ったのではない／したのではない）、4) goal-denial（～の目的で言ったわけではない／したわけではない）である（pp.93-94）。また、人種差別の否定のストラテジーについては、次のような種類を明らかにしている。まず、新聞記事がマイノリティの犯罪を報道する際に偏見に満ちた記事を書き、それを単なる事実報道だと主張して人種差別を否定することや、政治家がマイノリティの福祉の不正受給を批判して、読み手にマイノリティに対する偏見を植え付けつつ、真実を述べたに過ぎないと主張することは「知る権利」（"right to know"）を楯にした「正当化（justification)」である。「私は黒人に対して何も反感は持っていないのだけれど、それでも…（"I have nothing against blacks, but…"）」のように、これから行う自身の発言が例外であると印象付けるのが「否認（disclaimer)」であり、マイノリティについて否定的な発言をすれば、寛容という社会規範を破っていると解釈されることを自覚している証拠である。「脅してなどいない、ただ友人として助言をしただけだ（"I didn't threaten him, but gave him friendly advice."）」や「侮辱などしていない、ただ率直な意見を述べただけだ（"I didn't insult her, but told her my honest opinion"）」は、「軽減（mitigation)」と「婉曲表現(euphemism)」である。こうした正当化、否認、軽減は、自分たちは法を遵守していて、まっとうな市民だと強調するために用いられる。さらに、「マイノリティが麻薬を扱っていたから」、「移民が福祉依存で働こうとしないから」といったように相手に非があるとするのは、「被害者を非難する戦略（blaming the victim)」である。ほかにも、「人種差別に反対する人たちを『不寛容な傍観者』と批判し、むやみに善良な市民を人種差別主義者呼ばわりしている彼らこそ白人に対する人種差別主義者であり、表現の自由を妨げている」と主張するのが、「逆転（reversal)」であり、イギリスの極右のタブロイドに多い。また、議会の場合もメディアと同じく、人種差別反対者を非難する「逆転」が見られるという。特に、右派の党が、「社会主義者が移民を受け入れ過ぎて逆差別を引き起こしたのだ」と主張をすることが多いと van Dijk (1992) は述べている。van Dijk (1992) は、こうした「逆転」のために、人種差別に反対すると、過激な集団として周縁化されてしまい、人種差別を批判することが、社会でタブー視されていくと述べている。現代の多文化社会では偏見と差別に対する規範や法律があり、寛容さが国家神話（national myth）として押し進められているため、「人種差別はこの国には存在しない、存在したとしても、それは稀で、偶発的なケース、あるいは一部の人間が行っているだけなので、個人のレベルで罰せられるべきだ」と組織的人種差別を否定する傾向が見られるという。このようなことから、マイノリティ集団が白人から支持を得て、まだ達成されていない領域の不平等を是正することが難しくなっており、「人種差別は存在しない」という白人のコンセンサスが人種差別の再生産の強力な要素となりうると警鐘を鳴らしている。また、民主主義、テクノロジー、キリスト教、西洋の価値観が、ほかの文化よりも優れたものとしてそれとなく教科書や政治ディスコースやメディアの中で提示されている点や、西洋式の「寛容さ」がイスラム原理主義とよく比較される点についても指摘している。

そのほか、van Dijk (1992) は、人種差別の否定のストラテジーについて、「言い訳（excuses)」、「面目を保つこと（face-keeping)」、「マイノリティに対する否定的ディスコースにおける肯定的自己表象（positive self-representation)」を挙げているが、同様に重要なストラテジーとして「優越（self-glorification)」がある。「我々は平等な国家だ」や「我々は寛容な社会だ」といった肯定的自己表象を前置きしてから、移民の権利を制限する内容に言及する議会での国粋主義者によるスピーチは、法律のネガティブな面を緩和するための「優越」のストラテジーであり、同時に「否認（disclaimer）」のストラテジーとしても機能しているという。

以上は、人種差別をする側の人間が用いる人種差別の否定のディスコースであるが、人種差別をする側だけでなく、差別される側のグループに属する人たちも、差別を否定したり、差別の実態を控えめに表現する傾向があると報告されている。この現象は、社会的制裁を受けることを回避するためではないかと考えられる。実際、人種差別の被害を訴えることは、人種差別を行うこと以上にモラルの犯罪だという歪んだ議論が行われることも多いという (Soutphommasane[4], 2015, pp.46-47) 。たとえば Kaiser, Dyrenforth, and

[4] 2013 年から 2018 年にかけてオーストラリア人権委員会の人種差別コミッショナー (Race Discrimination Commissioner) を務めた。

Hagiwara (2006) は、人種差別を受けたと報告することが対人関係に与える影響について、システム正当化理論[5] (Jost & Banaji, 1994) と社会的アイデンティティ理論[6] (Tajfel & Turner, 1979) を援用して研究を行っている。Kaiser, et al. (2006) によると、システム正当化信念が強い白人は、差別があったと主張する黒人を異なる価値観を持つ者とみなし、身に起こったことに対する自己の責任を放棄しているとして、彼らに対して否定的な態度を取るようになる。反対に、自身に起こったことには、ほかの内的・外的要因があると考える黒人に対しては、否定的な態度を取らないことが明らかになったという。つまり、白人には、自分の所属する白人集団の好ましいイメージを維持するために集団を正当化する動機が働き、被差別者である黒人側には、対人関係に及ぼす副次的影響を考えて、差別を受けた事実を否定する動機が働くということであろう。

Nelson (2013) も被差別者が使用する人種差別の否定のディスコースの研究である。"The Challenging Racism Project's Survey"[7]の結果、人種差別が存在するという認識は全体的に高かったものの (回答者 1 万 2398 人のうち「人種差別はない」と回答したのは 8 パーセントのみ)、人種差別を受けるグループの方が、そうでないグループと比較して「人種差別はない」と回答している割合が高いことが判明した。こうした矛盾を受けて、Nelson (2013) では、多文化化が進む 2 つの地域、シドニー郊外のパラマタとアデレード郊外にあるポート・アデレードでインタビュー調査によるケース・スタディーを実施し、人種差別の否定のディスコースの使用のされ方を分析し、その使用の理由について考察を加えている。インタビューは、人種間関係機関に勤めるスタッフを中心

---

5 既存の社会構造を維持することで心の安定を図ろうとする認知や態度を説明するのがシステム正当化理論である。この理論では、人間は現状を維持しようとする心理が働くため、現状の社会は良いものであり、正当なものだとみなす傾向があるという (Jost & Banaji, 1994)。

6 社会的アイデンティティ理論とは、所属する社会集団への一体感と自尊心の働きを示すものであり、自分自身と所属集団を重ね合わせ、集団にとって良いことは、自分にとって良いことのように感じ、自尊心が高まる。そのため所属する社会集団をひいきする傾向が表れる (Tajfel & Turner, 1979)。

7 ザ・チャレンジング・レイシズム・プロジェクトは、西シドニー大学がディーキン大学、カーティン大学、シドニー工科大学と共同で行う研究で、Australian Research Council と政府機関から助成を受けている。 (Western Sydney University (n.d.). *Challenging Racism Project*. Retrieved October 31, 2021, from https://www.westernsydney.edu.au/challengingracism/challenging_racism_project)

に各エリアで11本ずつの計22本、さらに追加で8本のインタビューを州レベルと連邦レベルで行っている。分析の結果、まず、否定のディスコースは、1) temporal deflection（過去に比べれば人種差別は改善）、2) spatial deflection（他国と比較すれば状況は良い、移民の出身国より良い、または国内の比較においてこの地域では問題はない）、3) deflection from the mainstream（人種差別は大きな問題ではない、ごく少数派の人種差別主義者が存在するに過ぎない）、4) absence discourse（人種差別など存在しない）に分類できることがわかった。2つのケース・スタディーの結果、顕著だったのは、人種差別の存在を小さくする傾向であった。人種差別は自分たちの地域では問題になっていないという回答「absence discourse」や、昔と比べて少なくなっているという「temporal deflection」を用いた回答もあった。ほかにもケース・スタディーの期間にメルボルンで頻発していたインド人留学生襲撃事件について問われると、メルボルンに比べれば、自分たちの住む地域では起こっていないという「spatial deflection」も多数用いられていた。多少の人種差別を認めるような曖昧な回答もあるが、ごく限られた少数が人種差別を行っているという「deflection from the mainstream」に分類できるものが確認できた。

このように、人種差別経験を調べた“The Challenging Racism Project's Survey”の結果とNelson (2013) が実施したインタビュー結果には、乖離が見られたわけだが、Nelson (2013) は次のような考察をしている。1) ケース・スタディーの参加者が「少し」の人種差別を認める時は、「人種差別主義者」にすべての責任を押し付け、人種差別を主流派から切り離すことで、主流派のディスコースは客観的で中立的で偏見がなく、事実に基づいているように見せている。2) 人種差別を一部の地域で起こるごく稀な事象と位置付けることで、オーストラリアを寛容な社会に見せている。3) 人種差別を矮小化することには、白人の特権を守り、オーストラリアの白人優勢の現状を守るというイデオロギー的効果がある。4) 人種差別の否定は、地域レベルにおいては「単純で（“unsophisticated”)、偏狭で（“red-necked”)、人種差別的（“racist”）な地域」と特徴付けられることを防ぐというイデオロギー的戦略である可能性がある(pp.102-103)。5) 人種差別の否定は、連邦レベルにおいては、1990年代半ばから、政府が多文化主義に後ろ向きになり、人種差別という言葉の使用を避けていた時期があったことが、影響を与えた可能性がある。以上が Nelson (2013) の考察である。

Paltridge, Mayson and Schapper (2014) は、van Dijk (1998) の研究を基に、CDA の手法でメディア・ディスコースがオーストラリアの留学生についてどのように報じているのかを分析したが、その中には人種差別の否定のディスコースに関する分析結果が含まれている。インド人留学生襲撃事件が横行した2009 年 6 月から 2 年分の *The Australian* の記事の中から、「留学生」の検索ワードで絞り込み検索をし、さらに「オーストラリアの大学 (および専門学校) のコンテクストにおける留学生」を念頭に記事を選択した。分析により、メディア・ディスコースが、「オーストラリアの高等教育機関への留学」を商品化しており、留学生はオーストラリアの「経済体」であると同時に「よそ者」であるというイデオロギーを構築していることを明らかにした。人種差別の否定のディスコースでは、インド人留学生に対する襲撃事件について、「襲撃は人種に基づくものではなく、無差別だった」という人種差別の存在を否定する警察や学者、閣僚の発言の引用や、「人種差別的思想に基づく犯行は、ほんの 2、3 件だ」とする外相の人種差別を過小評価する発言の引用が確認できた。また、被害者については、年齢、性別だけでなくインド人とエスニシティまで公表しておきながら、襲撃犯については、年齢と性別しか明かされず、被疑者のエスニシティは「オーストラリア人」とも「白人 (White, Caucasian)」とも書かれることはなく、まるで犯人はイングループに属さないかのような書き方がされていることを確認した。

1.3. 移民のアイデンティティ

Krzyźanowski and Wodak (2007) は、ヨーロッパに移住した移民のアイデンティティを 1) 一時的な愛着 (attachments)、2) さまざまな帰属意識 (belonging)、3) 法的なメンバーシップ (membership) の 3 種の帰属のモードの概念を用いて DHA で分析した。その結果、移民のホスト国への帰属やホスト国でのアイデンティティを求める気持ちは、永住権や市民権といったさまざまなメンバーシップの構造的条件に阻まれ、ホスト国への帰属は非常に制限されたものとなっていることが浮き彫りになった。

1.4. オーストラリア政府の移民政策とディスコース

Stevens (2016) は、1970 年以降に起こった新たな移民問題の各国の対応をオーストラリアとアメリカを中心にまとめている。Jupp (1991) などに代表される社会科学的アプローチによる移民研究が、移民政策の進展とその効果、移民の経済に与える影響や世論に関するものであったのに対し、Stevens は、移民問題を支えている観念や価値観にも焦点を当てる広い視点でとらえ、1970 年代から 1980 年代にかけての移民政策に関する与野党の発言や新聞記事を CDA で分析し、考察を加えている。

Stevens (2016, pp.106-136) によると、1977 年まではベトナムからの密航船の漂着件数はまだ少なく、議論されることもなかったので、第 2 期フレイザー政権 (1975-1977) は、ベトナム難民の受け入れの拡大を行っていた。与党議員たちは、難民政策を公的にサポートしようと、「難民は共産主義国家で政治的に抑圧されており、共産主義によって悪化した経済から逃れて来ているのだ」と訴え、難民を「反共産・経済的困窮」のコンテクストに置いていた。しかし、1977 年 11 月 21 日に 218 人の難民を乗せたボート 6 隻がダーウィンに漂着したことで事態が一変する。野党に転じた労働党のウィットラムは、オーストラリアの海の国境を守るために巡視船を新たに配備する必要があると発言した。ウィットラムは、メディアに対し、巡視船の必要性は難民だけでなく、麻薬の密輸、人と動物の病気の持ち込みを未然に防ぐために必要だと主張し、「ベトナム難民」、「麻薬の密輸」、「疫病」という関連性のないものを関連化させてベトナム難民を否定的に表象した。一方、メディアの反応だが、11 月 25 日に *The Australian* が、"Dangers in the Flood of Viet Refugees" という見出しの記事を掲載し、「彼らは本物の難民ではなく、裕福な経済難民であり、ボートという入国手段を利用して、難民の列に割り込もうとしている」と読者に訴えた。こうしたメディアによる「相応しい (deserving) / 相応しくない (underserving)」や 「本物の難民 (genuine refugee) / 経済難民 (economic refugee) 」という二項対立構造の形成と、「列に割り込む人 (queue jumper)」というベトナム難民と庇護希望者の否定的な表象が、「オーストラリア大陸がアジア人によって侵略される」という昔からの懸念を再燃させた。

結果、1977 年 11 月の総選挙では、与野党ともにベトナム難民がやってくる原因については触れず、ただ国境警備の強化を訴え、この先はボートによる不法な入国は認めないと有権者に訴えた。選挙の末、12 月に発足した第 3 次フレイザー政権は、ベトナム難民を「悲劇的（"tragic"）」と表象しつつも、そのレトリックとは裏腹にさらにベトナム難民受け入れの審査基準を引き上げた。

Stevens (2016) は、政府は、難民および庇護希望者の受け入れを拡大する時は、彼らの母国の政治的・経済的要因を受け入れの理由に挙げるが、制限的な受け入れ政策に転じるときには、こうした要因はいっさい考慮しなくなる傾向があると指摘している。

2. ポジショニング理論に関する先行研究

2.1. 日常の人種差別とエスニック・マイノリティのアイデンティティ

Essed (1991)[8] は、個人レベルと組織レベルの人種差別の間に存在する「日常の人種差別（everyday racism）」を問題視し、アメリカの黒人女性とオランダの黒人女性がそれぞれ日常生活で経験する人種差別を調査した。たとえば、「あなたはどこの出身ですか」という一見すると悪意のなさそうな質問は、日常の人種差別の実践の 1 つであり、主流派がマイノリティを「よそ者」とみなしていることを公然と相手に知らしめているのである。

そこで Essed (1991) の研究を受けて、Hatoss (2012) は「『あなたはどこの出身ですか』という質問を受けたら、どのように対応しますか」というトピックで 14 人のスーダン系オーストラリア人にインタビューを行い、回答結果を分析し、どのようなアイデンティティが表出されているのかを明らかにした。Hatoss (2012) が選んだ分析手法は、CDA と Schiffrin (2006) のポジショニング理論である。Schiffrin (2006, p. 208) は、ポジショニングは、語り手が語ったこととの関連から、語り手のアイデンティティを解体して分析するためのディスコース的装置であると定義付けている。Hatoss (2012) の研究の結果、スーダン系オーストラリア人は、エスニシティでアイデンティティを表明するな

[8] Philomena Essed (1991) はアメリカとオランダの黒人女性の人種差別経験談を分析し、オランダの場合は、「オランダは寛容な社会だから人種差別など存在しない」という寛容神話（the myth of tolerance）のイデオロギーによる抑圧があると結論付けている（p.115）。

ど、強い民族意識を持ちながらも、同時に、本人の意思に反してオーストラリア社会から与えられる“outsiders”というアイデンティティに不満も抱いており、「オーストラリア人」としてのアイデンティティ獲得への強い欲求も持っていることがわかった (p. 65) 。Hatoss の研究は、ディスコースとアイデンティティは複雑に内的に絡み合った関係にあり、多文化や多民族間コンテクストにおけるアイデンティティ研究にディスコース分析が有効であることを証明したといえるが、分析対象となっているディスコースが短かったため、一面的なアイデンティティしか見ることができなかったともいえる。

2.2. ナラティブにみるアイデンティティ

唐津 (2011) は、Bamberg (1997, 2004b, 2006)、Bamberg and Georgakopoulou (2008) らが提唱するポジショニング理論を用いて日常会話のストーリーテリングを分析し、登場人物の立場を位置付けたり、評価態度を示す語彙や文法表現が、語り手の自己表出[9]を考察するための重要な手がかりとなりうることを示した。具体的には、物語が始まる前の参加者たちの相互行為と語り手の物語の語り方を分析し、物語を語ることによって語り手がどのような自己を表出しようとしているのか、また、どのように関与しているのかを考察している。分析対象の場面では、まず、語り手が、物語が始まる前の相互行為の中で、自分の弟が自分の息子のために叔父として、クリスマスにサンタクロースに扮して自宅に登場したという話を友人たちにしている。すると、友人の 1 人が、語り手がサンタクロースの衣装を購入したことに対して音声特徴 (大きな声)、非言語行動 (上半身を乗り出す行動)、反復 (確認要求の繰り返し) などで「意外さ」という評価態度を表出する。語り手は、そこで「サンタクロースの衣装を買った」というストーリーを語り始める。レベル 1 の物語世界では弟に対して「叔父さん」という「家族」のカテゴリーの語彙を用いることに

[9] 本論では、機能や関連性の面などから捉えた包括的な「自分とは何か」を表すものを「アイデンティティ」と呼んでいる。唐津麻里子 (2011) の「自己表出」という表現は、家族との関連性で自分を「母親」と位置付けている場合においては「アイデンティティ」と解釈できるが、一方で周囲の人との比較における「普通さ」の表出は、一時的な立ち位置であると解釈できる。そのため、ここでは原文を尊重し、原文通りの「自己表出」という表現を用いている。

よって、語り手は直接言葉にすることなく「母親」という自己表出を行っている。また、文法表現「動詞テ形＋もらう」を用いて、語り手は自己を「(息子のために弟がクリスマスに家を訪ねて来ることを要求する）母・要求者」として位置付けていることがわかった。弟がサンタクロースの衣装を用意することを条件に出すと、今度は弟の方を「(姉の要求に応えるための）要求者」として、そして語り手を「(自分の要求を満たすための）被要求者」として位置付けていることがわかった。レベル 2 の分析では、物語が始まる会話の状況を分析し、音声特徴、非言語行動、反復などが驚きや意外さという評価的態度の表出に関与していることを示した。レベル3では、語り手の「普通さ」が表出されていたが、唐津は「サンタクロースの衣装を買った」というストーリーテリングの目的について、人々が指向して行う「普通さ」という考え（Sacks, 1992, pp.216-221）に基づいて説明している。語り手は物語ることによって、聞き手が示した意外さに対して「普通である」という自己を表出しようとしており、「サンタクロースの衣装を買う」という行為も、母親なら子どもが喜ぶのならそれぐらいのことはするかもしれないと「非例外的な行為」としての解釈を聞き手に与えているのである。レベル1の物語の最後では、実際には夫が衣装を買いに行ったことが語られているのだが、それも「衣装を買った」という行為の当事者が自分ではないことを示すことで、出来事の責任を分散し、自分に対する意外さを緩和する目的があったと結論付けている。

オユナー（2019）は、Bamberg（1997）のポジショニング理論を応用し、日本定住の外国人妻であるモンゴル出身のある女性のナラティブを分析し、スモール・ストーリーを用いてどのようにアイデンティティが構築されるのかについて分析・考察を行った。結果、2 つのスモール・ストーリーを通して、一見すると矛盾するような立ち位置が観察されながらも、モンゴル人女性のナラティブの実践が、相互行為の場において、一貫したアイデンティティ構築の主張につながる様子が示された。モンゴル人女性の「ただの主婦になった」という位置付けは、「早くに出産し、学力を活かしてキャリアパスを切り開き、共働きの家庭を築く者」が母国モンゴルにおける理想のアイデンティティであるとの考えが頭の片隅にありつつも、日本で生活する以上、それは望めないため、「専業主婦を自ら選択した・選択せざるを得なかった」者としての位置付けを正当化し、自らには「私は全てをウケトメて覚悟を決めて生きている（原文ママ）」という異国に生きる覚悟を持つ者として言い聞かせ、生活を続けている現実を明らかにした。

次に、ポジショニング理論を用いたアイデンティティ研究の中でも、Bamberg (2004c) を紹介する。口頭で語られるナラティブではなく、書かれたナラティブが分析対象となっている点がほかの Bamberg の研究とは異なっており、本論の新聞記事の分析に援用する上で重要な研究である。Bamberg (2004c) のポジショニング理論の基本的な考え方では、人は物語を語るとき、ディスコース的手段を用いて、物語の時間、空間、何についてのストーリーなのかを示す物語の状況要素と登場人物をプロットの中に並べていく。ナラティブを語るという行為は、その物語の内容を構築する創造的な行為であるが、相互行為を通して物語世界に登場する人物のアイデンティティだけでなく、語り手および聴衆のアイデンティティをも構築する。ポジショニングでは、物語世界、協働構築としてのストーリーの語り、その場、その時を超えて成立する「自分とは何か」の3つのレベルから分析する。

Bamberg (2004c) の題材は、4人の12歳の少年が行方不明の少年の遺体を探す旅に出るストーリーを描いたスティーヴン・キング原作の米国の映画 *Stand by Me* (1986) である。分析に用いられたのは、4人がキャンプファイヤーを囲みながら夕食後のひと時を過ごしているシーンであり、その中でクリス (Chris) に促されたゴーディー (Gordie) が ラーダス[10] (Lardass) というニックネームをつけられた少年のナラティブを語り始める。映画では、このゴーディーの語りのシーンから、物語世界を再現した映像に切り替わっているが、これまで常に人々の嘲笑の的にされてきた少年ラーダスが、パイの大食いコンテストを利用して、今まで自分をいじめたり馬鹿にしてきた人間たちにちょっとした仕返しを目論む、というのがラーダスの物語の筋書きである。

Bamberg (2004c) は、学生Aと学生Bの2人にゴーディーのナレーションを引き継いで、ラーダスの物語をナラティブとして書かせ、それぞれ Story A と Story B としてレベル1の分析に用いた。レベル1の分析では Story A より

10 肥満の人に対する蔑称。

も Story B の方が、主人公のラーダスに対し、ナレーターである書き手が、好意的なアイデンティティを付与していることが明らかになった。

レベル 2、レベル 3 の分析は、ラーダスのストーリーの後、映画が再び 4 人の少年のキャンプファイヤーのシーンに戻り、ナレーションも再びゴーディーに戻ったところから行われる。レベル 2 の分析では、このラーダスの物語が、その後の 4 人の会話のやりとりの中でどのように異議を唱えられたり、支持されるかを見ることによって、語り手と聞き手の 4 人それぞれにとってこの物語が持つ意味が露わになり、4 人が互いにどのように見られたいと望んでいるか、またお互いをどのように位置付けているかが明らかになった。レベル 3 では、語り手であるゴーディーの「語る」という行為が、聞き手である 3 人をいじめや嫌がらせのテーマに敏感にさせた結果、1 人は「独立心が芽生え始めた少年」、1 人は「もめ事をおさめる人物」、1 人は「臆病者でどうでもいいような細部にこだわる人物」としてそれぞれのアイデンティティを明らかにすることになった。

以上、本論の理論枠組みを用いた先行研究について概説した。ここまでが序論であり、次章より第 II 部 本論に入る。第 4 章では、多文化政策に関する公的報告書の分析を行う。

第 II 部

本論

第 4 章　多文化政策に関する公的報告書の分析

1. はじめに

本章では、2017 年にターンブル政権が発表し、その後オーストラリア政府の公式ウェブサイトに掲載されているオーストラリアの多文化政策に関する報告書を過去のギラード労働党政権、ハワード自由党政権、そしてホーク労働党政権の多文化政策報告書と比較しながら DHA で分析する。政府のウェブサイトを通じた情報の発信・拡散とは、権威による言語を使った権力の行使であり、国民の意識に影響を与えうるものである。分析を通して政府の目指す多文化政策の特徴と多文化社会に取り組む姿勢を明らかにし、政府が理想とする移民像を探る。

データ分析に入る前に、オーストラリアの移民政策のあゆみを把握するために、移民省の名称の変遷とホーク労働党政権によって 1989 年に採択された "National Agenda for a Multicultural Australia: Sharing our future[1]" (以下、ナショナル・アジェンダ) が示す多文化政策の概要を確認する。ナショナル・アジェンダは、現在もオーストラリア型多文化主義の標準と考えられており (杉田, 2013, p.6)、多文化政策報告書の分析を行う上で重要な資料である。

2. 移民政策のあゆみ

2.1 移民省の変遷

オーストラリアで初の移民省が創設されたのは 1945 年である [2]。戦後の人口減少を補うための大量移民政策に合わせて、チフリー労働党政権によって創設された「移民省 (Department of Immigration、通称 DI) 」がそれである。1974 年、ウィットラム労働党政権下で移民省と労働省が合併し、「労働・移民省 (Department of Labor and Immigration、通称 DLI)」となった後、1975 年にはフレイザー政権下で「移民・エスニック問題省 (Department of Immigration

---

[1] Australian Government Department of the Prime Minister and Cabinet Office of Multicultural Affairs. (1989).

[2] 以下、移民省 70 周年記念誌 Commonwealth of Australia (2015) を参考にした。

and Ethnic Affairs、通称 IE）となる。その後、ホーク労働党政権とキーティング労働党政権下でも省の再編が繰り返されるものの、“Ethnic” は名称の一部であり続ける。ハワード政権下の 1996 年に “Ethnic” の代わりに “Multicultural Affairs” の文字が加わり、「移民・多文化問題省（Department of Immigration and Multicultural Affairs、通称 DIMA）」となる。しかし、2007 年になるとハワードは、移住の最終目的は市民権取得である（“...immigration should lead to citizenship.”）と主張し[3]、移民省の名称から「多文化」の文字を消し、「移民・市民権省（Department of Immigration and Citizenship 、通称 DIAC）」 に改称する。関根（2011, p.36）によると、移民省の看板から「多文化」の文字が消されたことは、オーストラリアの多文化政策がこの時期、一時後退したことを表しており、その背景には、ワン・ネイション党の登場により、多文化主義批判が国民の間で強まったこと、アフガニスタンからの難民に対する政府の強硬策が国民に支持されたこと、2001 年の米国同時多発テロ以来、多文化よりも社会的結束が重視され始めたこと、クロヌラ暴動で国民の不安が高まったことなどがあると述べている。関根（2011, p. 34）は、その後のギラード政権（2010-2013）でオーストラリアの多文化主義は持ち直したという見解を示しているが、2013 年にアボット自由党・国民党連合政権が発足しても移民省の看板に「多文化」の文字が復活することはなく、代わりに「国境警備（Border Protection）」という文字が新たに加わり、「移民国境警備省（Department of Immigration and Border Protection、通称 DIBP）」となる。第 1 次ラッド労働党政権からアボット自由党政権発足までの 2009 年から 2013 年は、船でオーストラリアへの入国を試みようとする難民が急増していた時期である。アボット政権下で移民省は、監視すべき脅威の客体の存在をより意識したものになり、ターンブル政権下の 2017 年には、諜報部、連邦警察、移民省が合体した「内務省（Department of Home Affairs、通称 DHA）」が発足し、内務省に吸収される形で移民省は姿を消した。

---

[3] John Howard (2007, January 23)

2.2 ナショナル・アジェンダ（1989）

ナショナル・アジェンダ（1989）は、オーストラリアの多文化政策の 3 つの柱として、“cultural diversity”（文化的多様性）、“social justice”（社会的公正）、“economic efficiency”（経済効率）を挙げている（Commonwealth of Australia, 1989, p.vii)。8 つの目標も掲げており、それらは、1）すべてのオーストラリア人（“all Australians”）が国益拡大のために貢献し、責任を共有すべき、2）すべてのオーストラリア人が人種、エスニシティ、宗教、文化に基づく差別からの自由という基本的権利を享受できるべき、3）すべてのオーストラリア人が平等な機会と政府が管理するリソースへの公平なアクセスを享受し、公平な分配を受けるべき、4）すべてのオーストラリア人が社会に参画する権利と自らに直接影響が及ぶ決定に加わる権利を有するべき、5）すべてのオーストラリア人が国の経済と社会の発展のために個人の能力を伸長できるべき、6）すべてのオーストラリア人が英語とそれ以外の言語能力を獲得し、異文化理解を深める機会を得るべき、7）すべてのオーストラリア人が継承した文化を発展させ、共有できるべき、8）オーストラリアの機関（“Australian institutions”）がオーストラリアのコミュニティの文化的多様性を受け入れ、向き合い、対応すべき（Commonwealth of Australia, 1989, p.1）である。8）を除いてすべてが“All Australians”を主語に据え、義務モダリティの“should”（~すべき）を用い、すべての国民に対する義務と必要性を表現している。1）は、移民も経済に貢献すること求めており、5）は、そのためのスキルの向上である。ナショナル・アジェンダの中では、海外資格認定事務局（NOOSR）を設立し、移民が持つ資格をオーストラリアで認定し、必要に応じて職業訓練を提供する重要性も繰り返されており、政府がネオリベラルな多文化主義（塩原, 2017）へと転換している様子がうかがえる。アジア系移民論争（第 1 章 4.4 項参照）が起きた時代であったため、政府は多文化政策による財政コストへの批判をかわすためにも、移民による経済効率化を強調する必要があったと思われる。6）では移民に英語習得を求めるだけでなく、すべての国民に第二言語の習得も求めている。これはグローバル市場で競争優位に立つために移民やその子孫に母語を維持させることに加え、主流派に異文化の受容を促す狙いがあったと思われる。

3. 分析対象データ

ターンブル政権は 2015 年 9 月の発足から 18 カ月もの間、多文化政策に関する報告書を発行しなかった。2017 年にようやく政権初となる多文化政策の報告書が発表されたが、それは第 5 章で論じる人種差別禁止法 18 条 C 項の改正の意向の発表と同日に行われ、大いに議論を呼んだ。本節では、ターンブル政権の "Multicultural Australia: United, Strong, Successful" (2017)[4] （以下、ターンブル報告書）を分析し、ギラード政権の "The People of Australia: Australia's Multicultural Policy" (2011)[5] (以下、ギラード報告書)、ジョン・ハワード政権の "Multicultural Australia: United in Diversity" (2003)[6] (以下、ハワード報告書 (2003))、同じくハワードの "A New Agenda for Multicultural Australia" (1999) [7](以下、ハワード報告書 (1999))、先述のホーク政権の "National Agenda for a Multicultural Australia: Sharing our future" (1989) (以下、ナショナル・ジェンダ）といった異なる年代の多文化政策の報告書と比較していく。

ターンブル報告書とギラード報告書は表紙を含めて 16 頁で、ハワード報告書 (2003) は 12 頁、ハワード報告書 (1999) は 31 頁、ナショナル・アジェンダ (1989) は本文 60 頁となっている。ターンブル報告書とギラード報告書は、表紙にオーストラリア人の男女の顔写真を用いているが、アジア系、アフリカ系、ヒジャブを被った女性が目立ち、これらはオーストラリアの人種、文化、宗教の多様性を表象しているといえる。報告書の本文では、ターンブル報告書が 2 頁、ギラード報告書は 7 頁を移民のポートレート写真に割いているのに対して、ハワード報告書 (1999, 2003) およびナショナル・アジェンダ (1989) は人物のヴィジュアル・イメージがほぼ皆無であるが [8]、これはヴィジュアル・

---

4 Australian Government Department of Home Affairs. (2017). 尚、報告書はすべてオーストラリア内務省から承諾を得たうえで、クリエイティブ・コモンズ・表示ライセンス 3.0 オーストラリアに従ってオーストラリア連邦のウェブサイトから転載した。

5 Australian Government Department of Immigration and Citizenship. (2011).

6 Australian Government Department of Immigration and Multicultural and Indigenous Affairs. (2003).

7 Australian Government Department of Immigration and Multicultural Affairs. (1999). PDF は存在せず、文書データのみネットで入手可能。

8 ナショナル・アジェンダには首相と子どもたちの写真が 1 枚掲載されている。

イメージ[9]を多用する時代変化に合わせたものと考えられる。

ターンブル報告書では、5 人の移民のオーストラリアへの移住経験談が偶数頁（p.6, p.8, p.10, p.12, p.14）にコラムとして顔写真とともに挿入されている。彼らはナイジェリア、セルビア、シリア、台湾、アイルランドからの移民である。ターンブル報告書のテクストの構成は表 4-1 のようになる。

表 4-1 ターンブル報告書のテクスト構成

- 首相による序文
- 連邦社会サービス大臣および社会サービスおよび多文化問題担当政務官からの共同メッセージ
    - ●コラム 1　LYNN'S STORY
- 多文化国家オーストラリアー結束と力強さと成功を
    - ●コラム 2　PETER'S STORY

  私たちが共有するものがたり

  共有する価値観

  敬意・尊重

  平等

  自由

  私たちが共有する権利と義務

    - ●コラム 3　MARIJA'S STORY

  安全が保障されたオーストラリア

  私たちが共有する未来像

    - ●コラム 4　TIM'S STORY

  新たに到着した人々による経済・社会活動への参加の奨励

  我が国の多様性と共有する国益の強みを活かして

    - ●コラム 5　AMINA'S SOTRY

  調和性と社会的結束力のある地域コミュニティ構築の継続

  まとめ

---

9 ヴィジュアル・イメージのマルチモダル分析研究に Gunther Kress and Theo van Leeuwen (2006) などが挙げられるが、本論ではヴィジュアル・イメージは扱わない。

4. 分析

ターンブル報告書のテクスト構成は、前節で述べた通りだが、見出しにとらわれず、テーマを捉え直すと、繰り返し強調されているテーマが7つ浮かび上がってきた。それらを以下の4.1から4.7項で分析していく。分析対象データを示す際は、頁番号と段落番号で表記する。便宜上、コラムについてはコラム1、2、3、4、5と表記する。

4.1. 移民国家としてのオーストラリア

[Excerpt] はテクストの抜粋であり、ターンブル報告書についてのみ ( ) 内の数字は下線の通し番号を指している。

[Excerpt 1]

(1) Australia is the most successful multicultural society in the world. (2) We are as old as our First Australians, the oldest continuing human culture on earth, (3) who have cared for this country for more than 50,000 years. And (4)we are as young as the baby in the arms of her migrant mother who could have come from any nation, any faith, and any race in the world.(5)Australia is an immigration nation. (6) Almost half of our current population was either born overseas or has at least one parent born overseas. (7) And we come from every culture, every race, every faith, every nation.

(ターンブル報告書, p.3, par.1-4)

[Excerpt 2]

Supporting Australia's multicultural policy, the Australian Government has a wide ranging engagement with Australia's First Peoples—the Aboriginal and Torres Strait Islander Peoples. This includes strengthening relationships through the National Apology, supporting the United Nations' Declaration on the Rights of Indigenous Peoples,[10]

[10] ヴィクトリア・タウリーコープス (2020, p.95) によると、2009年にオーストラリアは「先住民族の権利に関する国際連合宣言」を承認した。

establishing the National Congress of Australia's First Peoples[11] and an expert panel to build a national consensus on the recognition of Indigenous people in the Australian Constitution.

(ギラード報告書, p.2, par.5)

[Excerpt 3]

Today, one in four of Australia's 22 million people were born overseas, 44 per cent were born overseas or have a parent who was and four million speak a language other than English. We speak over 260 languages and identify with more than 270 ancestries.

(ギラード報告書, p.2, par.4)

[Excerpt 4]

With 43% of the population born overseas or with at least one parent born overseas, with some 200 languages between us, we have one of the most cosmopolitan populations in the world.

(ハワード報告書 (2003), p.5, par.4)

[Excerpt 5]

Immigrants and refugees, selected from more than 140 countries, have been attracted by our British heritage and institutions. (……)

Today well over 20% of Australians were born in another country, of whom more than half came to Australia from non-English speaking countries in Europe, the Middle East, Asia and South America.

(ナショナル・アジェンダ (1989), p.v, par 2 & p. 3, par. 2)

まず、[Excerpt 1] は「首相からのメッセージ」であり、分析対象テクストの冒頭部分である。(1) は「オーストラリアは世界で最も成功した多文化社会である」と断言しており、オーストラリアの多文化社会は発展途上ではなく、既に成熟の域に達しているという前提が置かれている。(2) の「我々は古くはオーストラリアの先住民族から始まっている」という記述には、包括的 “we” (フ

11「オーストラリア先住民族会議」は先住民族の全国代表団体。

ェアクロー[12], 2008, p.157) が使用されている。すべてのオーストラリア人を同じ1つのグループに取り込むこの "we" の使用によって、「我々」つまり「オーストラリア人」の共同体を構築しており、先住民をオーストラリア国民と認める政府の姿勢を明示するものである。(3) では、精神過程 "cared for" が用いられている。たいていは「世話をする」、「面倒を見る」と訳せるだろうが、ルミナス英和辞典 (竹林・小島・東・赤須, 2005) によれば、"care" には、「人・物を大切に思う気持ちから気にかける」という意味があり、アボリジナルの人々は、「この国を慈しんできた」好意的で主体性を持った作用者として叙述されている。さらにアボリジナルの人々の悠久の歴史は "for more than 50,000 years" (5万年以上もの間) という数量化 (van Leeuwen, 2008, pp. 37-38) で強調されている。先住民は 1901 年のオーストラリア連邦結成時から選挙権が与えられず、国勢調査においてもオーストラリア国民から除外されるなど組織的な差別を受けてきた。しかし、ホーク政権のナショナル・アジェンダ (1989) に "There is increasing recognition that Aboriginal people have a special status in our nation." (アボリジナルの人々[13]が、わが国において特別な地位にあるという認識が強まりつつある) (Commonwealth of Australia, 1989, p.v) という記述が既にあるように、先住民に対する政府の配慮が公的ディスコースの中に徐々に見られるようになっている。1993 年に先住民の先住権限を政府が認めてからは、和解への模索が続いており、2014 年版のオーストラリアの公教育における歴史カリキュラムでは「オーストラリアの将来に積極的にかかわる若者の育成において、先住民が今日まで歴史的に果たしてきた役割への配慮と理解を深める必要性がある」とうたわれている (下村, 2020, p.19)。ターンブルがこれまでの政権のアボジリナルの人々に対する姿勢を踏襲していることは "our First Australians" という指名ストラテジーにも表れている。ただし、ターンブル報告書では、先住民政策にもそれに関する政府の実績についても触れられていない。ギラード報告書では、[Excerpt 2] で「オーストラリア先住民族会議

---

12 フェアクラフはフェアクローと訳されることもある。

13 現在は Aboriginal People よりも、アボリジナルの人々とトレス海峡諸島民の両方を指す "the First Australians" ([Excerpt1] 下線 (2)) や "Australia's First Peoples" ([Excerpt 2]) という表現が公的ディスコースで使用されている。

(the National Congress of Australia's First Peoples)」が言及されているが、ターンブル報告書には登場しない。それもそのはずで、労働党政権下でやっと実現されたこの団体は自由党に政権交代した後、アボット(元)首相によって政府の資金拠出が取りやめられた経緯がある(タウリーコープス, 2020, p.103)。

続いて(4)"We are as young as the baby in the arms of her migrant mother who could have come from any nation, any faith, and any race in the world"は、「オーストラリアは国家としてまだ若い」と「オーストラリアは移民国家である」の婉曲表現だと考えられる。ここでの主語の"we"の使用は、再び包括的"we"であり、世界からやって来たさまざまなバックグラウンドを持つ移民を「我々」のグループに包摂している。「多文化」は、「彼ら」つまり「移民」の特性であるだけでなく、「我々」の特性であると捉えていることが読み取れる。"young"「若い」という表象は、1901年のオーストラリア連邦成立から数えてまだ若い国であることを強調している。しかし、オーストラリアについて"We are young"と形容することは、イギリスが入植する前からオーストラリアの地で生活していた先住民には到底受け入れられないことであるため、ここでは(1)の"old"と(4)の"young"の併用によって、オーストラリア先住民と移民の両方をそれぞれ「我々オーストラリア人」のグループに取り込んでいるのである[14]。

(5)でターンブルはオーストラリアは「移民国家」だと宣言する。(6)では「人口のほぼ半分は海外生まれか、あるいは両親のいずれかが海外生まれ」と、移民国家であることの数的根拠を示している。こうした数量化ストラテジー(van Leeuwen, 2008, pp.37-38)の使用は、ほかの報告書にも共通している。ギラード報告書では、[Excerpt 3]で「オーストラリア国民2200万人のうち4人に1人は海外生まれである。(中略)400万人は英語以外の言語を話す」、ハワード報告書(2003)でも、[Excerpt 4]で「人口のうち43パーセントは海外生まれか、あるいは両親のうち少なくとも片方が海外生まれ」、ナショナル・アジ

14 オーストラリア政府は2021年1月1日に国歌Advance Australia Fairの歌詞の一部について「我々は若く自由だ"We are young and free"」から「我々は1つで自由だ"We are one and free"」に改めた。1878年に作曲され、1984年に正式に国歌に定められたが、歌詞をめぐっては、先住民の歴史を無視しているとして、複数のラグビー選手が試合前の斉唱を拒むなど、国民的な議論も呼んでいた(一言剛之, 2021年1月4日)。

ェンダ（1989）でも［Excerpt 5］で「今日、20パーセント以上のオーストラリア人が海外生まれで、その半数以上が欧州、中東、アジア、南米の非英語圏の国々の出身」と統計に触れている[15]。

ギラード報告書とナショナル・アジェンダでは、関連化ストラテジー（Association）(van Leeuwen, 1996, p.50）も使用されており、ギラード報告書の［Excerpt 3］では "four million speak a language other than English" で「英語ではない言語を話す人々」が1つのグループとして関連化されているし、ナショナル・アジェンダの［Excerpt 5］でも "non-English speaking countries" で非英語圏の国々の出身者（NESB）[16] が1つのグループとして関連化されている。さらに同じく［Excerpt 5］の下線部の "selected"（選抜された）という表現が、オーストラリアに貢献できるかどうかの観点で選抜される主体性の弱い行為者として移民を表しているのと同時に、by 以下の行為者の省略により、"select" という行為を行う政府の主体性も背景化されている。これらの点に関して、ターンブル報告書の方は、(7) "we come from every culture, every race, every faith, every nation" で包括的 "we" を主語に据え、"come"（やって来る）で主体性を与え、"every"（あらゆる）を用いた対句法で、文化、人種、宗教、出身国の「多様さ」を読者に印象付け、英語圏か非英語圏かという分類も行われていない。ターンブル報告書の包括的 "we" や "all Australian" の使用は「共同体」を前景化するが、それは裏を返せば、多文化社会を構成する個々のエスニシティの特性や彼らの抱える問題を意図せずとも背景化してしまっているといえよう。

また、「多文化社会」や「移民国家」という表現がターンブル報告書に多く使用されている反面、ハワード報告書（2003）とギラード報告書に見られた「多文化政策（multicultural policy）」という表現は一度も使用されていなかった。多文化政策を国家が推進するというかつての勢いはなく、「多文化社会である」、

15 ハワード政権（1996-2007）時代は永住者の出身国としてはイギリスがトップだったが、ギラード政権下の2011年に初めて中国がトップになり、それ以降はインドが1位、中国が2位、イギリスが3位という状況が2017年まで続いている(Janet Phillips and Joanne Simon-Davies, Updated 2017, January 18)

16 ナショナル・アジェンダ(1989）には non-English speaking background の略語の NESB が頻繁に登場する。

「移民国家である」と事実として現状を認めるにとどまっていることもわかった。

4.2. 人種差別

[Excerpt 6]

In contrast, racism and discrimination undermine our society. (8) We condemn people who incite racial hatred. (9) Regular inter-faith and inter-cultural dialogue is critical to reduce the possibility of tensions within communities and to strengthen cohesion and harmony

(ターンブル報告書, p.15, par.3)

[Excerpt 7]

The Australian Government will act to promote understanding and acceptance while responding to expressions of intolerance and discrimination with strength, and where necessary, with the force of the law.

(ギラード報告書, p.5, par.7)

[Excerpt 8]

The Australian Government has no tolerance for racism and discrimination. In response to AMAC's cultural diversity statement recommendation three, the Government will implement a new National Anti-Racism Partnership and Strategy.

(ギラード報告書, p.7, par.7)

ターンブル報告書は、人種差別については多少触れるにとどまっている。本論第 5 章で論じるが、ターンブル政権はマイノリティが人種差別行為について申し立てしにくくなるように人種差別禁止法 18C を改正したいと考えている。[Excerpt 6] の (8) で "We condemn people who incite racial hatred"（人種的憎悪を扇動する人々を強く非難する）と "condemn" という強めの動詞を用いているものの、その対象は過激な人種差別主義者であり、そういった社会に少数だけ存在する人種差別主義者に全責任を転嫁することは「人種差別の否定のディスコース」（van Dijk, 1992）と捉えることができる。また、人種差別行為に対する罰則など法的措置についての言及は皆無であり、（9）で「定期的に宗教間、文化間で話し合いの場を持つことが緊張を和らげる」として、話し合いによる解決を提案している。

対照的にギラード報告書は、[Excerpt 7] では "with the force of the law" と差別を禁止する法律の行使に言及し、[Excerpt 8] では新たな協力の枠組みにも言及するなど、人種差別問題について、より踏み込んだ内容となっている。ギラードの前任者であるケビン・ラッドは、人種差別と非寛容をなくすための提言を政府に対して行う諮問機関としてオーストラリア多文化諮問委員会（AMAC）を 2008 年 12 月に設立しており、ギラードはこの AMAC の報告書 *The people of Australia: The Australian multicultural advisory council's statement on cultural diversity and recommendations to government*（2010, pp.17-18）の第 3 番目の提言を受け容れたことについて [Excerpt 8] で言及し、新たな人種差別対策について紙幅を割いている。

4.3. 国家安全保障

[Excerpt 9]

(10) And national security - a resolute determination to defend our nation, our people and our values - is the foundation on which our freedoms have been built and maintained.

（ターンブル, p.3, par.8）

[Excerpt 10]

(11) The freedom and security we enjoy is no accident.

（ターンブル, p.4, par.2）

[Excerpt 11]

(12) The Australian Government is committed to the security of our nation and the freedom of our people.

（ターンブル, p.4, par.4）

[Excerpt 12]

(13) Underpinning a diverse and harmonious Australia is the security of

> our nation. The Australian Government places the highest priority on the safety and security of all Australians. (14) Recent terrorist attacks around the world have justifiably caused concern in the Australian community.
>
> (ターンブル, p11, par. 1)

ターンブル報告書は、国家安全保障について繰り返し言及しており、"security" という語彙は 4 回、"national security" は 2 回、"safety and security" は 1 回登場する。*Collins COBUILD English Dictionary* (Sinclair, 1995) によると、"safety" は、「害や危険にさらされる恐れがない状態 (筆者訳)」であり、"security" は、「国民と国土を守るために、許可を与えられた者だけが出入国する政策全般を指す (筆者訳)」。このことを踏まえて、[Excerpt 9] (10) 、[Excerpt 10] (11) 、[Excerpt 11] (12) を見てみる。(10) には「国家安全保障とは、我々の国家、我々の国民および我々の価値観を断固たる決意で守ることである」とあり、外部からの攻撃などにより国家や国民に物理的危険が及ばないようにするだけでなく、価値観を守ることも"security" に含まれている。そして、このコンテクストにおける "security" とは、国境警備 (border protection) 、つまり自由党が労働党から政権奪取した 2013 年から続いている政策であるオペレーション・ソブリン・ボーダーズ (OSB) を指す。自由党の選挙公約を実現したもので、難民船がオーストラリアに上陸するのを阻止するために、オーストラリア国防軍の海軍が警備し、不審船は見つけ次第すべて追い返すという政策である (この任務を司っていた移民国境警備省が内務省に変わったことは既に本章の第 2.1 項で述べた通りである)。つまり、船でオーストラリア入国を目指す難民は、オーストラリア人とは価値観が異なり、彼らの入国を許せば、オーストラリア人の共通の価値観への脅威となるとターンブル政権は主張したいのである。[Excerpt 10] (11)「我々が享受する自由と安全保障は、決して偶然のものではない」や、[Excerpt 11] (12)「オーストラリア政府は我々の国家の安全保障と我々の国民の自由に専心する」、さらに [Excerpt 12] の (13)「オーストラリアの多様で調和のとれた社会を支えているのは、我が国の安全保障である」は、国民の恐怖心を煽ることで政策への支持を得ようとする政府のレトリックであり、政府の多文化社会ディスコースの一部を成している。オーストラリア国民が自由でいられるのは船でやって来る「不法移民」を水際で阻止している政府の不断の努力のおかげであり、そうした努力がなければ自由・多様性・調和はたちまち消えてなくなると主張したいのである。[Excerpt 12] の (14) "Recent terrorist attacks around the world have justifiably caused concern in the Australian community" では、オーストラリアのコミュニティにテロに対する懸念 ("concern") が存在すると名詞化 (Nominalization)(フェアクラフ, 2012, p.16) によって事実化し、さらに "justifiably" という副詞を使用して「人々が心配するのは無理もないことである」とし、国民の声に応える政策としても OSB を正当化している。こうした「国境警備の強化」や「国家安全保障」がターンブル政権の「多文化ディスコース」に内包されるようになった背景には、労働党政権下の 2009 年頃からの庇護希望者を乗せたボートの漂着件数の増加が挙げられる (図 4-1 参照 [17])。

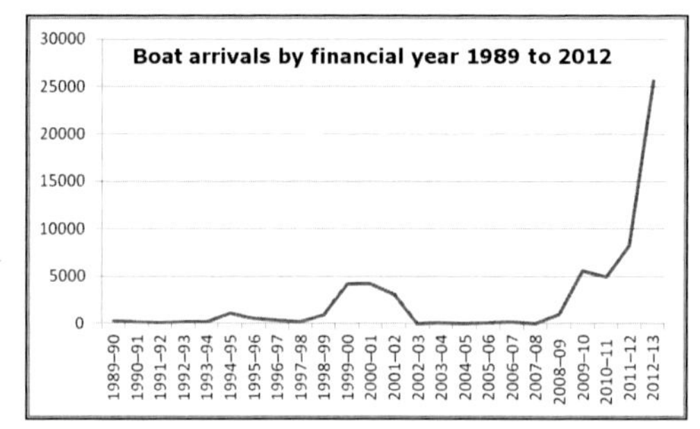

図 4－1 1989 年度から 2012 年度までのボートでの難民人数

(Boat arrivals in Australia since 1976, Parliament of Australia を元に作成)

OSB は、密航斡旋業者に対して抑止力を発揮したようで、2013 年には 2 万人を超えていた密航者の到来数は、2014 年は 160 人、2015 年の 1 月から 3 月 1 日までは 4 人と激減している [18]。

17 Parliament of Australia (Updated 2013, July 23)
18 School of Law, University of Queensland (Updated 2017, March 24).

以上のことから、ターンブル政権の多文化政策は、国家安全保障と強く関連していることがわかった。

4.4. 共有する価値観

[Excerpt 13]

(15) We are defined not by race, religion or culture, but by shared values of freedom, democracy, the rule of law and equality of opportunity - a "fair go".

(ターンブル, p.3, par. 6)

[Excerpt 14]

Multicultural policies require all Australians to accept the basic structures and principles of Australian society – (16) the Constitution and the rule of law, tolerance and equality. Parliamentary democracy, freedom of speech and religion, English as the national language and equality of the sexes; and...

(ナショナル・アジェンダ, p.vii, par.5)

[Excerpt 15]

"All Australians are expected to have an overriding loyalty to Australia and its people, and to respect the basic structure and principles underwriting our democratic society. "These are the Constitution, Parliamentary democracy, freedom of speech and religion, English as the national language, the rule of law, tolerance, and equality–including equality of the sexes"

(ハワード (2003), p.6, par.3)

[Excerpt 16]

Australia's multicultural policy embraces our shared values and cultural traditions.

(ギラード, p.2, par.3)

[Excerpt 17]

Australia's multicultural policy complements our national

> characteristics of equality and a fair go for all. It flows from our deep and abiding commitment to our democratic values.
>
> (ギラード, 大臣メッセージ, par. 3)

かつて移民の選別には人種が大きく影響したが、ターンブル政権で重視されるのは [Excerpt 13] (15) のように「自由 (freedom)」、「民主主義 (democracy)」、「法の支配 (the rule of law)」、「機会均等 (equality of opportunity) (フェアゴー)」の価値観を共有できるかどうかであることが "not~ but..." の対照法のレトリック戦略で強調されている。ターンブル報告書に繰り返し登場するこれらの価値観は [Excerpt 14] (16) のホーク政権のナショナル・アジェンダと間テクスト的関係にある。ハワード報告書 (2003) も [Excerpt 15] のようにナショナル・アジェンダを踏襲しているほか、2007 年にハワードの肝煎りで導入された「オーストラリア市民権テスト (the Australian citizenship test)」[19]にも、テストの教則本の『オーストラリア市民権—私たちの共通の絆—』(2008 / 2018)[20] にもこうした価値観に関する記述が多く見られる。ギラード報告書も [Excerpt 16] で共有する価値観と共有する文化的伝統を重んじると述べている。

ターンブル報告書の [Excerpt 13] (15)「……そして機会均等、つまりフェアゴーという共通の価値観で私たちは定義される」、ギラード報告書の [Excerpt 17]「オーストラリアの多文化政策は我が国の特徴である平等とフェアゴーを補完するものである」に登場するフェアゴー精神 (a fair go) についてだが、*The Macquarie Dictionary* (Delbridge, Bernard, Blair, Butler, Peters & Yallop,

---

19 オーストラリア市民権テストは、当初、きわめて統合主義的・同化主義的で、ある特定のグループにとって不公平かつ差別的であるという批判を受けたが、ラッド政権の下で、よりリベラルな方向へと改訂された(関根政美, 2011)。当初のテストでは、オーストラリアのクリケット界で往年の名選手とされた Donald Bradman (1908-2001) についての問題が出題されて議論を呼んだ。

20 教則本『オーストラリア市民権－私たちの共通の絆』は、2008 年にラッド政権下で初めて登場したが、改訂が重ねられており、本論では 2018 年版を参照している。Commonwealth of Australia (2018) Australian Citizenship Our Common Bond. [翻訳版『オーストラリア市民権—私たちの共通の絆』]

1997)[21] は "a fair or reasonable course of action" と説明している。オーストラリアという国が "the land of the fair-go" としばしば表現されるように、フェアゴーは開拓時代からの「公平にやろう」というオーストラリア独特の精神を表すもので、労働組合、刑務所、軍隊など、男性だけが集中する場所で育まれたという（越智, 2005, p.20)。「機会均等」は、民主主義国家の普遍的価値観でもあるが、それを敢えて「フェアゴー精神」と呼ぶことは一種の指名ストラテジーであり、オーストラリア独自の共通の価値観として、仲間意識をより一層醸成している。

次項 4.5 項では、フェアゴー精神と並んでターンブル報告書で繰り返されている「自由」に焦点を当てる。

4.5. 自由

[Excerpt 18]

Our commitment to freedom is fundamental. (17) <u>We support freedom of thought, speech, religion, enterprise and association.</u> We are committed to a parliamentary democracy. We take responsibility for fulfilling our civic duties.

(ターンブル, p.9, par.8-11)

[Excerpt 19]

It presents a vision for our future as a strong and successful multicultural nation, united by our allegiance to Australia and (18) <u>committed to freedom and prosperity</u>.

(ターンブル, p.15, par.6)

[Excerpt 20]

We have flourished in part thanks to (19) <u>our cultural diversity that is underpinned by our common values and commitment to freedom, security, and prosperity</u>.

(ターンブル, p.7, par.2)

---

21 *The Macquarie Dictionary* は、オーストラリア英語の辞書で、1981 年に初版が出版され、2003 年からはオンライン版も開始された。

[Excerpt 21]

We all benefit from our nation's economic success, (20) cultural and religious freedom and diversity.

(ターンブル, p.9, par.13)

ターンブル報告書では自由という価値観について、具体的な種類が挙げられている。[Excerpt 18] (17) では、「思想の自由 (freedom of thought)」、「表現の自由 (freedom of speech)」、「信教の自由 (freedom of religion)」、「起業の自由 (freedom of enterprise)」、「結社の自由 (freedom of association)」に言及している。[Excerpt 19] (18) では、「自由と繁栄への専心 (committed to freedom and prosperity)」を多文化国家の将来のビジョンとして掲げている。[Excerpt 20] (19) でも、「自由への専心 (commitment to freedom)」が多文化を支え、そのおかげで繁栄してきた」と自由の重要性を強調している。さらに、[Excerpt 21] (20) では「文化と信仰の自由 (cultural and religious freedom)」からすべての国民が恩恵を受けている」とし、文化と信仰の自由が守られていることを事実として述べている。ターンブルが自由という価値観をことさら重視していることは、ほかの報告書と比べると明瞭である。たとえば、ナショナル・アジェンダ (Commonwealth, 1989, p.vii) は「表現と宗教の自由 (freedom of speech and religion)」に触れている程度であるし、ギラード報告書には「自由」に関する記述はなく[22]、むしろ「多様性 (“diversity”)」 が強調されている。

4.6. 英語

[Excerpt 22]

(21) English is and will remain our national language and is (22) a critical tool for migrant integration.

(ターンブル, p.13, par.7)

[Excerpt 23]

The Adult Migrant English Program supports (23) eligible migrants and

[22] ギラード報告書全体を検索したが、一度も “freedom” (自由) の語彙は使用されていなかった。

humanitarian entrants (24) to learn foundation English language and settlement skills to enable them to participate socially and economically in Australian society.

(ターンブル, p.11, par.7)

[Excerpt 24]

Its (=the Commonwealth Government's) vision is of a vigorous, multicultural Australia, united by a shared future, an overriding commitment to our nation and its democratic institutions and values, and support for the rule of law, with English as a common language.

(ハワード (2003), p.5, par.7, (=) は筆者)

ナショナル・アジェンダ (Commonwealth of Australia, 1989, p.15) では、非英語圏出身者 (NESB people) という社会的行為者の関連化 (Association) が目立つことを本節 4.1 項の [Excerpt 5] で確認したが、彼らの英語力を伸長するための政策の重要性も前景化されており、英語は「国語」として示されている。ターンブル報告書も [Excerpt 22] の (21) ではっきりと「英語は我々の国語であり、これからもそうあり続ける」と述べている。ハワード報告書 (2003) の場合、[Excerpt 24] では「共通語としての英語 (English as a common language)」とされているが、同報告書内の別の箇所 (p.6)では、[Excerpt 15] (本章 4.4 項参照) のように「国語としての英語 (English as the national language) 」と表現されており、英語の位置付けには揺らぎが見られる。そして、ギラード報告書では英語の位置付けにはまったく触れられていない。このように英語は、基本的には国語とされながらも前景化されたり背景化されたりしているが、ターンブルは、[Excerpt 23] の (23) で「資格のある移民には」と条件を付けた上で、(24) の通り、英語学習をサポートするとも述べており、移民が英語の能力を身につけることを重要視していることがよくわかる。さらに、[Excerpt 22] の (22) では英語を「移民の統合のための非常に重要なツール」とも述べているが、ナショナル・アジェンダ (1989) のように国民全体に第二言語の習得を奨励するような表現は見当たらない。

4.7. 貢献

[Excerpt 25]

Today, (25) Australians welcome those who have migrated here to be part of our free and open society, to build their lives and make a contribution to our nation.

(ターンブル, p.7, par.6)

[Excerpt 26]

Together, the efforts of communities, schools, non-profit organisations, faith-based organisations, employers and governments (26) are providing opportunities for people to positively contribute to Australian society.

(ターンブル, p.13, par.2)

[Excerpt 27]

(27) ... our multilingual workforce is broadening business horizons and boosting Australia's competitive edge in an increasingly globalised economy.

(ターンブル, p.13, par.7)

[Excerpt 28]

(28) Our productivity and competitiveness are enhanced through our ability to recognise and seize opportunities for international economic engagement. This includes the talent of the many temporary migrants who contribute to the Australian economy and society while they are here.

(ターンブル, p.13, par.8-9)

[Excerpt 29]

The policy addresses the importance of the economic and social benefits of diversity, as well as our need to balance the rights and obligations of all who live here.

(ギラード, メッセージ, par.4)

[Excerpt 30]

> The Australian Government welcomes the economic, trade and investment benefits which arise from our successful multicultural nation.
>
> (ギラード, p.5, par.5)

ターンブル報告書の中には、移民の存在と貢献がグローバル社会で戦う上でアドバンテージになるという戦略的な考えが随所に認められる。[Excerpt 25] (25) では "Australians welcome those who have migrated here to be part of our free and open society, to build their lives and make a contribution to our nation" とあり、to-不定詞以下の "to build their lives and make a contribution to our nation" (我が国で生活を築き、我が国に貢献するため) の叙述ストラテジーにより、オーストラリア人が歓迎 ("welcome") するのは、「オーストラリアに貢献するためにやって来た移民」となっている。[Excerpt 26] (26) では "... are providing opportunities for people to positively contribute to Australian society" の to-不定詞以下の "to positively contribute to Australian society" (オーストラリア社会に積極的に貢献するため) が叙述ストラテジーであり、「移民・難民に提供される機会は、彼らが積極的にオーストラリア社会に貢献するためのもの」だとされている。そして [Excerpt 27] (27) の "... our multilingual workforce" (多言語を話す労働力) は移民を「労働力」という非人間化した社会的行為者名で呼び、彼らがビジネスの場を広げていると述べている。

ギラード報告書では、[Excerpt 29] "The policy addresses the importance of the economic and social benefits of diversity" (政府の政策は、多様性がもたらす経済的・社会的恩恵に取り組むものである) や、[Excerpt 30] "The Australian Government welcomes the economic, trade and investment benefits which arise from our successful multicultural nation" (オーストラリア政府は、我々が成功した多文化国家であるゆえの経済、貿易、投資の恩恵を歓迎する) のように、多文化国家がもたらす経済的恩恵について言及している。

しかし、「短期移民 (temporary migrants)」について言及があるのはターンブル報告書だけである。かつては永住を前提としていたオーストラリアの多文化主義政策にサブクラス 457（技能労働者長期就労ビザ）という 4 年を上限としたビザを導入したのはハワードだが、そのハワードの報告書（2003）にも、制度を継続したギラード報告書にも、短期移民に関する記述は見当たらない[23]。短期移民は、過去 20 年間で海外留学生とサブクラス 457 ビザ保有者の両方で倍増してきた[24]。ターンブルは、サブクラス 457 を 2018 年 3 月に廃止し、サブクラス 482 ビザ（労働力一時補填ビザ：通称 TSS ビザ）を新設したが、塩原（2013, p.152）によると、この変更で対象職種が絞り込まれ、交付の要件となる英語力や実務経験などの基準も引き上げられたという。職種によって 2 年滞在と 4 年滞在のストリームに分かれており、2 年滞在ビザの場合は、永住権の取得には至らないことになっており、国の経済メリットだけを追求した制度だといえる。ターンブルは、[Excerpt 28]（28）で、“Our productivity and competitiveness”（我々の生産性と競争力）は “our ability”（我々の能力）を通して高められると述べ、“This includes the talent of the many temporary migrants……”（その能力には数多くの短期移民の能力も含まれる）として短期滞在者の能力を「我々の能力」の一部とし、オーストラリア経済に貢献する経済体とみなしている。

4.8. オーストラリアが求める理想の移民像

次に、ターンブルの多文化政策報告書に紹介されている 5 人の移民（二世を含む）のコラムについて、ディスコース・ストラテジーの使用に着目して分析し、オーストラリア政府が求める理想の移民像を探る。

多文化政策報告書の目的は、政策に関わる情報を提供し、政策について周知させること、国民の理解を得ることであるが、当該コラムは、オーストラリアに移住した人々の経験談が成功物語として紹介されており、報告書のほかの部分とは一見目的が違うようである。5 本のコラムは構成が統一されており、ま

---

23 サブクラス 457 の導入は 1996 年。

24 たとえば 1996 年から 1997 年の 1 年間で発給された学生ビザは 11 万 3 千件で、長期就労ビザは 2 万 5786 件、2015 年から 2016 年の 1 年間は、31 万 845 件、8 万 5611 件となっている（Janet Phillips and Joanne Simon-Davies, Updated 2017, January 18）。

ず、図 4-2 のとおりタイトルは太字で “TIM'S STORY” のように個人のファースト・ネームとなっている。van Leeuwen (2008, p. 41) によると、社会的行為者をその名前で表象するストラテジーは Nomination であり、姓だけの場合が最もフォーマルであり、次いでフルネーム、そして最もカジュアルな場合がファースト・ネームである。ファースト・ネームの使用は、親近感を抱かせ、読者との距離を縮める効果があるといえる。

次に、人物の略歴が第三者である書き手によって紹介されている（例 “Tim Omaji is a Nigerian-born Australian singer-songwriter…”）。構成上は Abstract となっているが、読者の興味を惹くように非常に情緒的に人物と出来事が語られている。

次の段落は Orientation となっており、さらに次の段落からは Central Incident が最大 4 つ紹介され、最終段落は書き手による Interpretation となっている。また頁の最後には、コラムの中から主人公の台詞を抜粋したもの (Quote) を斜体で掲載して、メッセージを強調している（図 4-2 最下段の枠内）。

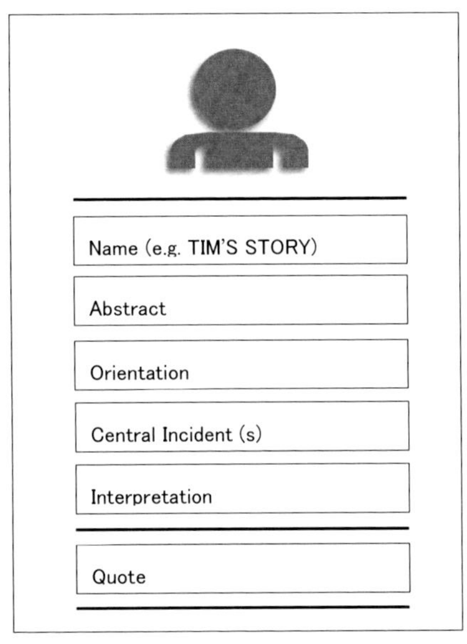

図 4－2　コラムのイメージ

表4－2 コラムの主人公

No.	性別	名前	出身	仕事
1	F	Lynn Yeh	台湾	製薬会社経営者
2	M	Peter Scanlon	アイルランド(移民二世)	財団の設立者
3	F	Marija Jovanovic	セルビア共和国	SBS放送の政治レポーター
4	M	Tim Omaji	ナイジェリア	シンガーソングライター
5	F	Amina Srio	シリアのアレッポ	難民向け英語講座ボランティア教員

主人公は、表4-2の通り、男女偏りなく選ばれており、アジア、アフリカ、中東、東欧、西欧と出身地もさまざまである。コラム5のAmina（アミナ）だけは、国名のシリアだけでなく都市名のアレッポまで紹介されている。アレッポの町はシリア内戦の報道で頻繁に取り上げられていたため知名度が高いからであろう。読者は「シリアのアレッポ出身」と読んだだけで、おそらくこの人物はオーストラリアの「人道支援プログラム」で受け入れられた元難民であろうと類推が働く。移住プログラムで来た人物だけでなく、人道支援プログラムで来豪した人物も紹介することで、人道支援プログラムに対する国民の支持と理解を高める効果が期待できる。

ここからは、太字や斜体、フォントサイズを調整することで書き手が意図的に前景化した情報であるAbstract、頁の最後のコラムの主人公の台詞の抜粋に加えて、最終段落のInterpretationの部分を分析していく。

コラム1　LYNN'S STORY

Abstract

When Lynn Yeh's parents brought her to Australia from Taiwan at the age of 19, they were seeking (1) a better education and better future for her. Now (2) a successful businesswoman, Lynn is (3) giving these opportunities back to others.

Lynn（リン）の両親は、(1)「リンのために、より良い教育とより良い将来（"a better education and better future"）」を求めてやって来たとあり、オーストラリアは「夢と可能性に満ちた豊かな国」として表象されている。そして、リンが与えられた機会をきちんと生かしたことが (2)「成功したビジネスウーマン (“a successful businesswoman”)」の叙述でわかる。(3)「自分が与えられてきた機会を他者に還元(“back to others”)している」は、リンを「社会貢献する移民」として表象している。

Interpretation

(4) Lynn is one of many proud migrants whose economic contribution creates new job opportunities for Australians. (5) As a result of what Australia has offered, Lynn is now driving community contributions, (6) offering employment for people from all cultures and supporting services such as Foodbank and the Royal Flying Doctor Service.

Interpretation では、リンは (4)「誇り高き移民の 1 人(“one of many proud migrants”」と叙述されている。その大きな理由は、経営者として「オーストラリア経済に貢献し、雇用を創出しているから」である。リンの成功は、彼女の努力の結果というよりも、(5)「オーストラリアが機会を与えたから」であることが前景化されており、さらに「リンは今こうしてコミュニティに貢献している」という記述から、移民制度は「投資とその見返り」として読者に示されているといえよう。(6) では、フードバンクやフライング・ドクターなどの慈善事業に協力していることも書き添えられており福祉に依存するどころか、福祉サービスに貢献している人物である点が前景化されている。

Quote

(7) *“I set up my own pharmaceutical company. Now after 25 years, we have more than 100 employees and we export to many overseas countries”.*

そして、最後は (7)「製薬会社を設立して 25 年で、従業員は 100 人超、諸外国に輸出している」という台詞を引用し、リンの功績を数量化のストラテジーで再度強調している。ここで描かれるリンは、オーストラリアのコミュニティ経済を牽引する人物であり、オーストラリア政府が移民に期待する通り、グローバル市場で活躍し、オーストラリアに経済貢献できる理想的な移民なのである。

コラム 2　PETER'S STORY

Abstract

One of seven children, Peter Scanlon is (8) a 2nd generation Australian and (9) successful businessman. (10) Peter credits embracing cultural diversity as one of his key secrets to commercial success.

ここで紹介されている Peter（ピーター）は、アイルランドにルーツを持つアングロ・ケルティック系であり、しかも (8)「第二世代」である。ピーターを起用することは、オーストラリアの主流派であるアングロ＝ケルティック系も多文化社会を構成する移民であるというアピールにつながる。ピーターは、(9)「成功したビジネスマン（"successful businessman"）」として紹介されており、(10)「ビジネスの成功の要因の 1 つは文化的多様性」というピーターの言葉が間接引用されている。

エスニック・マイノリティだけでなく主流派も「移民」として紹介することで「オーストラリアは移民国家である」というイデオロギーを国民に受け容れやすいものにし、移民制度がもたらす多様性は成功の要因であり、オーストラリア国民なら歓迎すべきものだという印象を与えている。

Interpretation

(11) Peter believes supporting new migrants is important for both our economic prosperity as a nation and in maintaining the cohesive social fabric of our communities. (12) Working with the Australian Government, the Scanlon Foundation assists new migrants as they settle in Australia through 70 community hubs embedded within primary schools.

(12) でピーターは、スキャンロン財団の創設者としてほかの移民とホスト国を結び付ける役割を果たす、社会に貢献する人物として描かれている。そして、彼の信条として、(11) では、「新たな移民を支援することは経済発展にもつながり、コミュニティの結束力のある社会機構の維持にもつながる」と政府の考えを代弁するかのように語っている。

Quote

(13) *“I started the Scanlon Foundation to help build social cohesion in Australia - not just because* (14) *I know how important cultural diversity is to business, but also because of my own personal experience.”*

引用においても、(14) で「文化的多様性は、ビジネスをする上で重要だ」という移民のもたらす文化の多様性と経済・ビジネスへの正の影響について述べている。そして、(13) で「オーストラリア国内の社会的結束を作るために財団を始めた」と述べている。ピーターは、移民同士の相互扶助を実践する理想的移民として描かれており、その彼の主張は、「社会的結束が大事」と「多様性はビジネスに恩恵をもたらす」の 2 つであり、政府の多文化社会のディスコースに沿った内容を述べている。

コラム 3　MARIJA'S STORY

Abstract

(15) Now a political reporter for SBS News in Canberra, Marija Jovanovic arrived in Australia as a six month old baby from Serbia. Her parents believed life in Australia would give Marija access to (16) a great education and opportunities she may otherwise not have had.

Marija (マリア) は、セルビア出身である。両親はユーゴスラビア紛争による混乱を逃れてやって来たようであり、テクストの本文には “I'm so, so lucky. If l had not come here, I could have lived through things that children should never have had to live through, like war” というマリアの台詞がある。両親が

幼いマリアを連れてオーストラリアに来た理由は、(16)「ここでなければ得られない素晴らしい教育と機会」のためであるという。やはりオーストラリアは「質の高い教育国」であり、「チャンスに溢れる国」であると表象されている。そして、成人したマリアは、今や(15)多言語放送局SBS放送のレポーターとなり、オーストラリアの多文化共生に関わる仕事に従事する人物として描かれている。

Interpretation

(17) Migrants, like Marija and her family, bring cultural connections and contribute greatly to our society. (18) In turn, they join with all Australians who benefit from our nation's economic success, cultural and religious freedom, and diversity.

(17)では、「移民たち」は、マリアと彼女の家族のように、文化的なつながりをもたらし、オーストラリア社会に大きく貢献していると述べられている。続く(18)では、そうした貢献と「引き換え(in turn)」で、移民はオーストラリアの経済的成功と文化と宗教の自由、多様性を享受するオーストラリア人の仲間入りができると断言している。つまり、オーストラリア社会に貢献することが移住の条件として強く求められていることがわかる。

Quote

"As I grew up, the number one thing my parents taught me was to (19) work hard and to never give up."

そして、(19)「懸命に働くこと」が両親の教えであったとマリアの口から読者に伝えられる。こうして読者に向けて、マリアは「勤勉な移民」として紹介され、読者の方では、移民が福祉に依存することなく努力している姿を知り、安心するのである。

コラム 4　TIM'S STORY

Abstract

Tim Omaji, popularly known as 'Timomatic', is a Nigerian-born Australian singer-songwriter and dancer, rising to fame as a contestant on (20) *So You Think You Can Dance* (Australia) in 2009. Tim's academic father brought his family to Australia when Tim was only 10 months old. Nonetheless, (21) Tim and his three siblings weren't deprived of West Africa's vibrant culture.

ここで紹介される Tim（ティム）は、オーストラリアの若者によく知られる人物である。(20)　"*So You Think You Can Dance*" は、アメリカのリアリティ番組のオーストラリア版であり、毎週挑戦者がダンスを披露し、番組審査員に加えて視聴者も電話と SMS を通じて投票できる仕組みとなっている人気番組である。ティムはシーズン 2 (2009 年）に 7 位に入り、2011 年にはソニー・ミュージック・オーストラリアから歌手デビューも果たしている。有名人であるティムを取り上げ、(21) では、「ティムと 3 人の兄弟姉妹は、西アフリカの活気溢れる文化を奪われることはなかった」と述べているが、これは、オーストラリアでは、祖国の文化を維持できることを意味しており、「多様な文化に寛容な国、オーストラリア」が表象されている。

Interpretation

(22) Growing up in Australia gave me a real sense of cultural diversity which really influenced my career path. I wanted to do something that could speak and relate to any and every culture. Dancing and singing gave me this unique opportunity. (23) Through the platform of entertainment, I have been able to inspire, motivate and educate people from all races and religions.

(22) で、ティムは「オーストラリアで育ったことで文化的多様性が身についていたから、自分が今の道でキャリアを積むことになったのだ」と多文化社会について肯定的な発言をしている。(23) では、「エンターテインメントを通して、すべての人種とすべての宗教の人々を鼓舞し、勇気づけ、教育してきた」という発言を通して、ティムは、すべての人種、宗教をつなぐ人物として描かれている。ティムが名の知れた人物であることがプラスに働き「すべての人種、文化、宗教が共存できている国・オーストラリア」というイメージが前景化されている。

Quote
Interpretation 部分から引用が抜粋されており、重複しているため分析は割愛する。

コラム5　AMINA'S STORY
Abstract

(24) When Amina Srio had to flee her home in Aleppo, Syria, she was devastated to depart from her much-loved English language centre, which she had run for many years. (25) After arriving in Melbourne as a refugee, she gained qualifications to teach in Australia and has been giving back ever since.

オーストラリアの人道支援プログラムの意義をアピールするのに Amina (アミナ) ほど相応しい人物はいないであろう。(24) にあるように、アミナはシリア内戦で戦闘が激しかったアレッポ出身である。これだけでも読者には相当のインパクトがあり、彼女が語らずとも戦火を逃れて来た難民だったことは容易に想像できる。(25) では、シリア出身のアミナの前職は「英語教師」で、オーストラリアの公用語に堪能な移民であることがわかる。アミナはメルボルンで英語教師の資格を取得し、「以来、(オーストラリア社会に) 恩返しをしている」と、「人道支援プログラムへの感謝を忘れない人物」、「勉学に勤しみ取得した資格で自立し、社会に還元する人物」として描かれている。

Interpretation

(26) Amina came to Australia under the humanitarian program.

(27) Many refugees and new migrants like Amina bring with them professional training, skills and experience, and want to give back.

(26) で、アミナが人道支援プログラムで来豪した難民の 1 人だと繰り返し述べてから、(27) では「彼女のような多くの難民と新しい移民」と一般化した上で、「専門の職業訓練、技術、経験を生かしてオーストラリア社会に恩返しすることを望んでいる（“want to give back”）」と断言している。

Quote

(28) *“Teaching means everything to me, it is my life and I love it. When I'm in the classroom, I forget everything else.”*

(28) では「教えることは私のすべて、人生そのものであり、愛している。教室ではほかのことは忘れてしまうほど」と、アミナの人柄が一番現れる部分が引用されている。難民はオーストラリアの福祉に依存していると主張し、受け入れに反対する者に対して、「社会に恩返ししてくれる」という「良き難民」のモデルとしてアミナは紹介されている。

5. 本章の分析のまとめ

本章ではターンブル報告書を DHA の手法で分析し、以下の結果を得た。

まず、ターンブル政権はアボリジナルの人々を “our First Australians” と敬意を込めて呼び、 彼らの歴史を “we are as old as...” (我々は古くは…) と我々の歴史として捉えることで彼らをオーストラリア国民として認める姿勢を示していた。また “we are as young as the baby...” (赤子ほど若い) の婉曲表現で、国家としてのオーストラリアがまだ若いことも示していた。

オーストラリア社会に存在する人種差別問題については、一部の人種差別主義者が原因だとする「人種差別の否定のディスコース」で背景化し、“all Australians” や “we” のような国民全体を指す社会的行為者を積極的に使用することで国民全体を「共同体」として前景化していた。

ホーク政権のナショナル・アジェンダに見られるような「非英語圏の国々から来た移民」という社会的行為者の関連化（Association）はなかったものの、ターンブル政権もホーク政権と同様に英語を重視しており、英語は「国語」であり「移民の統合のツール」であると考えられていることがわかった。また、ナショナル・アジェンダは国民に英語だけでなく第二言語の習得も促していたが、ターンブル報告書にはそのような姿勢は見られなかった。この消極性は「多文化政策」よりも「多文化社会」や「移民国家」という現状を表す語彙を選択しているところにも表れていたといえる。

ターンブル報告書では、「国家安全保障」と「国境警備」が多文化社会ディスコースを構成するディスコース・トピックの1つとなっており、オーストラリアに船で上陸しようとする難民は「オーストラリア人とは価値観が異なる集団」として排除の対象とされていることがわかった。難民船の入国を許せば、オーストラリア人が共有する価値観が脅かされ、オーストラリア人は自由を失うというディスコースにより、海軍を使った国境警備が正当化されていた。移民省の名称が、移民国境警備省（2013）に続き、内務省（2017）へと変わったことは、こうした「外部からの侵略により価値観の危機に晒されている」という政府のイデオロギーを反映しているといえる。

さらに、「自由」と「機会均等（フェアゴー）」もディスコース・トピックであった。民主主義の基本原則が守られ、皆がオーストラリア社会の参与者として平等な機会が与えられ、個人の自由が最大限に保障される。これがターンブル政権の目指す新自由主義的な多文化社会なのであろう。

最後に、5人の移民のコラムの分析の結果からわかったオーストラリア政府の理想の移民像は次のような人物であった。1）謹厳実直で、英語や資格、スキルを習得し、経済的に自立できる、2）オーストラリアが提供したさまざまな機会やサービスに対する恩義を忘れずに、コミュニティに恩返しし、オーストラリア経済に貢献できる、3）文化的多様性を武器にビジネスで成功できる。つまり、「国家とコミュニティへの貢献」が共通項であり、移民の経済貢献が移民政策の最大の目的となっていることが分析の結果からより明瞭になった。

以上が多文化政策報告書の分析結果である。

第 5 章　人種差別禁止法に対する政府とメディアの姿勢

1. はじめに

本章では、ライジグル&ヴォダック（2018）のディスコースの歴史的分析（DHA）の手法を用いて 2017 年 3 月 21 日に人種差別禁止法（Racial Discrimination Act 1975、以下 RDA）の第 18 条 C 項（Part II A Section 18C、以下 18C）を改正する意向を発表した自由党・国民党連合政権を率いるマルコム・ターンブル首相（当時）のキャンベラでのスピーチとその関連記事を分析する。第 1 章で確認したように、18C は 1995 年にようやく RDA に追加されたにもかかわらず、これまでに何度も廃止や改正論争が起こってきた。今回、再び 18C を改正すると発表したターンブル首相だが、その改正はマイノリティが人種差別の被害を申し立てすることを難しくする内容のものだった。人種差別にお墨付きを与えるようなものだという批判が渦巻く中、ターンブル首相はどのような主張でもって改正を正当化しているのか、人種差別問題についてどう考えているのかを DHA で明らかにする。さらに、首相スピーチを受けての新聞報道を分析し、新聞各紙は 18C 改正に反対なのか、賛成なのか、それらは 18C 改正問題をマイノリティの権利を擁護する立場から報道しているものなのか、どのようなディスコースで語っているのかもディスコース分析で明らかにする。

言語的観点からの分析では、基本的にライジグル&ヴォダック(2018）の枠組みを利用するが、論証ストラテジーについては、第 2 章で議論した通り、トゥールミン（2011）のモデルを援用して書き手の論理の道筋を検証する。

2. 分析対象

2.1. テクスト

まず、DHA の分析手順に従い、記事の位置付けを確認することから始める。本章の分析対象のテクストの 1 つである 3 月 21 日の政府の記者会見でのスピーチは、豪政府ウェブサイト[1]より入手した。新聞記事は、第 3 章で論じた Teo (2000) の先行研究[2]の中でベトナム系移民に対して否定的な意見を持っていることが明らかにされた *The Daily Telegraph* （以下、DT）と、Manne (2011,p.3)[3] によって強いイデオロギー性を持つと評された全国紙の *The Australian* (以下、AU) を軸に選んだ。DT と AU はマードック系であることから、フェアファクス系の全国紙の *The Australian Financial Review* (以下、AFR) にメディア活動のさかんなシドニーとメルボルンのフェアファクス系大都市新聞の *The Sydney Morning Herald* （以下、SMH）と *The Age* (以下、AGE) を加えて合計 5 紙を分析することにした[4]。

表 5- 1 分析対象記事一覧

系	新聞	メディア・ジャンル	日付	面	タイトル	記者
マードック系	DT	Media Exposition	2017 年 3 月 28 日	ニュース	*A Big Bother – Journos join Orwellian thought police*	Caroline Marcus
	AU	Media Exposition	2017 年 3 月 25 日	ニュース	*Freedom of speech easily beats 18C as a civilising force*	Brendan O'Neill
フェアファクス系	AFR	Media Exposition	2017 年 3 月 25 日	オピニオン	*Quietly now, but 18C may remain lead in the saddlebag*	Phillip Coorey
	SMH	Media Discussion	2017 年 3 月 21 日	国内政治	*Ethnic groups slam Turnbull government's proposed 18C changes*	Michael Koziol & Amy Remeikis
	AGE	Media Challenge	2017 年 3 月 22 日	オピニオン	*No, Malcom Turnbull, bigotry is not freedom*	The Age editorial group

1 オーストラリア議会ウェブサイト(Parliament of Australia (2017, March 21)) よりクリエイティブ・コモンズ・表示ライセンス 3.0 オーストラリアに従って転載した。

2 本論第 3 章 1.1 項参照。

3 本論第 1 章 5.1 項参照。

4 ディーン・ジェンシュ(1985) (関根政美・関根薫訳) によると、シドニーとメルボルンはメディア活動が活発 (p.183)。Mumbrella のデータによると 2016 年 3 月時点での新聞 (月～金) のデジタル購読者数は SMH が 13 万 4934、AGE が 12 万 5038 (Zoe Samios, 2017, August 22) 。表 5-1 の分析対象記事はすべて Copyright Agency Ltd (CAL) を通して転載許可を取得している。

記事の選定には、LexisNexis®Academic を用いた。検索条件で「国・地域」をオーストラリアに指定し、「ソース（source)」は、DT、AU、AFR、SMH、AGE の 5 紙に指定した。「期間」を首相の発表のあった 2017 年 3 月 21 日から約 1 週間の 2017 年 3 月 28 日までとし、「18C」を検索ワードに設定した。結果、DT 24 件、AU 55 件、AFR11 件、SMH 14 件、AGE 16 件がヒットした。その後は、メディア・ジャンルを考慮の上、手作業で選定し、最終的に 5 つの記事が今回の分析対象となった（表 5-1)。

2.2. メディア・ジャンル

ここで、分析対象記事のジャンルに触れておく。ジャンルは社会的に慣習化された「特定の様式」を持ち「社会的目的」を伴うという点で、CDA と選択体系機能文法は考え方が一致している（フェアクラフ, 2012, p.21, p.100; ライジグル＆ヴォダック,2018, p.39; Martin, 1984, p. 25)。そこで、選択体系機能文法の流れを汲む Iedema, Feez, and White（1994, p.199）のメディア・ジャンルの分類（図 5-1）に依拠し、書き手の意見や主観が含まれたテクストを分析するため Media Discussion、Media Challenge、Media Exposition（図 5-1、太字・下線部分）のいずれかに当てはまるテクストを選択した。3 つのジャンルはいずれも “to argue”（議論すること）が大まかな目的だが、Media Discussion は、ある問題についての異なる複数の見解を概観すること、Media Challenge は、ある見解、問題、提案について反論すること、さらに Media Exposition は、ある問題に関して著者の見解や判断を述べることを具体的な目的とする (Iedema, et al, 1994, pp. 199-200)。分析対象記事のジャンルは、SMH が多方面の意見を紹介した Media Discussion、AGE が首相と反対の主張をする Media Challenge であり、AFR、AU、DT が、18C 改正問題について書き手の意見と主張を述べた Media Exposition である。

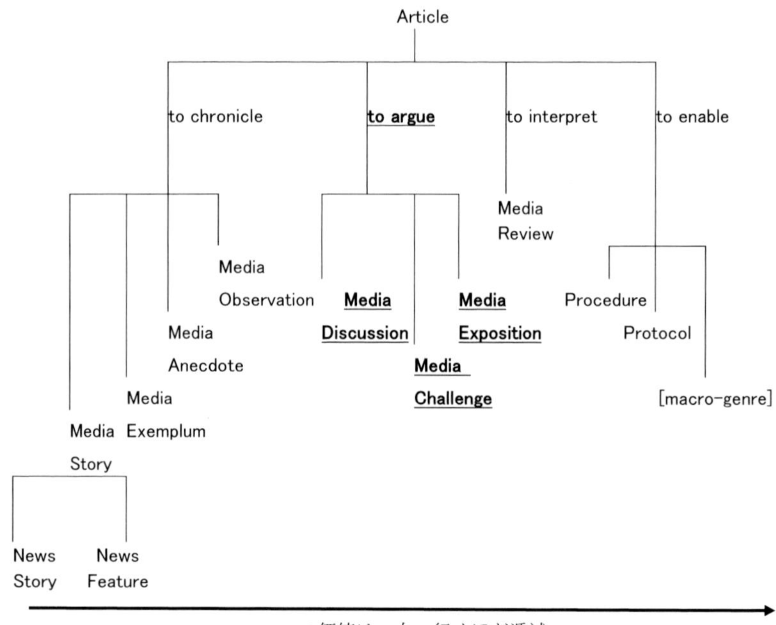

図 5- 1 目的で分類したメディア・ジャンル（Reproduced from Iedema, et. al. (1994, p.199)）

3. 人権に関する連邦議会合同委員会の提言

ターンブル首相の 18C 改正案は、人権に関する連邦議会合同委員会[5]の提言を参考にしており、首相の記者発表でもそのことが言及されている。同委員会は、人権法（2011）により「すべての法案ならびに立法府による法律文書が人権と両立するか精査し、結果を議会の両院に報告すること」を主たる目的に設置された。法務長官は人権法第 7 項に従って、オーストラリア人権委員会の苦情申し立てに対する取り扱いと手続きは変更されるべきか、RDA の Part II（18C 項と 18D 項を含む）が表現の自由に不当な制限を与えているか、の 2 点

[5] オーストラリア人権委員会のウェブサイトに人権に関する連邦議会合同委員会についての説明がある。Australian Human Rights Commission. (n.d.). *Australian Human Rights Commission.*

について、同委員会に調査・報告[6]を依頼していた。同委員会は 2017 年 2 月 28 日に報告書[7]を両院に提出したが、18C 改正の根拠も乏しい上、正当性も何ら提示できておらず、期待外れな内容であった。また、報告書には「1 人以上の委員に支持された意見はすべて提言に含めた」という記述があり、「18C の文言は現行のままにすべし」という提言と 「不快感を与え（“offend”）、侮辱し（“insult”）、屈辱を与えること（“humiliate”）を 嫌がらせをする （“harass”）に変更すべし」という相矛盾する提言が含まれていた。

4. ターンブル首相が提案する改正案の主なポイント

今回、ターンブル首相が発表した改正点は以下の 4 つで、特に議論されているのは最初の 2 つである。

1. “offend”, “insult”, “humiliate” の文言を “harass” に置き換える
2. 合理性の判断基準を差別の対象となった当該集団の中の一般人ではなく、オーストラリアコミュニティの一般人と定める
3. オーストラリア人権委員会の手続きの変更
4. 申し立て期限を設ける

1 点目は、“offend”、“insult”、“humiliate” の文言を“harass” に置き換えることである。ターンブルは、“harass” はより強く、より明瞭な表現だと主張しているが、法律を骨抜きにしているという批判を受けている。2 点目は、“reasonably likely, in all the circumstances”（あらゆる状況において合理的）の法的解釈について、客観的妥当性の判断基準を設定することである。これまでオーストラリア人権委員会の調停による和解[8]が決裂し、連邦裁判所あるいは連邦巡回裁判所に持ち込まれた場合、「誰を基準にして合理的な恐れがあったのか」の判断は裁判官に委ねられていた。第 1 章 4.10 項で述べたアンドリュー・ボルトのケースでは、ボルトが「一般的なオーストラリア社会における社

[6] Parliamentary Joint Committee on Human Rights (2016).
[7] Commonwealth of Australia (2017, February 28).
[8] 調停の進め方は人権委員会の HP を参照した。Australian Human Rights Commission. (n.d.). *Conciliation-how it works.*

会通念上の一般人」を基準に判断すべきだと主張したのに対し、連邦裁判所は「(差別の) 対象となっている集団の中の社会通念上の一般人」を基準に判断した。これについて裁判官の主観的判断だという批判もあったが、オーストラリア人権委員会は、18C は判例法であり、過去の判例に基づいた客観的判断だと反論していた [9]。ターンブルは今回の改正で、その判断基準を「オーストラリアのコミュニティの一般人」に定めるとしている。3 点目は、オーストラリア人権委員会の手続き上の公正性を高めるために、申し立てを受理する前に事前審査を行うことを定めた条項の追加である。4 点目は申し立て期限の設定である [10]。

5. 首相の記者会見テクストの分析

この節より、テクスト分析に入る。[Excerpt] は記事の抜粋で、() 内の番号は下線の通し番号である。まず、[Excerpt 1] の首相の記者発表テクスト全文の分析から始めるが、首相は 18C を改正すべきという自身の主張を以下のような手法によって正当化したり、また、国民に対して説得を試みていることがわかった。それは、スピーチの途中から態度をシフトさせる、民主主義の価値観を根拠にする、現行の 18C は否定的に評価し、改正案は肯定的に評価する、オーストラリア社会に存在する人種差別の被害者と加害者の区別を曖昧化する、の 4 つである。これらの 4 つについて 5.1 項から 5.4 項で詳述する。

[Excerpt 1]

(第 1 パラグラフ)

> Today I am here with the Attorney and we are announcing changes to the Racial Discrimination Act and the Human Rights Commission legislation, which (1) <u>will strengthen the protection of Australians from racial vilification</u> and (2) <u>strengthen the protection of free speech, one of the fundamental freedoms upon which our democracy depends</u>.

9 Tim Soutphommasane (2014, March 13).

10 申し立てを行う者は、問題が起きてから 6 か月以内に手続きを完了し、オーストラリア人権委員会は申し立てから 12 か月以内に解決しなければならなくなる。

(第2パラグラフ)

We are defending the law by making it clearer. We are defending (3) **Australians** from racial vilification, by replacing language which has been discredited and has lost credibility. (4) It has lost the credibility that a good law needs.

(第3パラグラフ)

So the changes we are proposing to section 18C (5) will provide the right balance between defending (6) **Australians** from racial vilification and defending and enabling (7) their right of free speech upon which our democracy, our way of life, depends.

(第4パラグラフ)

We are also amending the law so as to ensure that the Human Rights Commission will offer procedural fairness, will deal with cases promptly and swiftly and fairly. That's very important too.

(第5パラグラフ)

We need to restore confidence to the Racial Discrimination Act and to the Human Rights Commissions' administration of it. (8) The changes we're proposing have been supported from all sides of the political spectrum.

(第6パラグラフ)

Granted, there will be many critics and opponents. (9) But this is an issue of values. Free speech. Free speech is a value at the very core of our party. It should be at the core of every party.

(第7パラグラフ)

(10) Ensuring **Australians** are protected from racial vilification, likewise, is part of that mutual respect of which I often speak, which is the foundation of our success as the greatest and most successful multicultural society in the world.

(第8パラグラフ)

(11) We've struck the balance right. We've done this (12) carefully.

There's been (13) a scrupulously careful examination of this matter by (14) the Human Rights Committee and we thank (15) the Chairman, Ian Goodenough, and the members for their work.

(第 9 パラグラフ)

What we presented today strikes the right balance. Defending freedom of speech, (16) so that cartoonists will not be hauled up and accused of racism. (17) So that university students won't be dragged through the courts (18) and had hundreds of thousands of dollars of legal costs imposed on them over spurious claims of racism.

(最終パラグラフ)

(19) The time has come to get the balance right, to get the language right, to defend our freedom of speech and (20) defend **Australians** with effective laws, clear laws, against racial vilification. That's what we're doing today. (21) We're defending **Australians** with a stronger, fairer law. I'll ask the Attorney to describe in more detail the legislation.

[注] Australians という語彙に網掛けをしている

5.1. 態度のシフト

van Dijk (1992, p.111) の議会ディスコース研究は、政治家が難民・移民問題について政治的主張を行うとき、人道に対し一定の理解を示しながらも、理想主義的過ぎて非現実的であるとし、「公正さ」と「現実主義」を理由に拒絶する傾向があることを示した。ターンブルの場合は、18C 改正賛成派のみならず、反対派の注意も引くように、「人種に基づく中傷からの保護」と「表現の自由の保護」という本質的に両立不可能な課題の両方を強化する姿勢を最初に示しておき、徐々に態度をシフトさせ、最終的には「民主主義の価値観」を理由に「表現の自由の保護」を優先していることがわかった。

詳述すると、まず、スピーチの冒頭の第 1 パラグラフで (1)、(2) のように "will strengthen the protection of~" の対句法のレトリック戦略で 2 つの相反する主張を強調する。ただし、(2) には「表現の自由」の同格として「我々の民主主義が拠り所としている根源的自由の１つ」という重要性を付加する叙述ストラテジーが用いられており、既に表現の自由に重心が傾いている。第３パラグラフの (5) では、「両方を強化する」から、「適正なバランスを取る」に態度を突然シフトさせる。しかも均衡 (equilibrium) を保つのではなく、首相の考えるところの適正なバランス（“the right balance”）なので、白人に有利なように修正できるのである。中盤となる第６パラグラフでは、(9) で「これは価値観の問題であり、価値観とは表現の自由だ」と断言し、完全に「表現の自由重視」にシフトする。この文脈から類推すると、第８パラグラフ (11) と最終パラグラフ (19) にある「バランスを正す」とは、表現の自由をより重視したバランスに変更することであり、同じく最終パラグラフの (21)「我々は、より強力で、より公平な法律でオーストラリア人を守る」とは、「白人オーストラリア人が人種に基づく中傷で訴えられることから守る」ことであるとも解釈できる。

5.2. 民主主義の価値観による正当化

「表現の自由」は、叙述ストラテジーによって第１パラグラフの (2) では「我々の民主主義が拠り所とする根源的自由」に、第３パラグラフの (7) では「我々の民主主義」に関連付けられている。特に (7) “our democracy”、“our way of life” の「我々の」という包括的 “we” によって、「表現の自由」は国民全体の共通の価値観と結び付けられており、18C 改正に反対することは、すなわち国民の絶対的価値観に背くことになるため、反論することを難しくしている。ターンブルは、民主主義というイデオロギーのパワーを借りて 18C 改正を正当化しているのである。

5.3. 18C の否定的評価と改正案の肯定的評価

現行の 18C については、第２パラグラフの (4) で “It has lost the credibility” (信用を失った) と否定的に表現している。これまでの 18C 関連の訴訟についても、第９パラグラフの (18) の “spurious claims of racism” (でっちあげられた人種差別の申し立て) という叙述ストラテジーで正当性を完全否定している。連邦裁判所や連邦巡回裁判所によって棄却されたとしても、被害者が差別を受けたと感じたことは事実である。にもかかわらず「でっちあげ」であるとレッテルを貼り、さらに名詞句の中に組み込むことでその事実関係について議論できないようになっている。

そして、首相が現行の18Cのもと、差別をでっち上げられた例として挙げているのが第 9 パラグラフの (16) “cartoonists” (風刺画家たち) と (17) “university students” (大学生たち) である。ともに無冠詞複数名詞だが、任意の風刺画家や大学生ではなく、かつて訴訟の渦中にあったビル・リークとQUTの学生を暗に意味している。受動態で物質過程を用いて、風刺画家と大学生をテーマに据え、(16)「引きずり出される」(“be hauled up”)、「人種差別の罪に問われる」(“accused of racism”)、(17) 「法廷に引きずり出される」(“be dragged through the courts”) と、共感や同情を誘うように被害者として彼らを叙述していた。(18) では “hundreds of thousands of dollars of legal costs” と数量化のストラテジーを用いて、訴訟で訴えられた側の白人に課せられる金銭的負担について誇張していた。

その一方で、首相が提案する改正案については、第 8 パラグラフの (12) “carefully” (注意深く) や (13) “a scrupulously careful examination” (細心の注意を払った慎重な調査) という叙述ストラテジーで、熟考を重ね、万全を期したものであるとアピールし、(14) the Human Rights Committee” (人権に関する連邦議会合同委員会) という組織名と (15) “the Chairman” (委員長) という権威ある職を挙げる指名ストラテジー (van Leeuwen, 2008, pp.40-41) で、妥当性と客観性を前景化している。しかも、グッドイナッフ氏がシンガポール出身のアジア系オーストラリア人であることが改正案に説得力も与えている。さらに最終パラグラフにある (20) の「効率的な (effective)」、「明瞭な (clear)」、(21) の「より強い (stronger)」、「より公平な (fairer)」という一般的に社会で良いと推奨されるような価値観を表す叙述ストラテジーは法案を肯定的に表象すると同時に、現行の18Cは「改正されて然るべきである」という印象を聴衆に与えている。また、第5パラグラフ (8) の「我々が提案する変更は政治のあらゆる方面で支持されている」という発言は事実と異なる。今回の改正案作成で首相らが参考にした人権に関する連邦議会合同委員会の報告書の中でも、18Cの変更を支持する意見と、現状維持を支持する意見が混在していることは本章の3節で述べた通りである。

5.4. 被害者と加害者の曖昧化

第7パラグラフの（10）の「世界で最も偉大で最も成功した多文化社会」という決まり文句は、「オーストラリアの多文化共生は既に成功しており、問題なく機能している」という刷り込みであると同時に、ターンブルの自らの政治手腕のアピールでもあり、第4章で分析した『ターンブル報告書』をはじめ、間テクスト的関係にあるテクストは多数ある。（10）は、「人種に基づく中傷から国民を保護することは、成功した多文化社会の礎である相互尊重（"mutual respect"）の1つ」と主張しているが、現在のオーストラリアでは白人とマイノリティは決して「相互」という言葉が表すほど、対等な力関係にはない。「相互尊重」という語彙は、オーストラリア社会に存在する差別する側とされる側の非対称性を目立たせないようにしている。

社会的行為者の用い方にも注目したい。ターンブルは、多文化社会を構成するさまざまなエスニックについて決して言及せず、一貫して（1）、（3）、（6）、（10）、（20）、（21）の網掛け部分で "Australians" を用いていた。"Australians" は社会的行為者をグループとして言及する同化ストラテジー（Assimilation）の中でも集団化ストラテジー（Collectivisation）[11]（van Leeuwen, 2008, p.37）と呼ばれるものである。オーストラリア社会において、18Cによる抑止力と人種差別からの保護を必要としているのは、先住民とエスニック・マイノリティが中心であり、加害者となるのは白人オーストラリア人の傾向がある。双方を含めた "Australians" という語彙が、オーストラリア社会に存在する加害者と被害者の二項対立を曖昧化し、背景化し、社会に存在する人種差別問題を矮小化していることがわかる。

以上から、ターンブルは、最初こそ表現の自由の保護と人種差別からの保護を両立すると主張していたが、スピーチの途中から態度をシフトさせていたことがわかった。大学生や風刺画家を現行の18Cによる被害者として表象しながら、改正案は肯定的に表象するなど、叙述ストラテジーも効果的に使われてい

---

11 本論第2章2.2項、Theo van Leeuwen の社会的行為者の表象を参照。

た。最終的には、表現の自由は民主主義の価値観だとして改正案を正当化すると同時に、すべての国民を包含する "Australians" という人称を多用することで、オーストラリア社会における差別する側とされる側の二項対立構造を背景化する工夫がなされていることがわかった。

6. 記事のヘッドラインの分析

次に、首相の 18C 改正発表後の新聞報道を分析するが、本節では 5 紙のヘッドラインの分析を行う。表 5-2 はヘッドラインの一覧である。

表 5-2 ヘッドライン一覧

		ヘッドライン	改正賛成/反対
マードック	DT	*A Big Bother - Journos join Orwellian thought police* 大きな悩みの種:ジャーナリスト、ジョージ・オーウェルの思想警察に参加	賛成
	AU	*Freedom of speech easily beats 18C as a civilising force* 啓蒙的力として表現の自由は 18C よりはるかに重要	賛成
フェアファクス	AFR	*Quietly now, but 18C may remain lead in the saddlebag* 今は静かに、でも 18C は政権の負担であり続ける	反対
	SMH	*Ethnic groups slam Turnbull government's proposed 18C changes* 複数のエスニック集団がターンブル政権提案の 18C 改正をこき下ろす	反対
	AGE	*No, Malcom Turnbull, bigotry is not freedom* 違う、マルコム・ターンブル氏、偏狭になることは自由ではない	反対

まず、マードック系の DT だが、ヘッドライン *A Big Bother - Journos join Orwellian thought police* は、第 2 章 3.1 項で言及した「謎かけをするようなヘッドライン」である。"a Big Bother" の字義は「大きな悩みの種」だが、"Orwellian thought police" から、ジョージ・オーウェルの作品『1984 年』に登場するビッグ・ブラザー (Big Brother) との言葉遊びであると気付く。ここ

からDTは、現代社会は18Cが表現の自由を厳しく統制している「監視社会」であると批判しており、18C改正に賛成の姿勢であることが読み取れる。

続いてAUのヘッドライン *Freedom of speech easily beats 18C as a civilising force* は、一目で18C改正賛成とわかる。“as a civilising force”「啓蒙的力として」が18C問題を表現の自由ディスコースで議論する姿勢を示しており、著名な啓蒙思想家の名前が引き合いに出されることが予想できる。

次にフェアファクス系の3紙を見ると、AFRのヘッドライン *Quietly now, but 18C may remain lead in the saddlebag* の“lead in the saddlebag”は、競走馬の鞍のポケットに鉛板を入れて負担重量調整する「ハンディキャップ競争」に由来するオーストラリア特有の競馬メタファーで、「政治上の不利益な点」という意味で用いられる[12]。つまり、18C改正を自由党が掲げたことで、今後、政権の安定維持に影響が出ると考えており、政治ディスコースで18C問題を捉えていることがわかる。

SMHのヘッドライン *Ethnic groups slam Turnbull government's proposed 18C changes* では、“ethnic groups”という複数の集合体が発言者となり、発言過程に“slam”(こき下ろす)が用いられている。“slam”は *The Macquarie Dictionary* (Delbridge et al., 1997)の定義では“criticize (批判する)”という意味に“severely (厳しく)”という様態が付加された語であるが、本文の引用文中にこの語はなく、著者がエスニック・グループからの反発をストレートに表現するためにヘッドラインに特別に用いた語彙であるとわかる。書き手の立ち位置までは、ヘッドラインからだけでは判断がつかないが、本文に読み進むと、エスニックを擁護する立場であることがわかる。

AGEのヘッドライン *No, Malcom Turnbull, bigotry is not freedom* は、書き手が首相に呼びかけるスタイルの会話体である。“bigotry”は、2014年3月のジョージ・ブランディス法務長官の上院での発言、“People do have the right to be bigots”(人々には偏狭な考えを持つ権利がある)と間テクスト的関係にある。書き手は、ブランディス法務長官の人種差別を容認する発言を引用し、それに対して「ヘイトスピーチは自由ではない」と反論しているのである。

---

[12] Anika Gauja, Peter Chen, Jennifer Curtin & Juliet Pietsch (2018, p.18)は“lead in the saddlebag”を“political drawbacks”(政治を行う上で不利益な点)と説明している。

以上、ヘッドラインの分析からマードック系は 18C 改正に賛成、フェアファクス系は改正に反対していることもわかった。

7. 記事本文の分析

7.1. *The Daily Telegraph* (DT)

ここでは、DT の DHA によるディスコース分析の結果について、2 つの項目に分けて詳述する。7.1.1 では、テクスト内で使用されているディスコース・ストラテジーとレトリック戦略（鈴木, 2007, pp.120-124）についてまとめ、7.1.2 では、テクスト内で言及されているディスコースの種類についてまとめる。

[Excerpt 2]

> ...In 2017 Australia, everyday people are at risk of being on the wrong end of a charge of "feel crimes" - that is, being accused of -offending or insulting someone somewhere in the fight against (1) <u>some imagined tidal wave of racist hate speech</u>.
>
> (2) <u>Recent attempts to silence speech</u> using section 18C of the Racial Discrimination Act are (3) <u>a shameful new chapter in Australian history</u>: (4) <u>a brilliant cartoonist</u> hounded to his grave, ...
>
> The people who argue in favour of preserving this (5) <u>obviously flawed legislation</u> – the ones who blinker themselves to the merits of (6) <u>a modest change in wording</u> (to remove "offend, insult, humiliate" and replace them with "harass and intimidate") and adding a "reasonable person" test to prevent more innocent people being caught up in its net – are (7) <u>no better than George Orwell's Thought Police</u>.
>
> …
>
> Compare these Fairfax cartoonists with (8) <u>the courageous Charlie Hebdo victims</u> who were slaughtered (9) <u>simply because they refused to kowtow to</u> (10) <u>easily offended Islamists</u>.
>
> …
>
> (11) <u>*The Sydney Morning Herald*'s Jacqueline Maley called it the</u>

"ludicrousness of a crusade by an almost entirely white government to get rid of protections against the kinds of humiliations its members will never endure".

(12) It's good to know as a Jew that I'd have their implicit approval to comment, although if I were judged on my white appearance alone I would not.

7.1.1. ディスコース・ストラテジーとレトリック戦略の種類

書き手は、(2) "silence speech" (黙らせる) という強い語彙を用いて、18C があたかもすべての発言を禁止しているかのように語り、現状を (3) "a shameful new chapter in Australian history" (恥ずべきオーストラリアの歴史の新章) と嘆いている。18C は (5) "obviously flawed legislation" (明らかに欠陥がある法律) とも叙述されているが、これには「あきらかに欠陥があるのなら直ちに修正されなければならない」という妥当要求を読者側に持たせる効果があり[13]、これを論拠として、18C の改正を主張する論証ストラテジーとしても機能している。また、改正に反対する人たちは、指名ストラテジー[14]により (7) Thought Police (思想警察) と呼ばれ、まるでジョージ・オーウェルの『1984』で描かれているような理不尽な取り締まりを行う権力集団のようにレッテル貼りされている。

その一方で、改正については (6) "a modest change in wording" で「多少文言を変更するだけ」と表現し、文言の変更がもたらす影響の大きさを矮小化している。また、18C 改正を支持する社会的行為者については、好意的、あるいは同情的に表象する叙述ストラテジーが使用されており、アボリジナルの風刺画が波紋を呼んだビル・リークは、(4) "a brilliant cartoonist" (素晴らしい漫画家) と評され、擁護されている。

さらに、書き手は、(11) で SMH の記者の「政権は、自分たちはほとんどが

---

13 ルート・ヴォダック(2010, p. 110) によると、このような例は「現実のトポス」と呼ばれ、「現実がその通りであるのだから、ある特定の行為／決定がなされなければならない」という結論規則が働くという。トゥールミン・モデルにおいては「法律に欠陥があってはならない」というのは理由付け(warrant) に相当する。

14 Theo van Leeuwen (1996, 2008) の指名ストラテジー (Nomination)

白人で、差別される心配がないから、保護を取り払おうとしている」という発言を引用し、それに対し、(12) で「ユダヤ人としてなら、私が発言しても反対派から暗黙の了解を得られるが、私の白人の容姿だけで判断されたら、そうはいかないのだ。教えてくれてありがとう」と、白人でありながらマイノリティでもある自分のアイデンティティを表明している。これは、同一視のレトリック戦略であり、書き手が特定のイメージを発することで、読者との間に共通の絆を形成する効果がある (鈴木, 2007, p.122)。書き手自身がマイノリティであるにもかかわらず、表現の自由のためには 18C を改正すべきだと主張をすることで、ほかのマイノリティの読者にも同様の考えを共有させる効果が期待できるわけである。また、書き手は三大分類法による黄色人種・黒人だけをマイノリティと捉えることにも疑問を呈しているともいえる。

7.1.2. ディスコースの種類

まず、7.1.1 で指名ストラテジーとして指摘した (7) の "Thought Police" だが、このあたりから、書き手が、18C 問題を「表現の自由のディスコース」で語っていることがわかる。加えて、「人種差別の否定のディスコース」(van Dijk, 1992, p.96)[15]でも語っていることが、(1) "some imagined tidal wave of racist hate speech" から読み取れる。18C 改正によってヘイトスピーチが急増するという 18C 改正反対派の主張を根拠なき妄想だと捉えていることは、"imagined" の語彙使用にうかがえ、また "racist hate speech" の名詞群の分類辞である "racist" が、ヘイトスピーチを一部の人種差別主義者によるものと限定することで、一般オーストラリア市民と切り離しており、これは人種差別の否定のディスコースの一種である。

反イスラム的ディスコースへの言及も見られた。書き手は、2015 年にフランスで起きたシャルリ・エブド襲撃事件[16]を引き合いに出し、事件の犠牲者を (8) "courageous" (勇敢だ) と評価し、表現の自由の殉教者のように表象してい

15 第 3 章 1.2 項参照

16 2015 年 1 月 7 日に風刺週刊紙『シャルリ・エブド』のパリ事務所をイスラム過激派が襲撃したテロ事件のこと。犯行の動機は、『シャルリ・エブド』がイスラム教の預言者ムハンマドを冒涜するような風刺画を掲載し続けていたことへの報復と見られている (イヴォンヌ・リドリー, 2017、ザファル・バンガシュ, 2017)。

る。シャルリ・エブド事件で暴挙に及んだのは一部のイスラム過激派であったのに、(10) “easily offended islamists” (些細なことですぐに気分が害されるイスラム主義者たち) と戦闘的でないイスラム主義者も一緒に “islamists” として集団化 (collectivisation) し、「異質なもの」として表象している。そして、被害者を襲撃した理由も (9) “simply because they refused to kowtow” (ペコペコ媚を売るのを拒んだというだけの理由) と単純化し、イスラムに否定的な態度を表出している。

7.2. *The Australian* (AU)

[Excerpt 3]

Of all the bad ideas spouted by (1) the intolerant new left, (2) none is so obnoxious, so threatening to liberty and equality, as the idea that freedom of speech is bad for minority groups.

The idea that freedom of speech might benefit whites, especially well-connected whites, but (3) it harms blacks, Asians, and Aboriginal communities.

…

(4) These warriors for keeping section 18C intact —still outlawing the offending, insulting or humiliating of a person or group on the basis of their origins — have come to equate freedom of speech with abuse. Speech must be controlled, they say, in order to protect the feelings and sense of safety of (5) certain groups in society. (6) They implicitly paint freedom of speech as the enemy of minority groups, and censorship as their friend.

(7) Right now I am struggling to think of any contemporary idea as wrongheaded, paternalistic, riddled with illiberalism, and ironically racially prejudiced as this one. It does something even worse than hurl abuse at minority groups: (8) it depicts them as lacking the capacity to engage in free, public life; as missing the moral resources required for freedom.

… (9) This is unquestionably the most poisonous thing about section 18C: not that it silences racists, but that it infantilises certain racial groups.

…

Worse, it overlooks that, far from harming the marginalised, (10) free speech has always been their greatest ally, the very means through which they have challenged their marginalisation.

…

From the struggle against slavery in the 19th century to the rise of the black civil rights movement in the 20th, (11) freedom of speech was long seen by black activists and their supporters as essential to the cause of advancing equality and democracy.

…

(12) Consider the words of Frederick Douglass, the great 19th-century writer, abolitionist and one-time slave.

…

(13) The freedom of speech that allows scumbags to write the word "abo" is the same freedom of speech that allows the rest of us to expose and ridicule such comments and insist on equality for all.

(14) Section 18C must be scrapped. Not only because it is censorious, but because in treating minority groups as children requiring protection, it does more to insult, humiliate and offend them than any racist throwback ever could.

7.2.1. ディスコース・ストラテジーとレトリック戦略の種類

書き手は、冒頭から 18C 改正反対派の主張に反駁を重ねる論証ストラテジーを使用している。しかし、改正反対派の主張は歪めて提示されており、第 2 章で紹介した Reisigl and Wodak (2001) の建設的な論証の 3 つのルールのうちの「主張に対する攻撃は、実際に相手が提示した主張について行われなければならない」に反した明らかな誤謬である。18C 改正反対派の本来の主張は、「18C

は改正すべきではない」であり、その根拠は、「改正すると規制が弱まり、マイノリティに対する人種差別発言が増える」からである。書かれてはいないものの、その理由付けは、「18C が抑止力として働いている」ことであろう。しかし、書き手は、18C 改正反対派を指名ストラテジーと叙述ストラテジーによって (1) “the intolerant new left”「不寛容な新左派」とラベリングした上で、彼らの反対理由を (2) “idea that freedom of speech is bad for minority groups”「表現の自由はマイノリティにとって良くない」という考えからだと断定し、それに対して (2) “none is~” の強調構文と “so obnoxious, so threatening” の対句法のレトリック戦略で強調して「自由と平等」を脅かす考えだと主張している。(1) の “new left”「新左派」という呼び名から、背景に右派と左派の政治的イデオロギー対立があることは明瞭である。本来、「不寛容さ」はオーストラリアの多文化社会ディスコースにおいては、移民の言語と文化に対する否定的な態度の意味合いを持ち、右派や自由党に対して用いられることが多いが、ここでは新左派の「表現の自由に対する不寛容さ」を意味している。

次に、指名ストラテジーと叙述ストラテジーに着目したい。書き手は (3) で差別の被害に遭う側の社会的行為者としてのマイノリティを “blacks, Asians Aboriginal communities”「黒人、アジア人、アボリジナルのコミュニティ」と集合化 (Collectivisation)(van Leeuwen, 2008, p.37) しているが、この雑な分類と集合化には、マイノリティに対する認識の程度の低さが表れているといえる。アボリジナルの人々が “blacks”[17] とラベリングされることもあるが、ここでの “blacks” は近年増加傾向にあるアメリカやアフリカ諸国からの移民を指し、おそらく中東系も「黒人」に分類されている[18]。

18C 改正反対派は、(4) “warriors” (戦士) という戦争メタファーの語彙で

---

17 たとえば、*Australian Financial Review* に掲載された Kevin Chinnery (2012, January 30) の署名記事 *No shortage of openings for blacks* は、先住民の雇用機会促進についての記事だが、見出しの blacks はアボリジナルを指している。差別的表現のため 2022 年1月 14 日現在、閲覧不可となっている。

18 2019 年版オーストラリア統計局の ASCCEG によるとオーストラリアの文化・エスニック集団の分類は、オセアニア、北西ヨーロッパ、南・東ヨーロッパ、北アフリカと中東、東南アジア、北東アジア、南・中央アジア、南北アメリカ、サハラ以南のアフリカの 9 つに分かれており、中東が北アフリカと同じカテゴリーに分類されている。(Australian Bureau of Statistics, 2019, December 18).

指名されており、手強い集団であるという印象を読者に与えると同時に、一般市民から切り離されている。(4) “still outlawing the offending, insulting or humiliating of a person or group on the basis of their origins” では、“still” を用いて、18C は「個人的出自に基づいて個人や集団に不快感を与え、侮辱し、屈辱を与えることをいまだに禁止している」と述べ、ヘイトスピーチを禁止することは時代遅れだと言わんばかりに根本から否定している。

18C の保護の対象者は “minority”「マイノリティ」ではなく、(5) “certain groups in society”、「社会の中の特定の集団」と呼ばれている。“minority” という語彙は、社会科学の領域の定義では、「数が少ない」というよりも「支配集団と共存し、支配集団に従属する集団」という意味が強いため (Minority (n.d.) In *Encyclopedia Britannica.*)[19]、この語彙の使用を減らすことは社会における主流派と非主流派の関係性を背景化することになる。(9) “it infantilises certain racial groups”「特定の人種集団を子ども扱いしている」には、「特別扱い」、「甘やかし」、「不公平」という書き手の批判的姿勢が露わになっている。

さらに (6) では、マイノリティ集団は表現の自由を敵視し、“censorship” (検閲) を友としていると定言的な言明をしている。「検閲」は独裁国家を想起させる誇張した語彙 (hyperbole) (van Dijk, 1991, p.219-20) であり、18C 改正反対派を民主主義の価値観を共有できない集団として表象しているといえる。

(8) の「(18C 改正に反対するということは)『マイノリティ集団が自由な社会生活を送る能力を欠いている』と言っているに等しい」は、書き手の独自の解釈であり、この解釈こそマイノリティの資質を間接的に否定しているに等しい。

書き手は、テクスト終盤でさらなる論証ストラテジーを使用している。(11) の「表現の自由は、黒人の活動家とその支持者によって、平等と民主主義を進めるという大義名分に必要であるとみなされてきた」とは、「表現の自由が公民権運動を支えてきた」ということであり、(10) の「表現の自由は、周縁に置かれた人たちの最高の味方であった」という書き手の主張の根拠である。(12) は、

---

19 社会科学では、支配集団への従属性がマイノリティ集団を最も決定付ける特徴とされており、支配集団の数倍の人口を持つマイノリティ集団も存在する。(Britannica, T. Editors of Encyclopaedia (2019, September 18). *minority.*

その補強証拠として、米国の思想家のフレドリック・ダグラスを表現の自由の権威者として指名（Nomination）している。しかし、これらはあくまで米国の例であり、オーストラリアのコンテクストでは真理の妥当性に欠けるといえる。まず、Stevens (2016, p.43) によると、米国とは違い、オーストラリアでは1980年代に入っても大きな人種暴動がなかったという。オーストラリアでマイノリティが声を上げて行動するようになったのはまだ最近のことであろう[20]。また、米国の公民権運動は制度的人種差別の撤廃を求めたものであるが、現代のオーストラリアでは、かつての移民制限法のような制度的人種差別は禁止されており、むしろ日常生活における人種差別が問題であり、米国の例はオーストラリアには当てはまらないといえる。

7.2.2. ディスコースの種類

AU では、「人種差別の否定のディスコース」が確認できた。(7) では、18C 改正に反対することについて、長い名詞群の叙述ストラテジーで "wrongheaded" (誤った)、"paternalistic" (家父長的)、"riddled with illiberalism" (反自由主義にまみれた)、"ironically racially prejudiced" (皮肉にも人種的偏見がある) と新自由主義に反している上、逆差別であると主張している。逆差別の主張は「人種差別の否定ディスコース」の特徴の1つである。

(13) "scumbags" (卑劣な人間たち) という強い語彙を使用する指名ストラテジーも、一部の人種差別主義者にすべての差別の責任を転嫁して、"the rest of us" (我々) とは切り離す人種差別の否定である。そして、人種差別発言を受けたなら、言葉で言い返せばよいと「ヘイトスピーチも表現の自由」という考えを示し、万人は平等なのだから当事者が対処すればよいという突き放した姿勢を取っている。

最終パラグラフの (14) でも、「18C は検閲的であるばかりでなく、マイノリティを保護の必要な子どものように扱うことで彼らをより侮辱し、屈辱を与え、

---

20 アボリジナルの少年が警官の追跡を受けて死亡したとされる事件が引き金となり、大規模なアボリジナルの暴動へと発展したレッドファン暴動は2004年。インド人留学生襲撃事件に抗議し、豪州インド人留学生連盟（FISA）が主催し、メルボルンで行われた抗議デモは2009年である。Rachel Stevens (2016, p.43) は、近年まで人種暴動がなかったがために、マイノリティについて無神経な議論が繰り返されてきたと述べている。

不快感を与えているので廃止すべきだ」と逆差別を繰り返し主張し、テクストを締めくくっている。

7.3. *The Australian Financial Review*（AFR）

この AFR の記事は、問題に関する書き手の見解や判断を示す Media Exposition のテクストであり、Headline、Orientation、Judgement、Reiteration of Judgement、(Conclusion)[21] で構成される（Iedema, et al.,1994, p.78, pp. 199-200)。特に Orientation には、ナラティブ・ジャンルが混合しているため、第 2 章で概説した Bamberg (2004c) の「書かれたナラティブ・テクスト」を対象にしたポジショニング分析を援用し、語彙や時制、態などの文法、テーマ構成といった言語装置に注意しながら、レベル 1 の物語世界の登場人物のポジションも明らかにする。そのため、以下ではストラテジーやディスコースの種類ごとではなく、テクストの発展に従って、ステージごとに分析していく。

ナラティブでは、時間が 2007 年まで遡り、総選挙直後の出来事が語られ、その後に解釈が続く。Judgement で再び時間軸が現在に戻り、書き手の判断・意見が述べられ、Conclusion ではヘッドラインの命題が繰り返し述べられる構成となっている。

7.3.1. 教訓のナラティブ－その 1

[Excerpt 4] は、Orientation の中のナラティブの部分の抜粋である。

[Excerpt 4]

(1) The Turnbull government is skulking around section 18C and has failed to learn the lessons of history.

(2) On the night of November 24, 2007, the mood inside the Liberal Party's post-election function at Sydney's Wentworth Hotel was understandably grim.

21 ( ) は任意のステージ。

(3) John Howard's government had been swept aside after 11 years in power and while (4) the party faithful awaited the arrival of (5) the soon-to-be former prime minister to make his concession speech, (6) the post mortem, fuelled by the free-flowing booze, was gathering steam. (7) The obvious theories abounded: it was the "it's time" factor, Labor's slick Kevin '07 campaign, or that Howard should have handed over to Peter Costello. Or, given that was never going to happen, Costello and the rest of the cabinet should have had the kahunas to blast Howard out.

Amid it all, (8) one very senior businessman and party figure was overheard blaming the "f---ing Chinese".

He was not referring to the Coalition losing government per se, but to (9) the added insult that Howard had lost his seat of Bennelong to ALP star candidate Maxine McKew.

(10) The same factors that saw Howard lose government contributed overwhelmingly to him losing his seat but there was an added element - a sense of threat felt by sections of the large Chinese community in Bennelong.

Orientation は (1)「ターンブル政権は、こそこそ陰で 18C 改正をもくろんで動き回り、過去の教訓から学べていない」という厳しい政権批判で始まる。"skulking around"（こそこそする)、"failed to learn"（学習できていない）は、為政者の態度および能力に関するマイナスの評価を表す叙述ストラテジーである。読者は、過去の教訓とは何か考えつつ、ナラティブに読み進む。

ナラティブでは、2007 年 11 月 24 日のハワード自由党が労働党に敗れた総選挙の夜に時間が移行する。(2) "On the night of November 24, 2007" (2007 年 11 月 24 日の夜）で、時間的・空間的コンテクストを提供する状況要素がテーマの位置に置かれ、まず場面設定がなされる。場所はホテルのパーティー会場である。書き手は、"grim"（不快）で、その場の空気の重たさを表現し、選挙の敗北が決定的になったことを暗に伝えている。そして、"understandably" (無理もないことだ）という予想に関するモーダル付加詞を使用して自由党支持者のやり場のない怒りを推し量っている。(3) は、受動態を用いて John Howard's government (ジョン・ハワード政権) を動作の受け手としてテーマ化し、「ハワード政権は大敗を喫した」としている。

続いてテーマの位置に置かれるのは、ナラティブの最初の登場人物である(4) の "the party faithful" である。*Longman Dictionary of English Language and Culture* (Summers, D., 1997) によると "loyal members of the party" と定義されており、長年、自由党に忠誠を誓ってきた党員のことである。彼らこそがこのナラティブの主人公であり、彼らが待っているのは (5) の "the soon-to-be former prime minister" つまり「もうすぐ前首相となる人物」である。

(6) "the post mortem, fuelled by the free-flowing booze, was gathering steam" (反省会は、お酒も入って熱を帯びてきていた) で再び状況要素がテーマに置かれたナレーションが入る。選挙で苦杯をなめさせられた自由党支持者たちがいささかお酒を飲み過ぎて、場の雰囲気が過熱してきたという状況描写は、この後に起こる事件の舞台を整えている。

(7) で "The obvious theories abounded" (敗北に至った明らかな原因がいくつもあった) とナレーションが入り、その後、敗因が列挙される。"it's time factor" (潮時だった)、"Labor's slick Kevin '07 campaign" (労働党ケビン・ラッドの選挙戦に手抜かりがなかった) 、"Howard should have handed over to Peter Costello." (ハワードはピーター・コステロー[22]に地位を譲るべきだった)、 "Or, given that was never going to happen, Costello and the rest of the cabinet should have had the kahunas to blast Howard out." (それが無理なら、コステローと閣僚たちは誰か大物にハワードを降ろさせるべきだった) などである。これらはナレーションとも匿名の支持者の発言とも取れる。

(8) では、ある自由党支持者に突然スポットライトがあたり、"f---ing Chinese" (あの中国人野郎たちめ) と衝撃的な発言をする。役者があるシーンの重要な局面において、1 人以上の相手とやりとりをしながら独白するのがこの Dramatic Monologue であるが、Abrams (1999, pp.70-71) によると、独白の内容は、独

[22] ピーター・コステローは 1994 年から 2007 年まで自由党副党首兼財務大臣を務めた。

白している人物の気性や人柄を聴衆に伝えるものであり、聴衆の関心を高める効果があるという。この架空の登場人物は、企業の上級役員（“very senior businessman”）であり、党の集まりによく出入りしている人物という設定となっている。社会的地位もあり、かつ企業の役員ともなれば、エスニックも含めた異なるバックグラウンドの人たちを束ねる立場にあるはずが、汚い言葉を用いて中国人を罵るという「裏の顔」を持ち合わせている。また、“was overheard”(立ち聞きされた）は、公の場で罵り言葉を特定のエスニック集団に対して使用することが社会でタブー視されているため、小声での発言であったことを表わしている。この自由党員は政治的公正性（political correctness）という規範的ディスコースから表向きは逸脱しないように気を付けつつも、実は人種差別的な考えを持っていて、ハワードの落選はこれまでハワードに投票してきた中国系の有権者がマッキューに投票したことが原因だと考えている。この人物を通して、自由党支持者の間では、中国系オーストラリア人は選挙の勝敗に影響を与える「厄介な存在」として位置付けられていることもわかる。この人物は、実在の人物かもしれないが、AFR の読者の姿を投影した架空の人物で、白人中間層の自由党支持者の本音を書き手が代弁させているのかもしれない。

(9) “the added insult”（恥の上塗り）とは、連合政権が敗北しただけでなく、ハワードが労働党のマキシン・マッキューにベネロングの議席を奪われたことを指しており、自由党の悔しさが前景化されている。(10)“a sense of threat felt by sections of the large Chinese community in Bennelong.” では、ハワードが落選の憂き目に遭った別の要因は、ベネロングの中国人コミュニティの大半が感じた「脅威」であると述べられている。

こうして 2007 年総選挙のナラティブにおいて、レベル 1 でハワードは「賞味期限切れ」であるにもかかわらず党首の座に執着した自由党敗北の立役者として、ラッドは、手抜かりなく選挙運動を成し遂げた「如才ない人物」として対照的に位置付けられている。そして、企業の上級役員は中国系有権者を裏で口汚く罵る人種差別的な人物として位置付けられていることがわかった。

新聞記事の中に挿入されるナラティブの効果について、Teo (2000) は、新聞記事は factual でありながらも、読者を楽しませるような方法で伝える“infotainment”としての役割があると説明しているが、AU の読者で自由党の支持者はこの過去のナラティブを読み、2007 年の自由党の苦い敗北を鮮明に思い出すであろう。

7.3.2. 教訓のナラティブ―その 2

続いてテクストは、[Excerpt 5] の 2007 年総選挙でベネロング選挙区の議席をハワードから勝ち取ったマッキューの自叙伝 *Tales from the Political Trenches* に移行し、ハワードおよび彼の政権による人種差別行為の数々が語られる。

[Excerpt 5]

…In her memoir entitled *Tales from the Political Trenches*, (11) McKew says a fear of racism alienated many of these voters. (12) A series of incidents meant Howard was "no longer being given the benefit of the doubt on questions to do with race".

(13) She said it began with those who remembered Howard's statement in 1988 about Asian immigration and his government's initial tolerance of Pauline Hanson in the late 1990s.

(14) The tipping point was the hamfisted and shameful treatment, months before the 2007 election, of Indian doctor Mohamed Haneef who had his visa cancelled after wrongfully being accused of terrorism offences.

Then, (15) just days before the election, came the Lindsay pamphlet scandal [23] ,which like Haneef, reverberated through the Asian community in Bennelong and ethnic groups everywhere, and (16) snuffed out any flickering hope the Coalition had for election day.

(17) The events of 2007 proved a salient lesson in the dangers of pushing certain buttons in politics, something the Turnbull government has done

---

23 リンゼイ選挙区で、自由党候補の夫ら 4 人が、労働党候補者をイスラム過激派やテロと関連付けるような偽りの内容のチラシを作成し、有権者の郵便受けに入れたことが発覚したスキャンダル。

with this week's decision to change the wording of section 18C of the Racial Discrimination Act.

(11) の引用では、"a fear of racism"「人種差別への恐れ」が "alienated many of these voters"「有権者を遠ざけた」とある。(12) "A series of incidents meant Howard was 'no longer being given the benefit of the doubt on questions to do with race'" には、ハワードは、「もはや疑わしきは罰せずの恩恵にはあずかれなくなった」とあり、有権者の中でハワードが人種差別主義者であることが、「疑い」から「確信」に変わったことをマッキューの引用を通して伝えている。(13) "Howard's statement in 1988 about Asian immigration" と "his government's initial tolerance of Pauline Hanson" は本論第 1 章 4.4 項で言及した 1988 年のアジア系移民論争におけるハワードの発言と第 1 章 4.5 項で言及したハンソン論争においてハワードが当初ハンソンを譴責することを躊躇していたことを指している。

(14) は、2007 年総選挙の数か月前に起きたインド人医師モハメド・ハニーフ氏[24]のテロ関与容疑での不当な拘留が決定的な転機となったと伝えている。これ以降の文には、発言過程 (Verbal Process) が不在のため、マッキューの自叙伝で述べられている内容なのか、書き手自身の解釈なのかはっきりとしない。(14) の "hamfisted and shameful treatment" (不手際で恥ずべき扱い) は叙述ストラテジーであり、マッキューあるいは書き手の視点から、ハニーフ氏の拘留は自由党の「完全な失態」と表象され、批判されている。

さらに選挙数日前に起きたリンゼイ・パンフレット・スキャンダルに関しては、(15) "reverberated through the Asian community…" と記述されている通り、ベネロングをはじめとするアジア系コミュニティに激震が走り、(16) 自由党が選挙当日に抱いていた一縷の望みも潰えた ("snuffed out any flickering hope….") という。

このナラティブでは、ハワード自由党政権下で起こった数々の事件を紹介し、

---

24 モハメド・ハニーフ氏は、6 月の英連続テロ未遂事件に関与したとしてオーストラリアで逮捕され、3 週間以上にわたる拘留の末に訴追請求が取り下げられた。一部のメディアでは the Haneef Affair と呼ばれている。

これらから得られる教訓を読者に引き出させようとしている。いずれも「人種差別」の事例でありながら、書き手は（17）で“a salient lesson in the dangers of pushing certain buttons in politics”（政治において、特定のボタンを押すことの危険性を示す明らかな教訓）と述べており、「政治ディスコース」で語られていることがわかる。その特定のボタンが同じく（17）の“something the Turnbull government has done with this week's decision to change the wording of section 18C of the Racial Discrimination Act”（人種差別禁止法 18C の文言を変更するという今週のターンブル政権の決断のように）で、18C 改正は、エスニック・コミュニティを刺激し、選挙で不利に働くというのが書き手の見解である。AFR が 18C 改正に反対の立場を取るのは、自由党を選挙に勝たせるためであって、人種差別問題の解決を望んでいるからではないことがわかる。

2007 年の総選挙のナラティブとこの自叙伝の引用は自由党支持者への「訓話」として機能しており、書き手の狙いは「人種差別を容認する態度は中国系の支持を失い、選挙に負ける」という認識を読者と共有すること、与党自由党には、この過去の教訓に学んでほしいということなのである。

7.3.3. 結論のステージ – Conclusion

[Excerpt 6]

> …
>
> The argument for change was twofold. …but the real driver of the decision was the political argument – (18) <u>that change was being demanded by the Liberal base, both conservative and libertarian, to counter an apparent tsunami of political correctness</u>.
>
> …
>
> And not just because it is a distraction from bread and butter issues. (19) <u>Like the pet dog who ripped up the sofa while his master was at work, the government is skulking</u>.
>
> (20) <u>People who already experience racism, direct and indirect, don't care for Voltaire or John Stuart Mill, they see it as a green light for oafs</u>

to have a crack at them.

(21) The issue will disappear below the radar but it will not go away. More lead in the saddlebags.

(18) で書き手は、18C 改正の本当の理由は、自由党内の保守層とリベラル層の両方からターンブルに要請があったからだと述べている。

しかし、(19) "Like the pet dog who ripped up the sofa while his master was at work, the government is skulking"「主人が仕事に行っている間にソファを破いたペット犬のように、政府はこそこそしている」は書き手の政府に対する否定的評価であり、党内での求心力を得るために 18C 改正の発表を行ったものの、ばつが悪くなり沈黙を貫いている様子を「勢いでやってしまったことを後悔している飼い犬」にたとえている。また、ターンブルは党首でありながら自由党の絶対的トップではなく、ボス ("master") がほかに党内に存在することも示唆している。

(20) 「直接的および間接的な人種差別を既に経験している人にとって、ボルテールやジョン・スチュアート・ミルなどどうでもよい。18C が改正されれば、愚か者たちが人種差別的な言葉を浴びせることが承認されたと受け止める」では、人種差別発言をする人たちを "oaf" (愚か者) と呼ぶ指名ストラテジーで、否定的評価を与えており、マイノリティ側の反応については否定も肯定もせず、中立的な立場で受け止めている。(21) では、「問題への関心が薄れていくが、消えるわけではない。政治課題が増えただけだ。」と今回の改正の提案がこれからも政権の重荷になることを繰り返し強調してテクストは終わっている。18C 問題は、エスニック・マイノリティを人種差別から守るためではなく、選挙民の関心を得るための切り札に過ぎないのである。

AFR の結論をまとめると、書き手は 2007 年総選挙敗北のショックとそこから学んだはずの教訓をナラティブを通して読者に思い起こさせ、18C 改正に踏み切ることは、選挙戦を考えると得策ではないと訴えていることがわかった。

7.4. *The Sydney Morning Herald*（SMH）

SMHのテクストは、地の文が少なく、ほぼ引用分だけで構成されている。表5-3は、被引用者（[1]~[7]）ごとに、引用の種類、引用動詞、引用文をまとめたものであり、分析箇所に下線を施してある。「種類」欄の「間」は間接引用、「直」は直接引用を表している。また、「地+[注]」は地の文の中に注意の引用符が一部使用されている場合を、「間+[注]」は間接引用文の中に注意の引用符が一部用いられている場合を示している。引用動詞のない直接引用の場合は引用動詞は空欄に、引用文の引用符が省略[25]されている場合は、原文のままにしている。

まず、被引用者を本文で引用される順番に紹介すると、[1] 複数のエスニック団体や文化団体、[2] オーストラリア人権委員会・人種差別担当コミッショナーのティム・スートポマサン、[3] IPA[26]の事務局長のジョン・ロスカム[27]、[4] オーストラリア・ユダヤ人実行委員会のピーター・ウェルトハイム委員長、[5] 多文化主義を推進するための連合を形成するピーク・グループ（手紙）、[6] チャイニーズ・オーストラリアン・フォーラムのケンリック・チア会長、[7]アラブ・カウンシル・オーストラリアのランダ・カタンCEOとなっている。本文の最初に登場する [1] は、ヘッドラインの "ethnic groups" の言い換えであり、[4]~[7]の総称でもある。

---

25 表5-3の(18) [...] liberties? の後には閉じの引用符がないが、David Crystal (2016, p.310)によると、引用が複数のパラグラフにまたがる場合、パラグラフの終わりに閉じの引用符は付さずに、次のパラグラフのはじめに開きの引用符を付して引用の継続を示し、閉じの引用符は引用全体が終わったときに付すことになっている。2つの独立した引用と混同するのを防ぐためである。ただし(8)と(9)は引用符の省略ではなく脱落と思われる。

26 エレーヌ・マキューン (2018, pp. 14-15) によると、IPA（パブリックアフェアーズ研究所）は、メルボルンに本拠地を置く新自由主義系シンクタンク。もともとは自由党を支持する保守系シンクタンクだったのが、1970年代後半に新自由主義者で鉱業経営者のヒュー・モーガンに買収されてからラディカルな新自由主義系シンクタンクになった。海外の新自由主義ネットワークにも参加している。

27 エレーヌ・マキューン (2018, pp.14-15) によると、ジョン・ロスカムは、鉱業・資源分野の多国籍企業のリオ・ティントの企業コミュニケーション部取締役をしていた。オーストラリア自由党のスタッフでもあり、選挙運動の責任者でもあった。

表 5- 3 被引用者、話法の種類および引用文

被引用者	種類	引用動詞	引用文
[1] エスニック団体や文化団体 (ethnic and cultural groups)	間	have warned	(1) The Turnbull government's proposed changes to Australia's race-hate laws risk opening the floodgates on racism and creating legal confusion
[2] オーストラリア人権委員会・人種差別担当コミッショナーのティム・スートポマサン (Tim Soutphommasane, Race discrimination commissioner)	地 + [注]		(2) the "extremely disappointing" changes, …
	直	told	(3) "I still don't understand what it is that people want to say that they currently are not already allowed to say"
	直		(4) "It signals to people that it's acceptable to racially offend, insult, and humiliate others."
	間 + [注]	said	(5) the deletion of "insult", "offend", and "humiliate" and the introduction of a new term, "harass", would create confusion and lead to "more litigation, not less" because it would render irrelevant 20 years of case law.
	直	said	(6) "We don't know what the meaning of that word will be until courts consider it,"
	直		(7) "This is not speculation, this is based on the history of how the laws operated."
[3] IPA 事務局長のジョン・ロスカム (John Roskam, IPA executive director)	間 + [注]	warned said	(8) The definition of harassment was "mired in uncertainty ['']
	直	said	(9) [''] only full repeal of section 18C would preserve free speech"
	直	said	(10) "Nonetheless, the legislation has been significantly improved,"
	直		(11) "The Turnbull government can now be on the front foot on freedom."
[4] オーストラリア・ユダヤ人実行委員会のピーター・ウェルトハイム委員長 (Peter Wertheim, Director of the Executive Council of Australian Jewry)	間	said	(12) Mr Turnbull was incorrect to assert the new laws would better protect minorities from racial discrimination.
	間 + [注]	said	(13) …there would be a "concerted effort" from cultural groups to convince crossbench senators to block the changes.
	直	said	(14) "It's not a big deal for most people, but for members of minority groups who have been on the receiving end of some very ugly forms of racial discrimination…it could be very significant"
	直		(15) "I think it could be a vote-changing issue federally."

[5] 多文化主義を推進するための連合を形成するピーク・グループ(手紙) (A letter co-signed by peak groups that form the Coalition to Advance Multiculturalism)	間+[注]	described	(16) “utterly shameful and at odds with the principles of multicultural Australia”
	直	read	(17) “We will oppose this latest attempt to amend Section 18C with all the energy and resources at our collective disposal”
	直		(18) “We regard the argument in favour of weakening the legislation to be without substance. There is no evidence to suggest that the existing legislation impedes freedom of speech. If the government was genuine about freedom of speech, why the deafening silence on the many other pieces and legislation and areas of policy which severely restrict freedom of speech and other civil liberties?
	直		(19) “Racial and religious vilification violate the dignity of Australians, inhibits their ability to participate in Australian communal life, and severely damages the social fabric, which is the indispensable bedrock on which are built our freedoms and civil liberties.”
[6] チャイニーズ・オーストラリアン・フォーラムのケンリック・チア会長 (Kenrick Cheah, President of the Chinese Australian Forum)	間	said	(20) the group planned on making the amendments an election issue.
	直	said	(21) “Look at the demographics of Sydney, for example – there are a lot of seats out there which have very vocal multicultural communities.”
	直		(22) “I don’t think any multicultural communities have stood up for the changes – especially in marginal seats like Reid, Banks etc. where, it is quite important that either side harness the multicultural vote- I can’t see how this is going to help anyone get votes from those communities.”
[7] アラブ・カウンシル・オーストラリアのランダ・カタンCEO (Randa Kattan, CEO of the Arab Council Australia)	間+[注]	said	(23) the government was sending a “dangerous signal that it is OK to insult somebody” to a community “that faces the brunt of racism almost on a daily basis, if not on a minute-by-minute basis”.
	直	said	(24) “This is actually a slap in the face to all communities who are facing racism out there, who are feeling, who are at the receiving end of daily harassment,”
	直		(25) “We only have to say something and you only have to watch social media to see how much hatred there is out there, so for the government, the highest power to come out and start talking about watering down an act that protects people on something they can’t change in themselves- they can’t change their race, they can’t change their ethnicity, they can’t change who they are – that is extremely dangerous and extremely problematic.”

7.4.1. 引用動詞の種類

テクスト冒頭の [1] (1) の「エスニック団体や文化団体」と [3] (8) の「IPA 事務局長」の間接引用文は、"warn" (警告する) の引用動詞で導かれている。"warn" は、Caldas-Coulthard (1994, pp.305-6) の引用動詞の分類[28]では書き手の発言者に対する態度を示す動詞 (Metapropositional verbs) であり、語の定義は *The Macquarie Dictionary* (Delbridge et al., 1997) によると "to admonish or exhort as to action or conduct" (行為や振る舞いについて戒める、あるいは強く忠告する) である。このことから、"warn" の使用は、書き手が IPA だけでなく、エスニック団体も他者に対して強く忠告するだけの権威がある参与者として捉えていることを示しているといえる。

そのほかの引用動詞は、すべて "say"、"read"、"tell" という中立的な立場を示す Neutral structuring verbs であるが、それらでつないだ複数のエスニック団体の引用の中にある指名、叙述、論証ストラテジーやディスコース・シフトにより、読者へ訴える力はより強くなっている。

7.4.2. 引用文中のディスコース・ストラテジーの種類

間接引用の中には、注意の引用符が多く用いられているが、[2] オーストラリア人権委員会のスートポマサンによる発言の (2) "extremely disappointing" は、「極めて」という強調ストラテジーと「遺憾な」という叙述ストラテジーで 18C 改正案にマイナスの評価を与えている。国民の人権を守る組織の中でも特に人種差別問題の権威者である彼は、改正賛成派が "harass" に文言を変更した方が申し立て件数も裁判の件数も減ると考えている点についても、(5) "more litigation, not less" で、訴訟が減るどころか増えると主張している。その根拠は、(6) "We don't know what the meaning of that word will be until courts consider it" とあるように、"harass" の解釈は裁判においてなされるためである。そして (7) のスートポマサンの引用は "This is not..., this is ..." という対照法のレトリック戦略で強調されており、ただの憶測ではなく、法の運用の実際の在り方に基づいて発言していると自らの主張の正当性を訴えている。

---

[28] 第2章 3.2 項参照のこと。

[3] IPA 事務局長の発言の（8）“mired in uncertainty...” という注意の引用符も「(迷惑行為の定義が）どうもはっきりしない」という叙述ストラテジーである。書き手は、敢えてターンブル支持派のIPAの声を引用することで、支持派の間でさえも “harass” という新たな文言が曖昧であると評価されていることを前景化し、(5）のスートポマサンの主張の説得性を強めている。

[4]オーストラリア・ユダヤ人実行委員長ウェルトハイムの（13）“concerted effort”（協調努力）の引用だが、さまざまな文化ごとの団体が一枚岩となり、変更を阻止すべく無党派の上院議員を説得するだろうと語っており、この引用は自由党支持者に対し、マイノリティが戦局を左右できる存在である事のアピールとなっている。

[5]ピーク・グループによる手紙の文面の直接引用（18）は、「もし政府が言論の自由について本気ならば、ほかに多く存在する問題や、言論の自由をはじめ、市民の自由を厳しく制限するほかの法律と政策の分野については、なぜ耳を貸さないのか」と、ほかに数多く存在する言論の自由の制限には無関心なのにもかかわらず、18C だけを取り上げて言論の自由を議論することの不自然さを指摘し、賛成派の議論を論破している。

[7] アラブ・カウンシル・オーストラリアの（23）“dangerous signal”（危険な合図）は叙述ストラテジーで、18C 改正に対する否定的評価を強調し、(24) “a slap in the face”（顔を平手打ち）は、政府の発表でエスニック・コミュニティに衝撃が走ったことを比喩を用いて表現している。(25) “for the government, the highest power to come out and start talking about watering down an act” の部分では、叙述ストラテジーにより、政府（the government）が最高権力（the highest power）であることを強調した上で、その政府が “watering down”、つまり法律を骨抜きにしていると批判し、国の最高権力の政策判断を否定的に評価しているのがわかる。(25）の直接引用の最後の部分、“They can't change their race, they can't change their ethnicity, they can't change who they are – that is extremely dangerous and extremely problematic” こそが記事全体の最後の訴えとなっており、“they can't change” を三度繰り返す対句法のレトリック戦略で、人種やエスニシティは生まれながらのものであり、本人の非によらないものであることを強調し、さらに法改正の性質については

“extremely” を二度繰り返す、対句法のレトリック戦略で、「非常に危険で非常に問題をはらんでいる」と評価している。

7.4.3. 引用の配置のパターン

表 5-4 のように[2] から[7] の被引用者の引用の配置に注目してみると、明瞭なパターンがあり、発言者が交代するときは必ず間接引用から始まり、直接引用が後に来るという順番になっている（[2] の場合は、この形が二度繰り返されている)。

表 5-4 被引用者の交代と話法の推移

	[2]				[3]		[4]		[5]		[6]		[7]	
話者	オーストラリア人権委員会コミッショナー				IPA事務局長		ユダヤ人実行委員会		ピーク・グループ		チャイニーズ・オーストラリアン・フォーラム		アラブ・カウンシル・オーストラリア	
話法	地+［注］	直	間+［注］	直	間+［注］	直	間／間+［注］	直	間+［注］	直	間	直	間+［注］	直
下線番号	(2)	(3)												
		(4)	(5)	(6)										
				(7)										
					(8)	(9)								
						(10)								
						(11)								
							(12)							
							(13)	(14)						
								(15)						
									(16)	(17)				
										(18)				
										(19)				
											(20)	(21)		
												(22)		
													(23)	(24)
														(25)

表 5-4 の通り、(5)、(8)、(12・13)、(16)、(20)、(23) は間接引用文であり、いずれもすぐ後ろに直接引用 (6・7)、(9・10・11)、(14・15)、(17・18・19)、(21・22)、(24・25) が配置されている。(2) は地の文だが、文中に注意の引用符が挿入されていて、かつ、後ろに (3・4) の直接引用が配置されているので類似したパターンといえる。間接引用は、使用する語彙や注意の引用符で書き手の主観を交えて出来事や発言内容を要約する役割をしており、直接引用は、それらを裏付けるために配置されているようである。

ユダヤ系、中華系、アラブ系の幅広いエスニックの意見がテクストに織り込まれているが、被引用者は団体の権威者・リーダーたちで固められており、発言内容の信頼性と信憑性を高めている。また、複数の団体の発言の引用を連綿とつなぐことは、一本筋の通った主張として見せる効果がある。間接引用文内の注意の引用符も、それぞれの発言者がもともと別のテクスト内で発言していたものを書き手が巧みにいわばパッチワークのようにテクストの中に織り込んだものだが、18C 改正案やターンブルの決断を否定的に評価する叙述ストラテジーとして機能している。

7.4.4. ディスコースの種類

次に、ディスコースの種類を見る。テクストの冒頭は [1] のエスニック団体や文化団体の引用 (1) から成るが、18C 改正を人種差別ディスコースで語っている。続く [2] の (2) から (7) のスートポマサンも同じである。一方、次に登場する[3] IPA は、(11) “The Turnbull government can now be on the front foot on freedom.” (ターンブル政権は自由に向けて一歩踏み出した) と、表現の自由のディスコースで語っている。しかし、[4] オーストラリア・ユダヤ人実行委員会など、エスニック団体の発言に移ると、選挙ディスコースで語られるものが目立ってくる。たとえば、[4] の (15) “I think it could be a vote-changing issue federally” (連邦選挙での投票行動を左右する問題になる可能性があると思う) は、自由党支持者に圧力をかける発言である。[6] の (21) の “there are a lot of seats out there which have very vocal multicultural communities” ([シドニーには] 非常に強く権利を主張する多文化コミュニティがあり、そこに多くの議席が存在する) というチャイニーズ・オーストラリアン・フォーラムの会長の発言も、与党自由党の対応如何によっては、こうした選挙区で自由党が多数の議席を失うとことを示唆しており、この発言を引用することで、書き手は自由党支持者に揺さぶりをかけているといえる。

7.5. *The Age*（AGE）

AGE は Media Challenge のジャンルであり、[Excerpt 7] のように、対立する主張 [Position Challenged]、それに対する反駁 [Rebuttal Argument] I～IV、書き手の主張 [Anti-Thesis] で構成されている。以下、ディスコース・ストラテジー、引用の種類、ディスコースの種類について述べる。

[Excerpt 7]

[Position Challenged]

(1) <u>Malcolm Turnbull's proposal to change the wording of the Racial Discrimination Act is unnecessary and potentially destructive</u>. After months of claiming there was no need to alter the legislation, (2) <u>the Prime Minister has performed an abrupt U-turn,</u> (3) <u>creating confusion about his true convictions</u> and (4) <u>leaving the distinct impression, once again, that he is beholden to the Coalition's archconservative wing.</u>

[Rebuttal Argument I]

The debate centres on section 18C of the act, with the wording transformed into (5) <u>a totem for culture warriors</u> who seek, in (6) <u>the pungent phrase of Attorney-General George Brandis, "the right to be a bigot"</u>. The issue has (7) <u>erroneously</u> been cast as a matter of protecting free speech, conveniently ignoring that the law has existed for decades without meaningful intrusion.

[Rebuttal Argument II]

... Case law has made very clear a simple matter of hurt feelings is not sufficient to trigger the act. (8) <u>Susan Kiefel, who now serves as chief justice in the High Court, has held the offence must have</u>

"profound and serious effects, not be likened to mere slights".

In truth, the concerns regarding 18C as a freedom of speech question are more than adequately addressed by the provision in the subsequent section, 18D. The protection is explicit, including in an overarching statement that (9) "section 18C does not render unlawful anything said or done reasonably and in good faith".

[Rebuttal Argument III]

But this is not really a debate about the finer points of law; this is a proxy campaign largely driven by (10) a misguided belief Australian society should not change to reflect the rich diversity of its people and migrants. If the change is blocked, as appears likely, Mr Turnbull will seek to shift blame to Labor and crossbenchers.

[Rebuttal Argument IV]

(11) Mr Turnbull set out the proposed changes in the same week as he released the government's multicultural statement, jettisoning language to embrace "understanding and acceptance" of migrants in favour of "integration". This is transparently an attempt to appease the hard right, drifting from the Coalition to Pauline Hanson, done at the expense of community cohesion.

…

[Anti-Thesis]

(12) It is important to listen to those most likely affected by the proposed changes. A group of ethnic bodies that make up the Coalition to Advance Multiculturalism wrote an open letter after Mr Turnbull's announcement, pledging to oppose the change.

(13) "Racial and religious vilification violates the dignity of Australians, inhibits their ability to participate in Australian communal life, and severely damages the social fabric, which is the indispensable bedrock on which are built our freedoms and civil liberties," the group wrote.

(14) This is the Australia to strive for, inclusive and tolerant. This is the Australia Mr Turnbull should seek to build upon, not undermine for the sake of his sagging political fortunes.

7.5.1. ディスコース・ストラテジーの種類

書き手は [Position-challenged] のステージで (1)「ターンブルの 18C の文言の変更は、不要であり、破壊の可能性を秘めている (unnecessary and potentially destructive)」と、18C の文言の変更に反対する主張をしている。そして、法改正の必要性はないと主張してきた首相が、今回、改正を提案したことについて、(2) an abrupt U-turn (急なUターン) という比喩表現で「180度の方針転換」であると読者にアピールしている。また、(3) "creating confusion" という名詞化 (Nominalization) を使用することで、首相の信念はどこにあるのか混乱が生じていることを「事実」として叙述している。書き手はターンブルに (2) the Prime Minister や (11) Mr. Turnbull というフォーマルな呼び方を使用し、冷静な語り口調で、(4) "leaving the distinct impression, once again, that he is beholden to the Coalition's archconservative wing. (保守連合の最大保守派に見守られているという明らかな印象を残した)" と首相の行動は、信念からではなく、自由党内の最大保守派からの要請に答えるためであったに違いないという見方を示している。

[Rebuttal Argument I] の (7) erroneously というコメント付加詞 (Halliday, 2001, p.71, p.122) は、18C を表現の自由の議論と位置付けることは、「誤った」議論のすり替えであり、問題の本筋を見失っていることを示している。そうした誤った議論をする人たちを書き手は (5) culture warriors (文化戦士たち) と指名 (Nomination) している。warriors という戦争メタファーで好戦的な集団というイメージを持たせ、さらに、彼らが求めているのは、実は、表現の自由ではなく、「ヘイトスピーチの自由」なのだと読者に伝えるために、ジョージ・ブランディスの (6) "the right to be a bigot" (偏狭でいる権利) という発言を注意の引用符を付して引用している。

7.5.2. 引用の種類

書き手は、自身の主張を強めるために、注意の引用符、社会的行為者の発言の直接引用、法律の条文の引用を使い分けている。書き手が (6) で法務長官の過去の問題発言を注意の引用符でテクストに挿入していることは既に 7.5.1 項で述べたが、この引用は、「改正賛成派が主張する表現の自由とはヘイトスピーチの自由である」という書き手の主張を補強している。[Rebuttal Argument II] のステージでは、(8) の高等裁判所主席裁判官のスーザン・キーフェルという権威の言葉の引用によって、18C は軽い誹り程度のものを裁くものではないということを示し、また (9) の法律の引用によって、表現の自由は 18D でしっかり保護されていることを示し、表現の自由を理由に文言の変更を主張する人たちの論証が誤謬であることを示している。

[Rebuttal Argument III] で書き手は、(10) の「オーストラリア社会が国民と移民の豊かな多様性を反映するために変わるべきではない」という誤った信念 (misguided belief) によってすべてが引き起こされていると主張している。[Rebuttal Argument IV] では、ターンブルが発表した多文化政策に関する報告書について言及し、ターンブルが (11) “understanding and acceptance” (理解と受容) よりも “integration” (統合) という言葉を選んで使用していることを問題視している。これらの注意の引用符は、下記の[Excerpt 8]、[Excerpt 9] の下線部に示すとおり、多文化政策を論じた本論第 4 章で分析したターンブル冊子とギラード冊子からの引用である。

[Excerpt 8]

> English is and will remain our national language and is a critical tool for <u>migrant integration</u> …
>
> (ターンブル冊子、p. 11 par. 7)

[Excerpt 9]

> Principle 4: The Australian Government will act to promote <u>understanding and acceptance</u> while responding to expressions of intolerance and discrimination with strength, and where necessary, with the force of the law. (ギラード冊子, p5. Par. 7)

[Excerpt 9] のとおり、「理解と受容」がギラードの多文化政策のキーワードであったのに対して、[Excerpt 8] のターンブル冊子では、「移民の統合」が強調されていて、白人中心のオーストラリア社会に移民を同化させることを目指しているというのが書き手の見解である。

最後の [Anti-Thesis] のステージの (12)、(13)、(14) では、「多文化主義を推進する連合」を構成する民族団体の手紙を 18C 変更の影響を最も受けるマイノリティ側の「声」として引用し、ターンブルにこうした声に耳を傾け、包摂的で寛容なオーストラリアを目指すべきだと冷静に訴えてテクストを締めくくっている。

7.5.3. ディスコースの種類

書き手は、改正賛成派が問題にしているのは、18C が表現の自由を侵害しているかという厳密な法解釈ではなく、現在の 18C が、主流派の人種差別発言に対してマイノリティが訴え出ることを可能にしている事実であると鋭く指摘し、多様な文化背景を持つ国民が増えているにもかかわらず白人優位の権力構造を維持したいがために、オーストラリア社会を変えたくない（“Australian society should not change”）というのが彼らの本音なのだと主張している。そして、最終パラグラフで書き手は (14) “This is～” を二度繰り返す、対句法のレトリック戦略で強調し、包摂的で寛容なオーストラリアを目指すべきだと主張しており、人種差別問題ディスコースで語られていることがわかった。

8. 本章のまとめ

ターンブル首相のスピーチ分析では、冒頭で「表現の自由の保護」と「人種差別からのオーストラリア人の保護」の両方を強化すると謳っていたのが、途中から「両者のバランスを取る」と態度をシフトさせ、最終的には「表現の自由」こそ民主主義の価値観であるという理由で改正案を正当化していることがわかった。さらに現行の 18C を否定的に評価し、改正案を肯定的に評価することで改正案の妥当性を国民にアピールし、差別は「相互尊重」の精神で解決されると主張していることがわかった。

ターンブル首相のスピーチと新聞5紙（DT、AU、AFR、SMH、AGE）に見られたディスコースとそれらの間ディスコース的関係および間テクスト的関係をライジグル&ヴォダック（2018, p.43）に倣って表すと図5-2のようになる。

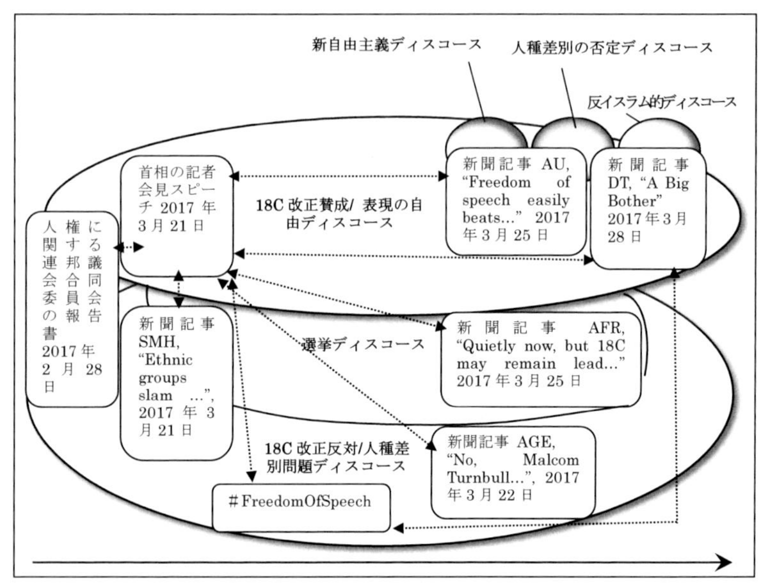

図5-2 分析対象テクストに見られるディスコース、間ディスコース的関係、間テクスト的関係

まず、図の下に位置している矢印は、左から右へと時間の経過を表している。3つの大きな楕円の重なりは、3つのディスコースの間ディスコース的関係を表しており、18Cというマクロ・トピックのもと、「18C改正賛成ディスコース」、「18C改正反対ディスコ―ス」、「選挙ディスコース」が共起している。「18C改正賛成ディスコース」は、民主主義における「表現の自由ディスコース」と同質のものとして扱われ、その中では議論のすりかえがなされていることが明らかになった。その一方で、「18C改正反対ディスコース」の方は、「人種差別問題ディスコース」と表裏一体となっていることがわかった。これらは図5-2の「スラッシュ（/）」で表している。

図では省略しているが、これらのディスコースの下位には、「人種に基づく中傷」、「人種に基づく中傷からのエスニック保護」、「表現の自由」、「18C 文言変更（insult, offend, humiliate の削除と harass への変更)」、「風刺画家のビル・リークをめぐる 18C 違反の申し立て」、「QUT の学生をめぐる 18C 違反の申し立て」、「オーストラリア人権委員会に関わる法律の変更」、「公平性」などのディスコース・トピックがある。

分析に用いた首相の記者会見スピーチと新聞5紙のテクストに加え、人権に関する連邦議会合同委員会の報告書、ベンジャミン・ロウのツイッター# FreedomOfSpeech の各テクストにどのディスコースが含まれているかは、テクストの配置の仕方で表している。該当するディスコースの楕円の中にテクストを配置したり、複数のディスコースにまたがる場合は、複数の楕円と重なるようにテクストを配置している。

それぞれのテクストには、ほかのテクストへの言及が見られ、間テクスト性が確認できる。間テクスト的関係は、テクストとテクストを破線矢印で結ぶことで表している。各新聞記事は当然のことながら、首相のスピーチと間テクスト的関係にあり、首相のスピーチは、同年 2 月 28 日に政府に提出された『人権に関する連邦議会合同委員会の報告書』と間テクスト的関係にある。ほかにも引用を用いてほかのテクストの要素をテクスト内に取り入れることで、間テクスト的関係が形成されているケースは複数見られるが、本文で既に解説済みのため、図 5-2 では図の複雑化を避けるために省略している。

マードック系の DT と AU は「表現の自由ディスコース」について述べ、首相の 18C 改正案に賛成していた。DT の主張は、現代社会は 18C によって表現の自由が制限されている監視社会であり、ジャーナリストが思想警察としてその片棒を担いでいるというものであった。DT のテクストには、一部の人種差別主義者にすべての人種差別の責任を転嫁し、自分たちを穏健な市民と位置付ける「人種差別の否定のディスコース」や、イスラム教徒は我々（we-group）とは文化が違うという差別や偏見を助長する「反イスラム的ディスコース」も共起していた。図 5-2 中では、DT のテクストと重なる小さな 2 つの楕円がこれら 2 つのディスコースを表している。AU は、18C 改正反対派の主張内容を、表現の自由の価値観に異議を唱えるものに歪めた上で、それに反駁を重ね、18C 廃止を主張するという形式になっていた。人種差別を行っているのは一部の人間であり、そのような輩には平等を主張して反論すれば済む問題であり、マイノリティは政府の特別扱いを受けたり、司法の保護を受けるべきではないという主張が見られた。AU は、公平性を重視する「新自由主義ディスコース」で問題を語り、社会主流派とマイノリティのパワーの非対称性を無視しており、また、問題の当事者であるはずのマイノリティは、主体性のある社会的行為者として議論にまったく参加させられていなかった。図 5-2 中では、AU のテクストと重なる小さな楕円が「新自由主義ディスコース」を表している。

AFR は、Media Exposition の中にナラティブが挿入されたジャンル混合テクストであった。書き手は、ハワードが 2007 年の選挙で落選の憂き目にあったというナラティブを訓話として挿入し、選挙に勝つにはアジア系有権者を刺激しないことが得策だという考えを示唆していた。ナラティブの中では、自由党支持者が小声で中国系オーストラリア人を侮辱する Dramatic Monologue が挿入されており、自由党支持者にとって中国系は戦局を揺るがす「厄介な存在」として表象されていることも確認した。AFR は、18C 改正に反対する姿勢を見せていたものの、それはマイノリティ擁護の視点からではなく、選挙において自由党がマイノリティ票を失うことへの懸念からであり、人種差別問題ディスコースではなく、選挙ディスコースで 18C 問題が語られていることを確認した。このことは、18C は、人種差別問題に関心のない人たちや人種差別を日常で実践している人たちにも政治的な打算で支えらえている可能性を示唆している。

一方、SMH と AGE の 2 紙は、マイノリティの権利を擁護する立場を示し、18C 問題を人種差別問題ディスコースで語っていることを確認した。SMH は、ほぼ引用文のみでテクストが構成されているのが特徴であり、その引用文中に指名・叙述ストラテジーやレトリック戦略が組み込まれていた。それらは、テクストの書き手が、多様な話者の引用を連綿とつなぎ、一本の筋の通った主張をするために戦略的に配置されたものであることが分析でわかった。引用されている「声」には、ユダヤ系、中華系、アラブ系といったマイノリティ団体だけでなく、従来意見を異にする新自由主義組織の IPA も組み込まれており、18C の改正案には疑問視する声が大きいことを効果的に前景化していた。このときに使用した引用動詞の種類 (Caldas-Coulthard, 1994, pp. 305-6) から、書き手はマイノリティの団体にも主流派の団体と対等な権威を与えていることもわかった。また、引用文の配置にも規則性があり、まず、間接引用文または注意の引用符で戦略的に主張を展開してから、そのあとに直接引用文で主張の正当性を裏付ける形式で統一されていることがわかった。また、SMH には、エスニックの投票行動について言及する「選挙ディスコース」も共起していた。AGE は Media Challenge であり、まず、書き手が首相の 18C 改正案に反対の主張をするところからテクストが始まっていた。書き手は、18C が表現の自由を侵害していないことを高等裁判所主席裁判官の発言や法律文書を引用して裏付けるなど、終始冷静な口調で丁寧に反駁する姿勢を示していた。そして、最後にオーストラリアは包摂的な多文化社会を目指すべきであると主張していた。

新聞 5 紙の 18C に対する姿勢とディスコースの種類は表 5-5 の通りまとめられる。

表 5- 5 新聞 5 紙の姿勢とディスコース

新聞紙名	18C 改正への姿勢	ディスコースの種類
DT	改正賛成	表現の自由ディスコース、人種差別の否定ディスコース、反イスラム的ディスコース
AU	改正賛成	表現の自由ディスコース、人種差別の否定ディスコース、新自由主義ディスコース
AFR	改正反対	選挙ディスコース
SMH	改正反対	選挙ディスコース、人種差別問題ディスコース
AGE	改正反対	人種差別問題ディスコース

新聞 5 紙の 18C 改正に対する姿勢は、マードック系は賛成、フェアファクス系は反対であった。前者は、「表現の自由ディスコース」と「人種差別の否定のディスコース」を中心としつつ、「反イスラム的ディスコース」と「新自由主義ディスコース」でも語られていた。後者は、AFR は「選挙ディスコース」のみ、AGE は「人種差別問題ディスコース」のみ、SMH は「選挙ディスコース」と「人種差別問題ディスコース」の両方が中心的ディスコースとなっており、反対派の中でも問題の捉え方に「選挙問題」と「人権問題」との違いがあること

がわかった。

以上が、人種差別禁止法に対する政府とメディアの姿勢の分析である。

第6章 あるアジア系オーストラリア人のアイデンティティ構築

1. はじめに

本章では、オーストラリアの多文化社会についての移民側からの視点を得るために、作家・コラムニストとしてブリズベンやシドニーを拠点に活躍するアジア系オーストラリア人二世のベンジャミン・ロウ（以下、ロウ）がインターネットを通じて発信するナラティブに光を当てる。ロウは、現在オーストラリアの公共放送局のABCラジオで“Stop Everything!”という番組のプレゼンターを務めているほか、雑誌コラムも定期的に執筆しており、メディアへの露出も多いアジア系オーストラリア人である。オーストラリアでアジア人として育った彼が、インタビューの中でどのような言語ストラテジーを用い、どのようにアイデンティティをディスコース的に構築していくのかを Bamberg (1997, 2004b, 2004d, 2006) および Bamberg and Georgakopoulou (2008) が提唱するポジショニング理論を用い、3つのレベル（レベル1、2、3）から分析する。

また、van Leeuwen (1996, 2008) の社会的行為者理論を含めた指名ストラテジーと叙述ストラテジー、副詞や感嘆文、レトリック戦略などの強調・緩和ストラテジーといったDHAのディスコース・ストラテジーの分析も適宜行う。Krzyzewski and Wodak (2007, p.101) は、ある者を包摂し、ある者は排除しようとするディスコース・ストラテジーは、主流派だけでなく、社会における排除の受け手側である移民によっても用いられると述べており、マイノリティに属するロウの発言も、オーストラリア社会の主流派の人たちに対して、何かを訴えるためのディスコース的な戦略である可能性がある。こうした複数の観点から分析することで、ロウの隠された意図と彼の主張の明確化を試み、オーストラリアの多文化社会がどのように変容することを彼が期待しているのかも明らかにする。尚、司会者や聴衆もインタビュイーと同じく意味内容構築の参与者であると捉え、彼らのディスコースも分析対象とする。

現在のオーストラリアは「多文化社会」を標榜しているが[1]、国民の一割が人

---

[1] 本論第4章参照。

種差別主義者だという調査結果が出ていることは第1章4.7項でも述べた。人種差別は何もアジア人に限られたものではなく、オーストラリアの人種差別の歴史を紐解けば、アボリジナルの人々から始まり、アイルランド人、中国人、そしてギリシャなどの南欧出身者へと差別の対象は時代によって変遷している(グラスビー, 2002)。しかし、アジア人がその容姿ゆえに一際目立つことは否定できない。国は異なるが、カナダではアジア系をはじめとする非白人エスニック・マイノリティを「可視的マイノリティ」(visible minority) と公的ディスコースで呼んでいるほどである[2]。つまり、アジア系オーストラリア人にとって、アイデンティティは、常に意識せざるを得ない問題のはずである。

また、社会における支配グループの権力基盤を形成するリソースの 1 つに、世論をコントロールできるメディアなどの公的ディスコースへの優先的な「アクセス」が挙げられるが (van Dijk, 1996, p.102) 、移民第一世代は、それがなかったため、自分たちの声を発信し、世論を味方につけることができなかった。Ang (2000, p. xiv) も、1990年代のオーストラリアのアジア系移民について、オーストラリア文化の現在と未来の目指すべき姿についての議論になると、アジア系は “voiceless pawn” (声を持たない歩兵(ポーン)) であったと述べている。ポーンは、チェスにおける最小かつ最弱の駒である。そのためか *The Macquarie Dictionary* (Delbridge et al., 1997) によると “an unimportant person used as the tool of another”「他人に道具として利用される、取るに足らない人物」の隠喩としての意味を持つ。つまり、ゲームを成立させるために必要な駒ではあるものの、力がないために、権力者によって都合よく利用されてしまう存在ということだ。しかし、ロウのように 1980 年代に生まれた移民第二世代は、英語に堪能で、専門職に就く者も増え、SNS や Twitter (2023年より X) を含めたメディアへのアクセスも可能で、自らの声を社会に向けて発信する術を手にしている。家庭では両親の母国語と文化に触れ、学校や社会においては英語を話し、常に社会の主流派とエスニックの世界を行き来して育ってきた彼らは自分自身のアイデンティティをどのように捉え、それをどのように他者に提示

---

[2] カナダは雇用均等法により “visible minority” を “persons, other than Aboriginal peoples, who are non-Caucasian in race or non-white in colour” と定義している。(Statistics Canada, 2007, November 14).

し、どのように他者と交渉しようとするのだろうか。移民二世にとってのアイデンティティは、両親の出身国とホスト国のどちらを選択するかという単純な問題ではないはずである。これまでにヴァン・デイクをはじめとする主要なCDA研究者による移民第一世代を対象にした研究が多数報告されてきたが、時代が進んだ今、あらたに移民二世を対象にアイデンティティ研究をするという点で本研究には意義があると考える。また、CDAが学際的であることは既に述べたが、ナラティブ研究に用いられるポジショニング理論を軸に、ディスコース・ストラテジーの分析も加えることで、より詳細な分析が可能になると考える。

2. 分析対象データの詳細

本章で扱うインタビューは、司会者とインタビュイーであるロウの短い受け答え、ナラティブ[3]、そしてナラティブに立ち現われるスモール・ストーリーで構成される。[Excerpt] の中に立ち現われるスモールス・ストーリーは隅付き括弧【　】で表し、1つの [Excerpt] の中に2つ以上ある場合は、【①】のように通し番号を付す。本章で用いるトランスクリプト記号は、Cameron (2001, pp.31-41) を参考にしており、本章の最終頁に掲載してある。ここからは、スモール・ストーリーをそのほかの部分と関連付けながら分析していく。

2.1. ベンジャミン・ロウ

ロウは、1982年にクイーンズランド州サンシャイン・コーストのナンボーで生まれたが、当時のサンシャイン・コーストは完全な白人社会であり、アジア系移民の存在はごく稀であった。1990 年代になると当時破竹の勢いで支持を拡大していた極右政党のワン・ネイション党がサンシャイン・コーストにも活動拠点を置くようになり、同党が掲げるアジア人排斥ディスコースが地域社会に拡大する中、多感な時期を過ごしたといえる。

2010 年にロウの母親を中心に繰り広げられるユーモラスな家族のエピソードを綴った作品 *The Family Law* を出版すると、たちまち Australian Book

[3] 本章におけるナラティブを構成しているのは参与者の発言であり、ここでは、その発言を「語り」と呼ぶことにする。

Industry Awards (ABIA) の Book of the Year ほか 3 部門で候補に上がり、2016 年にはテレビドラマ化された。また、本論第 1 章 4.10 項で既に述べたように、2017 年のハーモニー・デーにターンブル（元）首相が人種差別禁止法 18 条 C 項改正の意向を発表した際には、ロウはいち早くツイッターで改正反対運動を開始した。

アジア系オーストラリア人二世のロウを分析対象に選んだ理由は、彼の生い立ちと彼の社会的認知度だけではなく、このように一見問題なくオーストラリア社会で主流化を果たした移民二世の代表格のようでありながら、人種差別問題には声を上げて反対するという一面も持ち合わせているところにある。2020 年には、世界中がコロナ（COVID-19）禍に見舞われる中、オーストラリアでは「中国政府が事実隠蔽をしたためにコロナが世界中に拡散した」という中国政府批判をオーストラリア政府やマスコミが大々的に行ったことも影響してか、アジア系に対する人種差別が深刻化し[4]、ロウは 15 人の著名なアジア系オーストラリア人らと共に公開書簡[5]を発表し、アジア系オーストラリア人への差別を終わらせるために国民が結束するよう求める嘆願運動を行った。

石井（2009, pp.72-73）は、オーストラリアのミドルクラス移民を 1）出身国と社会的、経済的、政治的に強いつながりを維持している出身国指向の「ディアスポラ型移民」、2）出身国とは強いつながりは持たず、ホスト国での生活に満足している傍観者指向の「サイレント・マイノリティ型移民」、3）出身国と強いつながりは持たず、ホスト国での生活に満足しており、かつ、自分たちの専門性と技能を役立てて、エスニック団体の活動や政治的・社会的活動を通して移民のコミュニティー環境を変えていきたいと考える統合指向の「パワー型移民」の 3 つに分類しているが、ロウは間違いなく「パワー型移民」の代表であろう。彼のような前向きに多文化社会に貢献しようとする参与者の心情の複

---

[4] 2020 年 10 月 14 日に開かれた議会上院の外交防衛貿易委員会の公聴会ではエリック・アベッツ上院議員が参考人として登壇した中国系オーストラリア人３名に対してのみ、委員会の場で中国共産党の独裁を非難する立場を表明するように執拗に迫った（Senate Committee on Foreign Affairs, Defence and Trade References, October 14, 2020）。

[5] 2020 年 4 月 8 日付の嘆願書の詳しい内容は以下を参照。Jason Yat-sen Li, Dr John Yu AC, Benjamin Law, Su-Ming Wong, Tony Ayre, Annette Shun Wah, Albert Tse, Albert Wong AM, Adam Liaw, Benjamin Chow AO, Wesa Chau, William Yang, Brad Chan, Jieh-Yung Lo, Claudia Chan Shaw, & Dr Cindy Pan (2020, April 8).

雑さを分析で明らかにすることは、オーストラリアにおける移民二世の本心を知る1つの方法になると考える。

尚、ロウは同性愛者であることを公言しているのだが、今回の研究は、多様なエスニシティが存在する移民国家のディスコースの分析を目的としているため、エスニックな視点でのみアイデンティティを捉えることにし、ジェンダー的視点は含めない。

2.2. インタビューのトピック

本章で利用した音声・映像データは、メルボルンのザ・ウィーラー・センター[6]で2012年3月6日に行われたライブ・インタビューを収録したもので、同センターのウェブ上に公開されている。インタビューでは、Alice Pung編著のアンソロジー（選集）*Growing up Asian in Australia*（2008）の寄稿者としてロウが紹介され、本のタイトルと同じ『オーストラリアでアジア人として育って［筆者訳］』というテーマで行われた。

インタビューは、収録時間約46分で、司会者のアンドリュー・マクドナルドがトピックを導入する形式となっているが、終盤の質疑応答では、聴衆と対話する形式が取られている。トピックは自然な流れで移行しており、インタビューの中でトピックは必ずしも明示されないが、本章では便宜上、表6-1のようにまとめている。

本論の分析ではセクシュアリティは扱わないため、グレーに塗られた項目は除外し、それ以外を第3節の3.1項から3.18項で扱う。

6 The Wheeler Centreはビクトリア州立図書館内に併設されている出版センター。同センターが開催するイベントの"Texts in the City"では、カリキュラム（VCE syllabus）に掲載されている作品でインタビューに取り上げてもらいたい作品をビクトリア州の学校から募っている。インタビュー・スクリプトは同センターのご厚意で許可をいただき転載した。

表6－1 インタビューに現れたトピック（グレーは分析対象外）

項目	本論の項	トピック
1	3.1	ロウの紹介
2	3.2	マイノリティとしての十代
3	3.3	香港のテレビドラマ
4	3.4	ほかのアジア人との差別化を意識した十代
5	3.5	アジア人のステレオタイプ
6	3.6	学校でのいじめ―いじめに遭った従妹と免れた自分―
7	3.7	アジア人としての自覚はいつ芽生えたか
8	3.8	広東語が話せないことに対する罪悪感
9	3.9	アジア系作家の台頭
10	3.10	思春期の親と子の確執とアイデンティティ
11	3.11	2012年のアジア系オーストラリア人
12	3.12	アジア人であることで家族は孤立したか
13	3.13	アジア系移民の両親は良い学業成績を期待したか
14	3.14	聴衆が抱くアジア人のステレオタイプ
15	3.15	現代オーストラリアにおけるアジア人とは
		同性愛者であることによって家族に亀裂が生まれたか
16	3.16	アジア系オーストラリア人という総称
17	3.17	オーストラリアへの強い帰属意識
18	3.18	両親は異なる文化に適応するのに苦労したか

3. 分析

3.1. ロウの紹介

インタビューは、司会者によるロウの紹介から始まる。

[Excerpt 1] [0: 17-1: 21]

司会: [...] today we are lucky enough to be studying the book *Growing up Asian in Australia*, edited by the wonderful Alice Pung, it's an anthology of essays, articles and stories by Asian Australians [...]. Benjamin is a writer, a commentator and his work has appeared in (1) many places including *Frankie, The Monthly, Cleo, Crikey, The Big Issue, The Griffith Review*, (2) is that enough?

ロウ: (3) Yeah, that's enough.

司会: Ok, that's enough.

[Excerpt 2] [1: 57-2: 26]

司会: [...] (4) How did you first get involved with the project?

ロウ: um, I've signed up to a lot of mailing lists - a lot of my friends are obviously writers. So: there was a call out for submission from Alice Pung. There was an anthology coming out called *Growing up Asian in Australia* and I write full-time and I just thought that title, like 【"*Growing up Asian in Australia* like, THAT'S ME!"】 (5) So, obviously I had to contribute and I knocked up some stories [...].

([ ]の数字はタイムカウント，下線は分析該当箇所，【】はスモール・ストーリー、以下同様)

導入部の [Excerpt 1] は、「紹介ディスコース」であり、司会者は、ロウを「権威ある作家」として聴衆に紹介している。雑誌や新聞への寄稿を (1) "many" を用いて多数あることを強調したうえで、アジア系移民に読者が特化されたような新聞・雑誌ではなく、一般的に主流派の白人も購読者層となっている新聞・雑誌名を挙げることで、「白人」、「アジア人」という括りに関係なく、「成功している作家」としてロウを表象している。こうした司会者によるアイデンティティ構築の戦略は、以降のロウの発言に正当性や信頼性を与える効果がある。また、司会者の (2) "is that enough?" (これくらいで良いでしょうか) という発言は、「こういった質・量の紹介で良いでしょうか」という確認行為であり、それに対し、ロウは (3) "Yeah, that's enough" (十分です) と了承しており、「オーストラリア社会で人気の作家・コメンテーター」というロウのアイデンティティが両者によって協働構築されていることがわかる。

[Excerpt 2] では、司会者の (4) "How did you first get involved with the project?" (どういう経緯でアンソロジーのプロジェクトに加わることになったのですか) という質問に答える形で、ロウのナラティブが展開する。その中 (レベル 1) にスモール・ストーリーが立ち現れ、登場人物のロウは、"*Growing up Asian in Australia* like, that's me!" (オーストラリアでアジア人として育つ、これはまさに私だ) と「アジア系オーストラリア人」というアイデンティティを積極的に表明している。ここで、スモール・ストーリーは終わり、フルタイムの作家として、(5) "So, obviously I had to contribute" (当然、寄稿しなくてはならないと思った) とアリス・プン編集のアジア系作家たちによるアンソロジーへの寄稿の理由を述べているが、これも司会者や聴衆に向けた 「オーストラリア育ちのアジア人作家」としてのアイデンティティの表明であり (レベル 2) 、こうして、ロウの「アジア系オーストラリア人作家」としてのアイデンティティが徐々に構築されているのがわかる (レベル 3)。

3.2. マイノリティとしての十代

続いて、司会者のアンドリューは、今回の本の着想をどこから得たのかを尋ねる。

[Excerpt 3] [4: 04-5: 53]

司会: Was there anything like that, okay, at your school or on your kind of studying this when you were growing up, okay, (1) <u>where could you go for an insight into growing up or being Asian in Australia?</u>

ロウ: (2) <u>NOWHERE, actually. [...] I think NOW looking back I was trying to write the type of stories I would have wanted to read as a teenager</u> and I didn't find those stories anywhere. (3) <u>I DO remember though</u> I grew up in a place called um KAWANA on Sunshine Coast in Queensland, really surfy and beachy just like me. No @. I was (4) <u>a total book nerd</u> so (5) <u>I DIDN'T FIT AT ALL</u>. And I would always especially as a teenager oh just spend a lot of time at my local library.

> You know, it's free, free books, fantastic. And they had just released around that time the film version of a BOOK called *The Joy Luck Club*. And you know as a young teenage boy for some reason this movie about Asian-American women really resonated for me. (6) I found myself very moved by it. (7) I still cannot watch that film without crying. It's really pathetic. And so I found out that this film *The Joy Luck Club* was based on a book by Amy Tan and she actually released a lot of novels by that stage about this experience of growing up ASIAN-AMERICAN. And of course Amy Tan comes from a different country. She's from a different generation but those THEMES about (8) NOT QUITE GETTING YOUR FOLKS, THEY RESONATED WITH ME about (9) NOT QUITE LOOKING OR FEELING the same as everyone else. (10) I totally got that and that was probably the first time (.) (11) I felt that's a voice I identify with.

まず、レベル2において、(1) "where could you go for an insight into growing up or being Asian in Australia?"（執筆にあたり、アジア人として育ったこと、あるいはアジア人であることについて書く着想はどこから得たのか）と司会者は尋ね、ロウの「アジア人」としての生い立ちや過去にまつわる話などを期待する。しかし、ロウは、(2) "Nowhere, actually. I think now looking back I was trying to write the type of stories I would have wanted to read as a teenager"（ただ単に自分が十代の頃に読んでみたかった類の本を書いただけだ）と答える。つまり「アジア人」であるがゆえの経験ではなく、人種にかかわらず誰もが経験する「一般的な思春期の感性」が本の出発点であると主張しており、ここに司会者とロウの間に「オーストラリア育ちのアジア人」というテーマに対するポジションのずれが生じているのが確認できる。司会者は「アジア人のロウ」としてのポジションを確認しようとするものの、ロウはこの時点ではそれに応じない。

しかし、この後、ロウは (3) "I do remember though"（でも、よく覚えているのは）と過去の経験のナラティブを始め、そこからポジションが変化する。

ロウは、サーフィンが盛んで、ビーチが多く点在するサンシャイン・コーストのカワナで育ったが、自分は (4) “a total book nerd” (完全に本の虫) だったため、土地柄に (5) “I didn’t fit at all” (全く馴染んでなかった) と “not ~at all” というモダリティーを表す表現を用いて否定を強調し、「浮いた存在」としての自分を表象する (レベル1)。その上で、映画 *The Joy Luck Club* (1993)[7] との出会いを語り始める。*The Joy Luck Club* は、中国系アメリカ人であるエイミー・タン原作の同名小説を映画化したもので、アメリカに移住した中国系アメリカ人女性たちとアメリカで生まれ育ったその娘たちの絆を描いた作品である。ロウはその映画について (6) “I found myself very moved by it” (非常に感動した) と当時の自分の感情を心理過程 (Mental Process) によって率直に語っている。

また、映画に登場するアジア系アメリカ人を (8) “not quite getting your folks” (両親を理解できない)、(9) “not quite looking or feeling the same as everyone else” (周囲と見た目も考え方も少し違う) と位置付け、自分と二重写しにすることで、「見た目や考え方が違うことで苦悶する少年」、「出身国で生まれ育った移民第一世代の両親と分かり合えない第二世代」としての自らの十代の頃のアイデンティティも表明している。特に、“not quite” (完全には〜ない) というモダリティーの再言のレトリック戦略は、ホスト国で生まれ育った移民二世の鋭敏な感受性が、自らと社会の主流派、自らと両親との比較における微妙な差異をいかに鋭く感じ取っていたのかを表明している。

そして、原作者のエイミー・タンについては、(10) “I totally got that” (彼女の気持ちが痛いほどわかった) とモーダル付加詞 “totally” で同調する気持ちを強調し、(11) “I felt that’s a voice I identify with” (初めて自分と同一視できる感情を見つけた) と当時のアイデンティティに言及している。

つまり、このナラティブを通して、ロウは、司会者と自らのポジションについて交渉を行い、司会者が期待する「アジア系移民」としてのアイデンティティを提示したのである。ロウは、(7) “I still cannot watch that film without crying. It’s really pathetic.” (いまだに映画を見ると泣けてしまうほど、とて

[7] Wayne Wang (Producer & Director). (1993).

も感傷的だ）と現在時制を用いて「評価」を述べているが、映画を見ることで過去を振り返れば今でも感傷的になる移民二世の心情の表明であり、この揺れる心情の吐露によって、「移民二世ならではの『符合』を持つ人物」としてロウのアイデンティティが構築されている（レベル3）。

3.3. 香港のテレビドラマ

ロウが移民二世ならではのアイデンティティの片鱗を示したところで、司会者はすかさずロウの父親の出身国である香港のテレビドラマや映画の話にインタビュー・トピックを移行させる。エスニック・コミュニティーには必ずといってよいほど小さなレンタルビデオ店がある。エスニック食材店がビデオやDVD のレンタル業を兼業していることもある。取り扱われているのはハリウッド映画のような洋画ではなく、そのコミュニティーに住むエスニック向けのテレビドラマや映画であり、違法に複製されたものも少なくない。

[Excerpt 4][05: 53-07: 37]

司会: Um- it's interesting that (1) in the anthology a number of stories feature parents who get Japanese movies or Chinese - kind of serials sent over and that's that's, their media, that's how they kind, of kind of, you know, a media way, kind of celebrate who they are and kind of remember who they are and um – (2) Did your parents do that?

ロウ: Um, (3) I don't think in a conscious way like, we, (4) my DAD was sort of the CENTER of the BUSINESS WORLD IN THE ASIAN AUSTRALIAN COMMUNITY on Sunshine Coast (⤴). So, some of you might be able to identify with this, like my dad was a restauranteur but he was also all these other things as well (⤴) and he was the center of this VHS Chinese movie - Call it a racket sound sorted, but you know, like a network where I would exchange VHS tapes of Hong Kong serials that you couldn't get in Australia unless you had some sort of illegal satellite dish planted on top of your roof. So, that would tape them from Hong Kong and then that tape would be transferred to

> another tape halfway to Australia and that would be transferred to another VHS tape. (5) That was like the horror movie *The Ring* except no one died a:nd by the time they got to Australia they were really fuzzy, - you couldn't really make out what was happening, all the colors were breeding and they would end up in my place as well. (6) So, my dad would finish work - he'd come back, it was one o'clock in the morning if we had to wake up and go pee, we would go and you know, hang out with dad and fall - fall asleep on the couch again but I didn't -, (7) I don't know like, I never really got into the soap opera vibe I was more a *Home and Away* kid (8) but my sisters love that stuff so - and as a result they speak better Cantonese than me.

レベル２において司会者は、(1)"in the anthology a number of stories feature parents who get Japanese movies or Chinese [...] that's how they [...] kind of celebrate who they are and kind of remember who they are"（両親が、日本や中国の映画を録画したビデオテープを入手するというエピソードは、アンソロジーに多数登場したが、それは自分たちを称え、何者であるのかを再確認するメディアを使った方法だ）と述べたあとに、(2)"Did your parents do that?"（あなたの父親もそうでしたか）とロウに尋ねる。つまり、司会者の考えでは「アジア映画を楽しむこと」は「アジア人の証」であり、ロウの父親に対する「アジア人」としての位置付けをロウに確認しているのである。ロウは、(3)"I don't think in a conscious way"（意識してそうなったのではないと思うが）という表現で和らげつつも、(4)"my dad was sort of the center of the business world in the Asian Australian community on Sunshine Coast"（サンシャイン・コーストにあるアジア系オーストラリア人コミュニティーの中心的存在だった）と述べ、父親を「アジア人」としてだけでなく、エスニック・コミュニティーの中心人物として積極的に位置付けており、父親のアイデンティティが司会者とロウで協働構築されている（レベル 1)。

そして、ロウは、父親に関するナラティブを始める。ロウの父親のもとには、オーストラリアでは入手困難な香港映画の VHS ビデオが集まってきたという。

何度もダビングが繰り返されたらしく、巡り巡って手元に来る頃には、映像がはっきりと見えないほどテープが擦りきれていたことについて、ロウは、(5) "That was like the horror movie *The Ring* except no one died"（映画の *The Ring* さながらで、映画と異なるのは、登場人物が死なないことだけだ）と語っている。映画 *The Ring*(2002)[8] は、邦画『リング』(1998) のハリウッド・リメイク版でオーストラリアでもヒットした。呪いのビデオテープを見た者は、1 週間以内にダビングしてテープを誰かに見せないと死んでしまうため、ダビングが繰り返されて呪いのビデオが増殖していくというストーリーであるが、ロウは香港映画のビデオがダビングされていく様をこの映画にたとえてユーモラスに語っているのである。

しかし、ロウの自宅にあった香港から届いたビデオテープは深夜に仕事を終えて帰宅した父親が鑑賞するためのものであったという。(6) の "we" は、ロウたち兄弟姉妹を指しており、夜中に目が覚めてトイレに立ったついでにソファでビデオを観ている父親の傍らに行っては、そこでまた眠りに落ちたという仲睦まじい家族の様子が語られているが、ここでは、ロウが香港映画や香港のテレビドラマに関心がなかったことが間接的に示されているのである。(7) "I never really got into the soap opera vibe"（ソープ・オペラにのめり込むことは決してなかった）は、香港ドラマへの関心が皆無であった事を "never" で強調し、さらに "I was more a *Home and Away* kid"（自分はむしろ『ホーム・アンド・アウェイ』派だった）とオーストラリアの若者文化に精通した少年時代の自分のアイデンティティを表明している。*Home and Away*[9]は、オーストラリアの若者に人気のホーム・ドラマで、出演者のほとんどは白人である。そして、さらに (8) では、自分との対比を明確にするために香港映画の好きな姉妹について、"my sisters love that stuff"（姉妹たちはその類のものが大好きだった）と "like" ではなく、敢えて "love" と強調した語彙を用いている。映画のおかげで姉妹たちは広東語が上手に話せるようになったとも述べている。このナラティブでは、「アジア大衆文化を愛する父親と姉妹たち」と「幼少期から

---

8 Walter F. Parkes & Laurie MacDonald (Producer), Gore Verbinski (Director). (2002).

9 オーストラリアのホーム・ドラマで英国でも人気。John Holmes & Julie McGauran (Executive Producers). (1988 – present).

オーストラリアの文化への関心の方が高かったロウ」という対比構造と、「広東語の継承者としての姉妹たち」と「広東語が下手なロウ」という対比構造を使って、幼少期の家族の中での位置付けが行われている（レベル1)。レベル2においては、このナラティブによって、出身国のメディアを楽しむという「アジア人のステレオタイプの父親」と「アジア系であっても、ホスト国の文化と言語の方により精通したロウ」というポジションが聴衆と司会者の関係性において確立されている。

3.4. ほかのアジア人との差別化を意識した十代

司会者は、ロウの父親について言及した後、ロウが『オーストラリアでアジア人として育って』に寄稿したエッセイ、*Tourism* の中に出てくるドリーム・ワールドというテーマ・パークのエピソードに話題を転換し、司会者とロウが協働でスモール・ストーリーを作っていく。

[Excerpt 5] [7: 40-8: 24]

司会: Your dad kind of ran a lot of, I don't wanna say racketeering business either because it's your story um but (1) he had an Asian grocery at one point. He had a Thai restaurant, um- like-kind of, - all kinds of Asian stereotypes,

ロウ: (2) [Totally.

司会: [and there is that story in there about the tourism. It does come that kind of great line where 【① you go to the theme park and you and your siblings are like, "We are not Asian tourists, we are not Asian tourists and we are going to do everything we can not to be Asian tourists to distinguish ourselves from the others."】

ロウ: (3) Yeah.【② We're gonna like wear our pants below our navels. We refuse to have bum bags. We will talk in really thick bogan accents to make sure that everyone knows we are NOT those types of Asian tourists.】(4) It's weird what goes on in your head sometimes.

まず、[Excerpt 5] の冒頭のレベル 2 においては、司会者は、(1) “he had an Asian grocery at one point. He had a Thai restaurant, all kinds of Asian stereotypes”（ロウの父親はアジア食材店に続き、タイ料理レストランを経営し、アジア人のステレオタイプがすべて当てはまる）と述べ、ロウの父親を「アジア系移民のステレオタイプ」と位置付けている。ロウは (2) “Totally”（全くその通り）と完全な同意を表し、「アジア人のステレオタイプというものが世間には存在する」という司会者が持つ前提 (assumption) と、「父親はその典型である」という位置付けを受け容れている。

司会者はこのイベントに際し、アンソロジーを事前に読んでおり、テーマ・パークへの家族旅行の一節に触れる。ロウたち兄弟姉妹が、アジア人旅行者と間違われないように必死にふるまっていたというスモール・ストーリー ① では、“[...] we are going to do everything we can not to be Asian tourists to distinguish ourselves from the others”（自分たちをほかの人たちと区別するために、アジア人旅行者にならないようできる限りのことをする）という本の中にあるロウの台詞を司会者は引用し、「アジア人のステレオタイプを地で行くような父親」と「ステレオタイプと見なされることに抵抗を感じていたロウ」を巧妙に対照化させ、この点に着目するように聴衆を誘導している（レベル 2）[10]。すると、(3) “Yeah” という応答と共にロウがターンを取り、司会者とロウが共有しているストーリー (shared story) を協働構築していく。

ロウが語る物語世界（レベル 1）を見てみると、ロウは自身を「アジア人旅行者のステレオタイプに抗うティーンエイジャー」という位置に置いているのがわかる。まず、スモール・ストーリー ② の中の “We refuse to have bum bags”（ウエストポーチを使うなどとんでもない、お断りだ）では、“refuse to” を用いて強い拒否を表わしており、また、“wear our pants below our navels”（ジーンズを腰の低い位置で履く）、“We will talk in really thick bogan accents”（強い訛りのあるオーストラリア英語で話す）は、アジア人旅行者がたくさん周囲にいる中での「オーストラリア人の若者」としての表象であり、自分のアイデ

[10] ロウの著書では “Once through the gates, we kids would do our best to distinguish ourselves from the Asian tourists.” と記されている。Benjamin Law (2011) (ebook-Kindle, ch.6, par.5).

ンティティの強烈なアピールであると理解できる。

裏を返せば、このスモール・ストーリー ② の中でのアジア人旅行者の典型は、「ウエストポーチを着用」し、「ジーンズを腰の高い位置で履く」、「英語以外の言語か、強い外国語訛りの英語を話す」人たちのことである。さらに、“to make sure that everyone knows we are not those types of Asian tourists”(僕たちが、そういった類のアジア人旅行者でないと皆にしっかりとわかるように)という台詞からは、ロウは「アジア系オーストラリア人」である自分たちと「アジア人旅行者」を明確に区別していることがわかる。さらには、アジアといってもさまざまな国があるにもかかわらず、それらの国々から来る旅行者を「アジア人旅行者」と1つの枠組みで捉えている。ロウは自分たち以外を「アジア人旅行者」と関連化(van Leeuwen, 2008, p.38)した上で、「服装」と「言語」の側面から「格好が悪い」、「スマートではない」という否定的評価を下していることがわかる。

ロウは、アジア人の両親を持つが、特に同じアジア人だからという理由で旅行者に親近感を持つことはなく、むしろ、彼らを前にすると、自分たちの持つ「オーストラリア人」というアイデンティティをより強く意識したようである。ロウは、自分たちの取った行動について、(4) “It's weird what goes on in your head”(何を考えていたのだか)と述べているが、「アジア系オーストラリア人」としてアイデンティティが既に確立された余裕から、一歩下がって過去の自分を俯瞰しているともいえる。ここでのスモール・ストーリーは、過去においては、いつも周囲に注意を払っていなければ、「彼ら(they)」の中に紛れて、ただの “one of them” となってしまう恐怖感、いわばアイデンティティの危機感をいつも抱いていたことを示すものであり、今では「アジア系オーストラリア人」として生きていけばよいのだ、といわば達観した心理と態度が読み取れる(レベル3)。

3.5. アジア人のステレオタイプ

続いて、司会者はロウに、幼少期と十代の頃はステレオタイプを拒絶していたのかを尋ねる。

[Excerpt 6] [08: 25-11: 32]

司会: (1) So, did you embrace the Asian stereotypes (⤴), or did - a lot of your childhood was spent and your teenage was spent rejecting it?

ロウ: (2) I think growing up a lot of time was spent rejecting it (3) just because there weren't that many Asian people around. It's interesting though like I talked to my friends now who are also Asian Australian and they talked about how there were even distinctions even if they went to school where there were a lot of fellow Asian Australian kids that there would be different types of Asian Australian kids in the school yard and (4) you just had to sort of pick and choose which Asian Australian gang you were, 【① like, were you the Aussie born sporty Asian Australians or were you the ones who were born overseas and spoke Cantonese or Mandarin at lunch time, were you those cuts types of Asian Australians, and would you, could you mix with each other or was that like gang warfare or you know like you would always sort of reassessing where you fit in.】 And in my school, like, I think in my level, (5) I was one of FIVE ASIAN AUSTRALIAN KIDS with some Eurasian kids as well. AND I DON'T KNOW IF IT WAS A CONSCIOUS THING BUT I don't think any of us really hung out with each other.

司会: (6) Gee, I've seen Chris Lilley's programs before and I thought they were just hot Asians.

ロウ: (7) Yeah, totally. And you know, if I had a gang that would be here, but - yeah, it's funny though, because as time goes on I'm, you know, (8) I'm older now I'm 29 and you think about what an Asian stereotype is supposed to be, I mean like, look, I'm PRETTY BOOKISH, I really LOVE BOOKS, I STUDY REALLY HARD, like and when I see like there's a tumbler on the Internet called ASIANS_SLEEPING_IN_LIBRARY.TUMBLR.COM, and like I SLEEP IN LIBRARIES like sometimes I work or study so hard that I fall asleep and stereotypes exist, of course, (9) sometimes they can be bruising and offensive, but I think sometimes they exist because there is an element of truth in them and I tend to nowadays, sort of embrace them, I mean, look, I did a thesis on this sort of stuff actually at university where I talked about stereotypes (10) and sometimes I think stereotypes actually need to be embraced rather than rejected because if you actually explore the stereotype, that's when you can't subvert it or that's when you can add an extra dimension to it, just by saying, you know, (11) an Asian man who runs a restaurant is a stereotype, well that's not true in and of itself if you put that on the page you put that on the screen and that's all the man was then then, I think that, that's possibly a stereotype but if it's a three-dimensional character which is very complex and (12) hopefully I portrayed my dad like that in my book, you know, who has needs and desires who- who has faults as well - who can be funny but who can be sad then I think you know jobs alone or characterizations alone in and of themselves aren't necessarily a stereotype or a bad thing it's if they're one-dimensional yeah.

司会: 【② Yeah, I mean people do say that there are stereotypes for a reason that they are a moment of [truth】

ロウ: (13) [TOTALLY. I really love yum cha and theme parks, don't hold it against me.

司会者は「ステレオタイプ」について話を掘り下げようと、(1) "So, did you embrace the Asian stereotypes, or did a lot of your childhood was spent and your teenage was spent rejecting it?" (幼少期と十代の頃は、ステレオタイプを受け容れていましたか、拒絶してばかりでしたか) と尋ねる。ロウは (2) " [...] a lot of time was spent rejecting it" (拒絶していたことが多かった) と回答しているが、その理由は (3) "[...] there weren't that many Asian people around" (アジア人が周囲にあまりいなかった) からだという。その後、アジア

系オーストラリア人のタイプに関するスモール・ストーリー ① が展開する。レベル1の物語世界では、異なるタイプのアジア系オーストラリア人が紹介される。“like, were you the Aussie-born sporty Asian Australians”（オーストラリア生まれのスポーツが得意なタイプのアジア系オーストラリア人なのか)、それとも “the ones who were born overseas and spoke Cantonese or Mandarin at lunch time”（オーストラリア国外生まれで、昼食時には広東語か標準中国語を話すタイプなのか）など、ロウは、自分がどのグループに馴染めるかを常に見定めていたという。このスモール・ストーリーの挿入によって、「アジア系オーストラリア人」とラベリングされ、一括りにされがちだが、実際にはさまざまなタイプが存在し、人々が抱くステレオタイプというのは、ほんの一側面にしか過ぎないということが間接的に伝えられている。結果、レベル 2、3 においてロウは、「アジア系のステレオタイプに当てはまらない存在」として位置付けられている。

また、(5) では、ロウの学校には、5 人のアジア系とユーラシア系（“Eurasian”）が数人いたにもかかわらず、一緒に遊ぶことはなかったと述べており、「アジア人とは付き合わないロウ」というアイデンティティがレベル1において構築されていた。ロウは、そのことについて “I don’t know if it was a conscious thing”（意識的だったかどうかはわからないが）と述べているが、学校という小さな社会の中で、子どもながらにロウは主流派（つまり白人）の子どもたちのグループに属することを選んでいたのではないかと考えられる。ロウの高校時代のエピソードが綴られた、あるエッセイの一節を紹介したい。ロウが高校生の頃、サンシャイン・コーストは極右政党のワン・ネイション党の活動拠点の1つだったため、同級生の保護者の中には、その支持者や党員もいたという。ある日、両親に感化された子どもたちが、「アジア系移民が多すぎはしないか」という議論を始めた時、ロウは自らの顔を指差しながら、“HELLO WHAT DO YOU MEAN, THERE ARE TOO MANY ASIANS?”（原文ママ）（アジア人が多すぎるとはどういう意味だ）と抗議した。すると、友人たちは一瞬きょとんとしてから笑い出し、1 人が「馬鹿言うなよ、俺たちはお前のことをアジア人とは思ってないよ」と発言したという。当時のロウは、それを褒め言葉として受けとめ、友人のコメントが突拍子もないものだと気付いたのはずっと後になってのことだと述懐している（Law, 2015, pp.244‐248)。つまり、自分はアジア人だと自覚しつつも、we-group に属していると認められていることに安心感を得ていた時期があったと解釈でき、ゆえに、ロウはアジア人のステレオタイプを拒絶していたのだと考えられる。

次に、司会者は (6) で、オーストラリアのコメディアンであるクリス・リリーが手掛けるモキュメンタリー番組（mockumentary）について言及する。フィクションをドキュメンタリー映像のように見せかけて演出する表現手法で、クリスが脚本を書き、主演も務めている。アジア人が登場する作品としては、日本人の夫との間に生まれ、スケートボーダーとして有名になった我が子、ティムを思い通りに操ろうとする母親ジェン役にクリスが扮した *Angry Boys ‐ Jen Okazaki*[11] や、メルボルン大学で物理学を専攻する中国人リッキー・ウォンを演じた *We can be Heroes: Finding the Australian of the Year*[12]などがある。そこで描かれるアジア系の登場人物について、司会者が (6) "hot Asians"（格好いいアジア人）と好意的なコメントをすると、ロウも (7) "totally"（その通り）と全面的に同意する。ここから、司会者は、ロウがステレオタイプを受け容れるのかそれとも拒絶するか、立場の交渉を始めるのだが、司会者が格好いいアジア人の存在を認めたことで、ロウもアジア人のステレオタイプに対して肯定的ポジションを取り始める。ロウは、(8)「今は 29 歳だけれど、時が経って、アジア人ステレオタイプとはどんなものかと考えたとき、自分は読書ばかりしていたし、勤勉だ。だからインターネット上のソーシャル・ネットワーキング・サービスの Tumblr[13]で、"Asians_sleeping_in_library.tumblr.com"（図書館で居眠りしているアジア人）というタグを見つけたとき、自分はステレオタイプに当てはまっていると思った」と認めている。そして、(9) "sometimes they can be bruising and offensive"（ステレオタイプ像の中には、心が傷つくものや、侮辱的なものもある）とした上で、"but I think sometimes they exist"（ステレオタイプはときどき存在する）とあらためてステレオタイプの存在を肯定し、さらには "there is an element of truth in them and I tend to

11 Chris Lilley & Laura Waters (Producers). (2011).
12 Laura Waters (Producer). (2005).
13 Tumblr はメディアミックスブログサービス。https://www.tumblr.com/

nowadays, sort of embrace them”（中には本当のこともあるし、近頃は受け容れている）と年を経て、心理変化が起きたことも表明している。また、(10)“sometimes I think stereotypes actually need to be embraced”(時にはステレオタイプは、実際のところ拒絶するのではなく、受け容れられなければならないと思う）と発言する。“if you actually explore the stereotype, that's when you can't subvert it”（ステレオタイプを研究してみると、打ち破れないとき）もあれば、“that's when you can add an extra dimension to it”(ステレオタイプに別の一側面を加えることができるとき）もある。実際には人間は一面だけで出来ているのではなく、仕事や特徴だけではステレオタイプとはいえないし、ステレオタイプはただの一側面だと考えれば、悪いものでもない、と積極的な捉え方を打ち出す。さらに、(11) 飲食店を経営するアジア人はステレオタイプだというのは、真実ともいえるが、スクリーンに映し出される人物や、本に描かれる人物はステレオタイプでありながらも三次元的で、複雑だと述べ、作中に登場する父親について、次のように語っている。(12)“hopefully I portrayed my dad like that in my book, you know, who has needs and desires who has faults as well, who can be funny but who can be sad”（父親についてもそのように（三次元的に）描いたつもりだ。彼には、必要としているものもあれば、願望もあるし、欠点もある。面白い時もあれば、惨めな時だってある)。つまり、ロウの考えでは、ステレオタイプは存在したとしても、それだけで人が成り立っているわけではなく、性格や個性が加わって初めて 1 人の人間というものが成り立つという前提があり、作中に登場する父親もそのように心がけて描いたということである。

こうしてステレオタイプに対する態度をロウが軟化させると、司会者もスモール・ストーリー ② を挿入し、その中で一般総称の“people”を用い、“[...] people do say”（ステレオタイプは理由があって存在すると人々は言う）と一般オーストラリア人を Sayer （発言者）として、ステレオタイプを肯定する。次いで、ロウが一部オーバーラップしながら（13）で、“Totally”(全くその通り）と同調する。そして“I really love yum cha and theme parks, don't hold it against me”(私も飲茶とテーマ・パークが大好きだけど、そのことで私を嫌いにならないでね）とおどけた口調で言うが、ここでは「飲茶好き」と「テーマ・パーク好き」が、アジア人のステレオタイプであるということが前提となっているのは言うまでもなく、さらにアジア人のステレオタイプはオーストラリア社会で敬遠されるという前提があるからこそ、“Don’t hold it against me” (そのことで私を嫌いにならないで) と冗談を言えるのだと解釈できる。このナラティブにおいて、レベル2では、ロウは「アジア人のステレオタイプを肯定する人物」として、レベル3においては、「アジア人のステレオタイプの一面も併せ持つ人物」として構築されていたといえる。ロウは、ステレオタイプは一側面だけを取り上げたものに過ぎず、ほかにも色々な要素が人を形成しているということを聴衆に納得させた上で、ステレオタイプを肯定しようとしていたが、司会者も「ステレオタイプは理由があって存在すると人々は言う」というスモール・ストーリー ② を提示することによって、ロウと合意してトピックを終了するためのきっかけを作り、ロウもそれに応じたと解釈できる。

3.6. 学校でのいじめ―いじめに遭った従妹と免れた自分―

[Excerpt 7] で、司会者は、ロウの学校時代に話題を戻すために、アンソロジーの中に学校でのいじめについてのストーリーが多数紹介されていたことに触れる。

[Excerpt 7] [11: 32-13: 36]

司会: Um, touching back again on kind of this school yard and kind of growing up Asian in the school yard, I was kind of struck as I was reading *Growing up Asian in Australia* again this week, (1) the number of scenarios in the essays and stories where there’ll be one Asian kid in the school yard and surrounded by white kids and later became verbally or physically assaulted or just kind of prodded or (2) as a curiosity. (3) Did you have similar experiences growing in school yard?

ロウ: (4) You know, it’s weird when when the book *Growing up Asian in Australia* came out and reading those experiences pop up again and again they weren’t surprising or foreign to me because, (5) for instance, my COUSIN - had horrible experiences at the school she went to - like every day at her school was pretty hellish, actually she was CONSTANTLY picked on not just for her race but for other things as well but race certainly was a dimension as to why she was targeted out (↗). Um, so, that didn't surprise me, that's a recurring theme and you know, my Asian Australian friends now when we talk about school experiences those things certainly happen for SOME REASON (6) I GOT AWAY like I sort of somehow FLEW UNDER THE RADAR like I DID go to a school where I was one of very few Asian kids so I REALLY DID stick out you know and not just because of my race, because you know, not only was I Asian (7) I was like scrawny clarinet playing Asian, really unsexy.

聴衆： @

ロウ：(8) And you know, not sporty, slightly gangly constantly had orthodontic work that shoved into my face if it wasn't a plate I'd braces, you know I had some sort of headgear like I was just wrong and so I really to all intents and purposes you know, my burgeoning homosexual should have been destroyed in the schoolyard (↗) but I don't know, I think bullying sometimes is completely by luck and 【I feel like if I was in a year level above or a year level below or in another school, my high school experience especially could have been hellish】, but I was very - very - lucky

(1) では、"[...] there'll be one Asian kid in the school yard and surrounded by white kids [...]" (一人のアジア系の子どもが学校の校庭で白人の子どもたちに囲まれて……) と司会者は白人の子どもが行うエスニックに対するいじめについて言及するものの、(2) "as a curiosity" (好奇心から) と加害者側を擁護しているともとれる発言もしている。[Excerpt 7] 全体を見ると、いじめた側の社会的行為者はやや背景化され、いじめの被害者の方が前景化されている。たとえば、(1) では、いじめた側の人間として "white kids" が登場しているものの、文頭の位置ではなく文の中ほどに “by white kids” というふうに作用者として置かれている。これは司会者が白人を擁護しているのか、あるいは白人を悪者にすることで対立項が出来上がってしまうのを回避しようとしているのかどちらかであろうと推測できる。(3) では、司会者が、ロウに学校でいじめに遭った経験があるか尋ねるが、ロウのほうも、このインタビューが人種差別やいじめを告発する場ではないと考えているようで、加害者について触れることなく、そうしたいじめの経験談は (4) “not surprising” (驚きではない)、“not foreign to me” (自分とは無縁の話ではない) とだけ答える。そして、自分の経験談よりも従妹の経験談を紹介する。“constantly” (絶えず)、“was picked on” (いじめられた)、“was targeted at” (標的にされた) といった語彙から、常にロウの従妹がいじめの標的にされていたことが読み取れる。また、従妹が受けた凄惨ないじめは (5) “horrible” (恐ろしい)、 “pretty hellish” (かなり地獄のよう) と叙述されている。アジア系オーストラリア人にとって、学校でのいじめは日常茶飯事であったことを強調しながらも、ロウは、(6) で、“I got away like I sort of somehow flew under the radar” (僕は〔いじめを〕逃れた。まるでレーダーに捕捉されないように低空飛行をしていたみたいに) と、比喩的表現を用いて自分には経験がないと答えている。レーダーは、軍事メタファーの使用であるものの、些か茶化したような風でもあり、そこに深刻さは感じられない。また、 “flew under the radar” は、いじめの標的にならないように常に警戒を怠らなかったとも解釈できる。その一方で、レーダーに捕捉されるのは、学校生活を無難に過ごすためのスキルが備わっていなかったからという前提も読み取れる。しかし、ロウのナラティブにおいて、学校時代のロウは、決して二枚目には描かれていない。(7) “scrawny” (がりがりに痩せた) (8) “not sporty” (スポーツ好きでない)、“slightly gangly” (ひょろっとした[14])、“constantly had orthodontic work to shoved into my face” (いつも歯列矯正器具をつけた) とあり、むしろ三枚目である。それでもいじめの標的にならなかった理由は、“completely by luck” (完全に運の問題) だと結論付けている。その上で、仮定のスモール・ストーリーを挿入し、「もし一学年上か下であったり、別の学校に

---

14 *The Macquarie Dictionary* (Delbridge et al., 1997) によると、gangly は gangling と同義で「やせ細った、ひょろっとした」の意味 (“awkwardly tall and spindly”)。

行っていたなら、(自分はいじめの標的となり) 地獄の学校生活を送っていたかもしれない」と「いじめの被害者になっていたであろう自分」も表明し、従妹をはじめとするほかのアジア系と同じポジションに落ち着いたところでトピックが終了している。

[Excerpt 8][13: 37:14: 27]

ロウ: and in primary school especially I think what made me lucky was that I started primary school IN 1988 IN QUEENSLAND (9) and 1988 in Queensland was all about Brisbane Expo and multiculturalism so (10) it was like this really cool thing if you came from another culture because we're all interested in the pavilions.

司会: You weren't just there for Expo.

ロウ: NO, NO that's right no we actually migrated for Expo. @ NO. So, we were part of this time where being from another race or culture was cool like I bring my chopsticks with my lunch box @ and would give - like people wanted chopstick lessons in the school yard. SO FOR SOME REASON I think it's totally to do with TIMING. (11) Being ethnically racially different was sort of currency for me. I was lucky.

[Excerpt 8] でも、ロウのいじめの体験談は語られることなく、1988年開催のブリズベン国際レジャー博覧会のナラティブに移行する。エキスポ開催の年に小学校に入学したロウだが、(9) エキスポと多文化主義でクイーンズランドは大いに盛り上がり、(10) 誰もがパビリオンに興味津々だったため、異なる文化圏の出身者であることは「格好いいこと (cool thing)」であったという。その後、校庭でお箸の使い方を友達に教えることもあったという微笑ましいエピソードが語られ、ナラティブの結論として、ロウは (いじめに遭うかどうかは) すべてはタイミングの問題であり、自分にとって、(11)「みんなと異なる人種であることは財産 (Being ethnically racially different was sort of currency for me)」であり、「ラッキーだった (I was lucky)」と自身を位置付けている。ロウは、万国博覧会のスモール・ストーリーを通して、「多文化を祝う雰囲気の中、

幸せな小学校生活を送った自分」をレベル1において構築し、エスニックであることはむしろ財産であったと司会者と聴衆に伝え、レベル2においては、いじめを受けていたほかのアジア系オーストラリア人たちとは異なる「多文化社会で明るい学校生活を送れたアジア人」としての位置付けに成功している。

3.7. アジア人としての自覚はいつ芽生えたか

司会者は「アジア人としての自覚はいつ芽生えたのか」という質問を投げかける。

[Excerpt 9] [17: 14-18: 02]

司会: Yah, did you - (1) what age were you when you realized kind of [

ロウ: (2) I

was Asian?

司会: (3) Yah, yeah, @

聴衆: (4) @#

ロウ: (5) @ You know to be, to be honest, if you know - William Yang, the photographer and the speaker, he does have a story where - he grew up in Far North Queensland, I think, and he does have this story where he didn't actually realize he was Chinese until the school kids started taunting (↗) him (↗) with【① like, um, ching chong china man born in a jar (↗) that sort of thing (↗) and he went home to his mom, and he said, "OH MY GOD, MOM, ARE WE CHINESE?"】

聴衆: @ #

ロウ: 【② And she's like "YES, WE ARE CHINESE" and then his brother said, "YEAH, AND YOU'RE GONNA HAVE TO GET USED TO IT."】

聴衆: @ #

ロウ: And so it was presented as this really horrible thing but I was, (6) I think I was a bit more advanced I knew I was Asian from A PRETTY YOUNG AGE.

(1) "what age were you when you realized kind of" (何歳頃気付いたの、その……) と言いかけて、司会者は言いよどみ、垣根表現の "kind of" を用いる。たとえば「自分は周囲の子どもたちとは違うと」などのように、司会者はより婉曲的な表現を用意していたと推測できるが、ロウは司会者が言いにくく感じているところを理解して、オーバーラップする形で、(2) "I was Asian?" (自分がアジア人だと) と司会者の質問を補完する。その時、声のトーンを操ることで発話に面白みを加えている。(3) "Yeah, yeah" (そうそう) と言いながら司会者は遠慮がちに笑っているものの、当事者であるロウが笑い飛ばしていることで安心感を得て、笑いどころであると理解した聴衆が (4) のように大笑いしている。オーバーラップの機能には否定的側面 (Sacks, Schegloff, & Jefferson, 1974; Levinson, 1983) と肯定的側面 (Tannen, 1984) があるが、ここでロウは、オーバーラップをすることで、会話のターンを取りつつも、司会者と協働で発話を作ることで連帯感を高めて聴衆からの笑いを誘うことに成功している。ただし、(5) においてロウは、司会者の問いに直接回答することなく、アジア系オーストラリア人アーティストであるウィリアム・ヤン[15]の話を始める。そして、その中にスモール・ストーリーが立ち現われる。

幼少の頃、級友たちが中国人を揶揄する歌をヤンに向って歌い出したというスモール・ストーリーがロウの語りの中に立ち現われるが、ロウが独特の話術で面白おかしく語るため、会場が笑いの渦に巻き込まれる。まず、"Ching Chong China man born in a jar"[16]という中国人を揶揄する歌を、ロウは、"that sort of thing" (といった調子・類の歌) という垣根表現を用いてその歌の持つ衝撃を和らげている。そして、幼いヤンが母親に尋ねる台詞の "oh my god, Mom, are we Chinese?"「僕たちは中国人なの？」、それに対する母親の台詞 "Yes, we are Chinese"(そうよ、私たちは中国人よ)、続いての兄の台詞 "Yeah, and you're gonna have to get used to it." (そう、嘲りには慣れるしかないぞ) は、ロウが声音を調節することで、母親の台詞は力強い口調、兄の台詞は、諦めきった投げやりな口調となっている。自分のルーツを知らずに育ったナイーブな子ども

15 ウィリアム・ヤンは写真家であるが、映画や演劇でも才能を発揮している。Museum of Contemporary Art of Australia (n.d.). *Artist profile: William Yang.*

16 "Ching Chong, Chinaman" の Ching Chong は、アジア人に対して用いられる人種差別的表現である。

が、ある日、級友から人種差別的な冷やかしを受けたことで疑念を持ち、母親に質問をぶつけると母親の口から思わぬ真実が告げられるという逸話を、さも滑稽だと言わんばかりの口調で語るため、司会者と聴衆も大笑いし、共感を得たロウは、幾分満足げに、(6) I think I was a bit more advanced. I knew I was Asian from a pretty young age. （自分は進んでいて、かなり幼い頃からアジア人だと知っていた）と語る。スモール・ストーリーの中のウィリアム・ヤンは滑稽に表象されているが（レベル1)、レベル2におけるロウのアイデンティティは、反対に「スマートなアジア人」として構築されている。

しかし、*The Sydney Morning Herald* に掲載されたウィリアム・ヤンの実際のエッセイ[17]を読むと、ロウの語りとは異なった印象を受ける。学校で級友にからかわれたウィリアム・ヤンは、歌詞の意味はわからなかったものの、相手の表情から、何か失礼なことを言われているということはわかったという。帰宅後に、母親に学校での出来事を打ち明け、"I'm not Chinese, am I?" (僕は中国人ではないよね）と尋ねると、"my mother looked at me very sternly"（母親は僕を険しい顔でみつめて）中国人であることを告げる。その時の母親の声は、"hard"（こわばっていた）という。このようにウィリアム・ヤン自身のエッセイを読むと、子どもが学校でいじめられたこと知った時の母親の様子は、ロウが語ったスモール・ストーリーのように「中国人で何が悪い」と居直った風では決してなかったことがわかる。ウィリアム・ヤンも "I knew in that moment that being Chinese was some terrible curse" と中国人であることを「恐ろしい呪い」と感じたと述べている。これらから、自分がそれまで信じていた世界と自分が幼少期から構築してきたアイデンティティが崩れ去った時の恐怖感が読みとれよう。父親は客家語を話し、母親は広東語を話していたことから、夫婦の共通語はもともと英語であり、"she wanted us to be more Australian than the Australians"（彼女［母親］の願いは、子どもたちがオーストラリア人以上に、オーストラリア人らしく育つことだった）と述べているあたりからも、移民第二世代である子どもたちが「オーストラリア人らしくなる」ことで、オーストラリア社会に溶け込むことをウィリアム・ヤンの両親が

[17] William Yang (2013, June 8).

願っていたことがわかる。「オーストラリア人」としてのアイデンティティを獲得しようとしているにもかかわらず、アジア人の容姿であるがために人種差別されてしまう親子の苦悩は相当なものであったと推測でき、決してロウが語るストーリーのようにアジア系オーストラリア人というアイデンティティに誇りを持ち、堂々とはしていられなかったはずである。ウィリアム・ヤン自身が語るナラティブには、悲壮感が漂っているが、ロウのスモール・ストーリーの中では非常にコミカルな一家として位置付けられており、少なくともこのナラティブの中においては、ロウと司会者が協働で人種差別といじめという社会問題を背景化しているといえるだろう。「悲惨ないじめの標的になっていたアジア人」というウィリアム・ヤンのポジションを敢えて前景化しないことで、これらの社会問題の深刻さを軽減し、ロウ自身が保持している誇り高いアジア系オーストラリア人としてのアイデンティティを主張していると考えられる。

[Excerpt 10] [18: 02-20: 53]

自分は子どもの頃からアジア人であることを自覚していたと述べたロウに対して、司会者は、(13) " [...] subconsciously there must be something in your brain [...] I'm a little bit different to a lot of the other kids" (潜在意識的に自分はほかの子どもたちとは違うと感じていたということですよね) とロウに確認する。

司会: (13) <u>Yeah, it's like even subconsciously there must be something in your brain at some point that is like all right but I'm a little bit different to a lot of the other kids</u>.

ロウ: (14) <u>Totally</u>.

ロウ: (15) <u>Ah, especially in grade ONE, I remember there was one other girl LYDIA YENCH and another girl NORI, we were the only ETHNICS. We actually hung out together and formed like this little GANG of like ethnic cool kids - a:nd YOU DO recognize that you are different.</u> IT WASN'T UNTIL, IT WASN'T UNTIL I WAS TWELVE YEARS OLD that I went um to Hong Kong for the first time(↗)because that's

> where my folks are either from or that's where they've sort of traveled through migrated through (16) AND IT WAS COMPLETELY COMFORTING AND COMPLETELY DISORIENTATING TO BE IN HONG KONG. (17) I still remember the first time I went over there because there was this rush of comfort like, 【"OH, MY GOD, EVERYONE LOOKS LIKE ME and EVERYONE IS TALKING IN CANTONESE 】(18) WHICH I ASSOCIATE WITH um PRIVATE SPACE, you know, this is the language of home I've never really heard it spoken in a public space and TO HEAR THAT and THE WHOLE WORLD WAS SUDDENLY MY MY FAMILY AND MY LIVING ROOM. (19) I still remembered being completely AWED and sort of freaked out by it at the same time.

ロウは (14) "Totally"（まったくその通り）と認め、小学生の頃を回想する。(15) では、"[...] in grade one, I remember there was one other girl Lydia Yench and another girl Nori, we were the only ethnics. [...] you do recognize that you are different."（小学校 1 年生の時は、リディアとノリと一緒に格好いいエスニックのグループを形成していた。(中略) 自分が少し違うというのはもちろんわかる）と、"do recognize" という風に強調の助動詞 do も用いてこの点を強調している。あくまで "cool"（格好いい）エスニックであり、自分が周囲と違うことも自覚していたという発言は、先述のウィリアム・ヤンと対照的で、レベル 1 の物語世界では、「周囲とは異なる自分を意識していた」ロウが描かれている。レベル 2 においては、「少しまぬけなウィリアム・ヤン」、「いじめられていたウィリアム・ヤン」に対して「アジア系としての自覚が既に芽生えていたロウ」、「格好いいエスニック・グループの一員だったロウ」というポジションが形成されている。

その後、ロウは父親の出身地である香港を初めて訪れたときの話題に移行し、香港の感想を (16) "it was completely comforting and completely disorientating"（すっかり気分が安らぐし、また、完全に混乱する）と音声的に強調しながら述べているが、副詞の "completely" に再言のレトリック戦略が使用されているのに加え、“comforting”と“disorientating”という対照的な語彙が同時に使用されているところからロウの当時の当惑ぶりがうかがえる。“comforting”は、アジア系の容姿ゆえに、オーストラリアではどうしても目立つ自分が、完全に香港の風景に溶け込んでいることに対する安心感のようなものを表しているのであろう。まさに「木を隠すなら森の中」であり、オーストラリアにいる時のように、人からじろじろ見られることも当然ないのである。“disorienting” は、「混乱する」という意味だが、自分が帰属している場所ではないはずなのに、自分と容姿の似た人々が街を行き来し、広東語を話している状況にアイデンティティに混乱が生じていることを表していると解釈できる。さらに、ここでスモール・ストーリーが立ち現れ、“Oh, my god [...]”で始まる心内発話がロウの内なる驚きを表現することに成功している。“everyone looks like me”(周囲の人が皆、自分とよく似た風貌だ)、“everyone is talking in Cantonese”(周囲の人が皆、広東語を話している)、この事実に気分が安らいだと述べているが、広東語といえば、自分のプライベートの空間、つまり家庭で耳にする言葉で、(18)“I've never really heard it spoken in a public space”(公共の場で話されているのを耳にすることなどこれまで決してなかった)と新鮮な驚きを述べている。しかも、あちらこちらで広東語が話されている状況に対しては、“the whole world was suddenly [...] my family and my living room”(世界が突然、自分の家族というか、自宅の居間になった)と家庭でしか使用されていなかった言語が、共通語として使用されているのを目の当たりにしたときの感動を露わにしている。この感覚は今でも覚えており、(17)“this rush of comfort”(溢れんばかりのこの安らぎ)と表現している。(19)“I still remembered being completely awed and sort of freaked out by it at the same time”(すっかり圧倒されると同時に、すっかり興奮してしまったことをいまだに覚えている)では、再度、副詞の“completely”を使って自分のルーツと出会ったときの感動と衝撃を隠すことなく率直に司会者に伝えている。ロウは、ウィリアム・ヤンより早くから自分がエスニック・マイノリティであることを自覚していたとはいえ、自分が何者であるのかについて、香港を訪れるまでは本当の意味ではわかっていなかったのであろう。

3.8. 広東語が話せないことに対する罪悪感

[Excerpt 11] [20: 53-21: 40]

司会: (1) Is there a weird guilt which comes with not knowing it (=Cantonese) anymore?

ロウ: (2) TOTALLY, TOTALLY. And you try try to reclaim that sort of stuff by um by - speaking the language or trying to get better at it. You know, I recently met POH LING YEOW, you guys know Poe from you know formerly *MasterChef* and now at *Poh's Kitchen*. (3) And she - the way that she talks about food is very similar (↗) like (4) she started cooking a lot of the meals from her CHINESE MALAYSIAN FAMILY to get back in touch with those ROOTS to to sort of CONNECT with her PAST because you know she's had she's had a story of migration. (5) That's quite interesting as well and you know, like for a while Poh's name was SHARON you know that's how Aussie she really wanted to present herself for a while and then she reclaimed her name and tried get back through cooking. So, (6) I relate to that.

司会者が、(1) 広東語が話せないことに「奇妙な罪悪感 (“weird guilt”)」があるかと尋ねると、ロウは (2) “totally, totally” (もちろん、もちろん) と音声的に強調しながら、繰り返し、強い同意を表す。そして、料理研究家のポー・リン・ヨウのストーリーを始める。ポー・リン・ヨウは、マレーシア生まれでオーストラリアに帰化したアジア系オーストラリア人である。オーストラリアのリアリティー料理番組のマスター・シェフ・オーストラリア[18]で準優勝した経歴を持ち、今はオーストラリアのABC放送で自身の名前を冠した料理番組『ポーのキッチン (*Poh's Kitchen*) 』を持っている。(3)「ポーが料理について語るのは、(自分にとっての広東語に) よく似ている (“the way that she talks about food is very similar”)」とロウは語るが、その言わんとしているところは、ロウ

[18] *MasterChef Australia* は、イギリスの *MasterChef* を元にしたリアリティー番組。素人が料理の腕を競う。番組サイトによれば 2009 年に Network10 で放送開始。2022 年 5 月現在、シーズン 14 を放送中。

が喪失した広東語の能力を取り戻そうとすることと、ポーがマレーシア料理を通して、自分のルーツを取り戻そうとしているところが似ているということだ。(4) では、ポーは「移民なので、過去とつながり、ルーツを見いだすために（“to get back in touch with those roots to sort of connect with her past” ）」マレーシア料理を始めたのだという。(5) “Poh's name was Sharon”（ポーは、かつてはシャロンという英語名を使っていた）、“that's how Aussie she really wanted to present herself”（彼女がいかにオーストラリア人であることをアピールしたかったかがわかる）には、ポーの「オーストラリア人」としてのアイデンティティ構築への努力が表れているといえる。それが、ポーという名前に戻し、マレーシア料理を通じてルーツを取り戻したのである。(6) の “I relate to that” では、自分とその辺りが似ているのだとロウは述べており、ここから、ロウは香港とのつながりを否定しておらず、大切に思っていることが読み取れる。

3.9. アジア系作家の台頭

[Excerpt 12] [21: 41-23: 17]

司会: (1) <u>It's um, it's interesting you mentioned Poh and kind of like talked about kind of the the wider acceptance I guess of a lot of Asian Australians kind of in the media and just looking at the book kind of now and reading it, - a number of writers have gone on to be published authors and to kind of like lead, you know, successful kind of writing careers.</u> I mean, like LEANNE HALL has two published novels now and TOM CHO had his first novel published, after that, look, OLIVER PHOMMAVANH had a couple of kids books published after TANVEER AHMED's THE EXOTIC RISSOLE was turned into a book, like Alice Pung talks about how like, you know, 【when she was growing up the stories of Asian Australian weren't part of the general like narrative of Australia.】 (2) <u>That, that's surely now has changed</u>.

ロウ: (3) <u>Yeah, I think we've formed this literary mafia that's trying to take over the bookshelves which is good. Ah-.@</u> You know, you're right

> those that all those voices that have come out - and you know, some of them ARE talking about the Asian Australian experience and some of them AREN'T. They're just incidentally just writers writing about all sorts of subject matter -and I think that is important when I was growing up because I was such a huge book nerd. (4) <u>I CAN'T really remember if there was anyone that I really looked up to in terms of someone that I wanted to be MAYBE YOU KNOW THAT film almost famous, there was that there's the Rolling Stone editor, BEN FONG-TORRES. I STILL REMEMBER THINKING BEN FONG-TORRES IS COOL. But besides Ben Fong-Torres no one else.</u>

司会者は、ロウがポー・リン・ヨウに言及したことから、メディアで活躍するアジア系オーストラリア人、特に作家が増えたことについて言及する。(1) "a number of writers"（たくさんの作家）が本を出版し、"lead [...] successful kind of writing careers"（作家として成功している）とアジア系オーストラリア人の社会進出を強調している。そして、司会者はアリス・プンのスモール・ストーリーを挿入する。"[...] when she was growing up the stories of Asian Australian weren't part of the general like narrative of Australia"（アリス・プンが子どもの頃、アジア系オーストラリア人のストーリーは、一般的なオーストラリア人のナラティブには含まれていなかった）と述べているが、つまりアジア系は「オーストラリア人」の中に含まれておらず、「オーストラリア人のナラティブ」といえば、アジア系などのエスニックを除いた「白人オーストラリア人のナラティブ」のことを指しているという共通認識があったということだ。レベル 1 におけるアリス・プンの幼少期[19]、つまり 1990 年代のアジア系作家は、「広く世間一般に認知されることがない存在」と位置付けられている。しかし、司会者は (2) で "That, that's surely now has changed"（それが今では間違いないく変わった）と述べ、オーストラリア社会が多文化社会に変容し、エスニック作家が描くライフストーリーもオーストラリア人のライフスト

[19] アリス・プンは 1981 年、メルボルン生まれ。

ーリーとして認識されるようになったと "surely" を用いて強調する。そして、ロウもアジア系作家が増えたことを歓迎し、(3) "Yeah, I think we've formed this literary mafia that's trying to take over the bookshelves which is good." (僕たち [アジア系オーストラリア人作家] で文学マフィアを形成して、オーストラリアの書籍棚を支配するつもりだよ。これは良い傾向だと僕は思う) と小さく笑う。ロウは、アジア系作家の集団を "mafia" (マフィア) という語彙を用いて表象しているが、*The Macquarie Dictionary* (Delbridge et al., 1997) によると、小文字の "mafia" は " (sometimes humorous) any groups seen as resembling the Mafia by having a close-knit organization, in-group-feelings" と定義されており、「組織としての結束の強さや集団意識という意味において、マフィアに似た集団」という比喩的意味を持ち、時にユーモアで用いられるという。この語彙を通して、アジア系作家を「侮れない存在」、「強い結束力の集団」として表象している。そして、アジア系作家が増えていることを歓迎する理由は、ロウには、(4) 子どもの頃は本の虫だったにもかかわらず、自分が「なりたい」と憧れるような作家は記憶にないからだという。唯一ベン・フォング・トレス[20]が格好いいと思った記憶があると述べているが、トレスは、アメリカの有名な音楽雑誌『ローリング・ストーン』の編集長をしていたアジア系アメリカ人である。ロウが若くして「なりたい」と憧れる人物は、やはり「白人」よりも「アジア系」だったのだろう。幼いころから自分のアジア系オーストラリア人としてのアイデンティティを自覚していたロウだからこそ、「白人中心の社会でアジア系として、白人と対等に渡り合える人物」に憧れを抱いたのであろうと解釈できる。

3.10. 思春期の親と子の確執とアイデンティティ

[Excerpt 13] [23: 18-25: 13]

司会: Now the books have been out for five years now and be on the VCE

---

20 ベン・フォング・トレス (Ben Fong-Torres) は、アメリカのロック音楽専門のジャーナリストで、アメリカの若者文化を特集した雑誌『ローリング・ストーン』の編集や日刊紙『サンフランシスコ・クロニクル』のコラムに携わっていた。本人のウェブサイトを参照した。

list for a couple of years as well. Do you - do people talk to you about it all the time? What kind of reactions do people have about it to you?

ロウ: Um – it's interesting it was actually interesting talking to the other writers - in the book, and (1) HOW all of our experiences were completely different obviously like there is a diversity of experiences in this book. (2) but I think there are some VEINS of - common themes that run throughout it those feeling of NOT QUITE GETTING WHAT YOUR PARENTS ARE SAYING (⤴) and THEY'RE NOT QUITE GETTING WHAT YOU'RE SAYING (⤴). There's always that conversation between KIDS and their PARENTS where, 【I mean, how many of you have heard from your parents 'I don't get what you are saying' or how many of you have said that to your parents back 'but I don't get what you're saying' ?】 (3) And what's interesting in I think migrant families especially is that that can't be truly the case with um with linguistic barriers -sometimes you literally don't know what the other person is saying.

司会: (4) a perfect metaphor for adolescence.

ロウ: (5) EXACTLY. EXACTLY. (6) So, I think all those issues are about adolescence and I think that's why this book resonates with a lot of people because it is not just about BEING Asian in Australia but it's about GROWING UP Asian in Australia. That period of change, a period becoming an adult that period of trying to figure out who you are. I think that's what resonates with people whether they're Asian Australian or not. ALL THOSE THINGS ARE PRETTY UNIVERSAL about trying to get who you are and the people that you come from.

司会: (7) Yeah, you can almost take Asian out of the title and replace it with immigrant talking about like you know *Growing up as an immigrant in Australia.*

ロウ: (8) Exactly. WHICH is which is sort of you know a lot of Australians. So, I think over fifty percent of all Australians are either born overseas or have parents who were born overseas. So, THAT IS the Australian story.

司会者は、『オーストラリアでアジア人として育って』が出版されて 5 年、VCE リスト（ビクトリア州のシラバス）に加えられてから 2、3 年たつが、周囲の反応はどうかとロウに尋ねる。ロウは、本のほかの著者たちと話したが、(1) “how all of our experiences were completely different”（なんとそれぞれの経験が大きく異なることか）と答え、ロウは差異を強調するために、“how” を用いた感嘆文や “completely”（完全に）という副詞、そして、“diversity”（多様性） という語彙を用いている。その後、共通点に話題を移し、(2) “I think there are some veins of - common themes [...]”（共通のテーマがあって）、それは、“those feeling of not quite getting what your parents are saying and they're not quite getting what you're saying”（両親の言っていることが理解できない、あるいは、両親が自分の言っていることを理解してくれない）ことだと述べる。ロウは、ここで「思春期特有の親子間のコミュニケーションにおける衝突」という、特にアジア系オーストラリア人に限定されないテーマへの転換を試みているのである。そして、聴衆に語りかけるように “I mean, how many of you have heard from your parents, ‘I don't get what you are saying’ or how many of you have said that to your parents back, ‘but I don't get what you're saying’?”)（皆さんの中で、何人が両親から『あなたが言っていることがわからない』と言われたことがありますか、皆さんの中で、何人が両親に『言っていることの意味がわからない』と言い返したことがありますか）と共感を得るための仮定のスモール・ストーリーを挿入する。そして、(3) の “And what's interesting in I think migrant families especially is that that can't be truly the case with linguistic barriers” は、移民の家庭では、英語がうまく話せない親と、英語は話せても、両親の出身国の言語が話せない子どもの間に言語障壁が生じるが、ここではそのことが問題ではないのだと念押しをし、社会主流派とマイノリティとの共通のテーマに司会者と聴衆が目を向けるように誘導する。ロウは、人が成長過程でぶつかる壁やテーマは「アジア系オーストラリア人」と「白人オーストラリア人」の間で何ら違いはなく、親子関係も然りであると主張することで、アジア系を「異質」な集団に分類しないように聴衆を説得している。(4) では、司会者も「完全に思春期のメタファーだ（“a perfect metaphor for adolescence”)」と、“perfect” という強調する語彙を付け加えて、オーストラリア人すべてに通じる共通のテーマの協働構築に参加し、ロウも (5) “Exactly. Exactly” (まさに) と繰り返して賛同する。(6) “I think all those issues are about adolescence and I think that’s why this book resonates with a lot of people because it is not just about being Asian in Australia but it’s about growing up Asian in Australia” (テーマが思春期の問題だからこそ、さらにはオーストラリアのアジア人ではなく、オーストラリアで「成長する」アジア人について書かれた本だからこそ、この本は多く読者の共感を得ていると考えている）では、“growing up” の部分を音声的に強調しつつ、このように本が読まれている理由についての独自の解釈も加えている。(7) の “you can almost take Asian out of the title and replace it with immigrant talking about like you know growing up as an immigrant in Australia” (タイトルから「アジア人」の文言を削って、『オーストラリアで移民として育って』と差し替えても良いぐらいだ）では、司会者は、本のタイトルを『オーストラリアで移民として育って』に変更しても問題ないと述べている。この時点では、果たして司会者がどのような意味合いで「移民」という語彙を用いたのか、文脈からはっきりとは読み取れない。しかし、ロウは、(8) で “exactly” (その通り) と同意し、そのままターンを維持したまま、“which is, sort of, you know, a lot of Australians” (大多数のオーストラリア人が移民だからね) と「移民＝ほとんどのオーストラリア人」という解釈を付加している。続けて数的根拠として “over fifty percent of all Australians are either born overseas or have parents who were born overseas” (50 パーセント以上のオーストラリア人は、海外生まれであるか海外生まれの両親を持つ) という数量化のストラテジー (van Leeuwen, 2008, p.37) [21]を用いて、統計を提示したことで最終的に、“So, that

[21] 数量化 (Aggregation)。数量詞を用い、参与者を数字で表すことで、コンセンサス作りができる (Theo van Leeuwen, 2008, p.37)。ここでは、ロウがオーストラリア人の 50 パーセント以上が海外生まれ、あるいは海外生まれの両親の間に生まれているという高い割合を示すことで、オーストラリア人はほとんど移民だというコンセンサスを作りだそうとしている。

is the Australian story."（これはオーストラリア人のストーリーだ）と結論付けている。つまり、三段論法を用いて聴衆を説得しているのである。まず、オーストラリア人は、ほとんど皆、移民であることから「移民のストーリーは、オーストラリア人のストーリーである」が大前提となる。そして、「アジア系は、オーストラリアにおいて移民である」が小前提であり、そこから導き出される結論は「アジア系移民のストーリーは、オーストラリア人のストーリーである」となる。

3.11. 2012年のアジア系オーストラリア人

[Excerpt 14] [25:14-27:35]

司会: Yeah, we're going to take questions in a couple of minutes so if you have a question you would like to ask Ben about *Growing up Asian in Australia* or growing up or being Asian, he is ready for them. So, prepare your questions. I want to ask you -ah Alice Pung-she speaks in the introduction to the book. In fact in fact if you're looking for kind of like an extra kind of study resource there's an introduction that Alice Pung wrote to the book - that she didn't actually include in the book because it goes into like the history of kind of Asians in Australia a little bit more and its online on her blog and worth looking up - but it actually talks about the labels that Asian Australians have kind of been given and (1) <u>at first they were the Yellow Peril and then they were the model minority,</u> [

ロウ: [yeah]

司会: kind of condescending label that most recently they've had touched them. (2) <u>I'm in 2012 kind of where are Asian Australians- now?</u>

ロウ: I think in 2012 you genuinely can't pin us down. I think other people might try to - Look, (3) <u>I think moving slightly away from the Australian context but I think someone like JEREMY LIN being an NBA superstar all of sudden I think he is a pretty good example of HOW PRECONCEPTIONS OF ASIANS HAVE CHANGED.</u> You know, look, Asians in the NBA. That's still a surprising thing for a lot of people and probably a lot of us in this room as well BUT BUT those that dismantling still has to happen (4) but I think Asian Australian is still a term that might carry some baggage but it's getting reduced and (5) I think the more visibility we have, especially in the media that's becoming -, you know, that's becoming less of an issue. I think, you know, what I think has done a lot of good weirdly enough and even though we're at a book event, this will sound completely sacrilegious but (6) REALITY TV has actually done a lot.@ I just think of like MasterChef contestants or people who have been on Australian Idol you know like Jessica Mauboy is half Indonesian and those expectations you know Asian CAN'T sing or Asians CAN'T (.) you know, they're not naturally athletic or whatever those are starting to get slowly dismantled but those preconceptions are still there, I think.

司会: That's kind of strange because the casting of reality shows is just as strict as the casting of a pre-recorded sitcom.

ロウ: Yeah yeah. Totally. Um

質疑応答を始めるにあたって、まず司会者が１つ目の質問をする。アリス・プンが『オーストラリアでアジア人として育って』に掲載した「はしがき」とは別に、当初用意していたオリジナルの「はしがき」[22]が存在し、それがプンのブログにのみ掲載されていることに触れ、司会者は (1) アジア系オーストラリア人は、黄禍論の次には、モデル・マイノリティ[23]としてラベリングがされてきたとアリス・プンは述べているが、 (2) "I'm in 2012 kind of where are Asian

[22] 2021 年 12 月現在、「はしがき」は *Peril* のウェブサイトで読むことができる。Alice Pung (2009, November 27).

[23] 「モデル・マイノリティ」は、第二次世界大戦中から戦後にかけて発達した概念であり、アジア系アメリカ人は経済的に成功しているので、有色人種の移民の中でも理想的だとされた。第二次大戦中に強制収容所に送られるなど、酷い人種差別を受けながらもアメリカ社会で成功していった日系アメリカ人について書かれたモデル・マイノリティ研究として William Petersen (1966, January 6) がある。ほかにも Adrian De Leon (2020, April 8) でもモデル・マイノリティについて説明されている。

Australians - now?" (2012年のアジア系オーストラリア人の立ち位置はどうでしょうか) と尋ねる。するとロウは、オーストラリアという枠組みを超えて、アメリカのプロバスケットボールリーグ (NBA) で活躍するジェレミー・リンに言及し、アジア人に対する先入観が変わった良い例だと述べる。(4) "Asian Australian is still a term that might carry some baggage but it's getting reduced" (アジア系オーストラリア人という言葉には、まだ古い考えが付きまとっているのかもしれないが、減りつつある) では、モダリティーを表す "might" を用いているが、ここから、願わくは「アジア系オーストラリア人」という表現にネガティブな含意がなくなっていてほしいと思う反面、まだ存在すると考えるのが現実的であろうというロウの心理が読み取れる。しかし、(5) では、アジア系がメディアに登場する機会が増えたことについて "the more visibility we have" (認知度が依然より高まった) とし、その要因の1つとして (6) でリアリティー番組の貢献を挙げている。前述の『マスター・シェフ』も然りだが、『オーストラリアン・アイドル』(*Australian Idol*)[24]というスター誕生番組で、インドネシア人とアボリジナルのハーフのジェシカ・マウボイが準優勝してCDデビューを果たしたことを挙げ、「アジア人は歌が下手、アジア人は運動が苦手といった先入観がゆっくりと解体されていきつつある。まだそういった先入観は存在するけれども」と人々の認識が改善されているとロウは評価している。

3.12. アジア人であることで家族は孤立したか

[Excerpt 15] [27: 36-29: 26]

司会: We might throw over Q & A now. If you have a question for Ben, there are people with microphones in their hands, if wave them they will come to you. – It's your best opportunity to ask a question in the next 15 minutes- of anyone. Um- while we're waiting for a question-

ロウ: Yeah

司会: I might ask another one - and I guess it's just about about isolation

[24] *Australian Idol* は、素人が歌声を競うリアリティー番組 (2003年～2009年) で、Jessica Mauboy は2006年のシーズン4で準優勝した (Marta Jary, 2022 April 16) 。

and mm (1) if you felt not isolated as a kid, because it sounds like you did all right (⤴) - for an Asian in school in the 80's in Australia, but whether you kind of felt a familial kind of isolation with it you felt like your family was very isolated from the rest of the Australian community - or the society you were living in?

ロウ: (2) Yeah - what's interesting is because my family was so big there were five kids and two parents I ACTUALLY think I felt a little bit isolated from the rest of THE CHINESE AUSTRALIAN COMMUNITY (⤴) around us at the time(⤴), like we certainly knew each other but I wasn't necessarily I didn't necessarily feel like maybe we had MUCH IN COMMON[

司会: [(3) okay because the assumption would be that they'd be they'd be your people and you know that that's kind of where you'd hang and where you - there wasn't a connection was there?

ロウ: (4) There was. But but to another extent I think what changed it was when my parents split up when I was 12 years old and that was seen as a huge NO-NO in Chinese culture especially of their generation as well. SO, we weren't exactly (5) we didn't exactly become PARIAHS but it was a little bit (6) SCANDALOUS to everyone else so they felt that (7) they needed to keep their distance. (8) So, so that added an extra sort of complicating dimension to our relationship with the Chinse Australian community in my area I think (⤴).

司会: (9) Yeah.

ロウ: (10) Yeah.

司会者はロウに対して、(1) で "if you felt not isolated as a kid [...] you felt like your family was very isolated from the rest of the Australian community or the society you were living in?" (特に孤独を経験することなく幼少期を過ごしたということだが、家族は周囲のオーストラリア社会から、あるいは自分た

ちのコミュニティーから孤立していると感じたことはあるか）と尋ねる。実際、アジア系をはじめ、エスニック・グループはコミュニティーを形成する傾向があるようである。たとえばシドニー郊外の場合、キャブラマタにはベトナム系、チャツウッドには中国系のコミュニティーがそれぞれ形成されている [25]。司会者は、ロウが所属する中国系コミュニティーが周囲の白人オーストラリア社会から孤立していたのかを探ろうと質問したのであろうが、ロウは、むしろ自分の家族が周囲の中国系コミュニティーから孤立していたという意外な回答をする。その理由として (2) "I didn't necessarily feel like maybe we had much in common"（それほど共通点があるとも感じなかった）と述べている。ロウの回答に納得しなかったのか、司会者は、(3) "[...] there wasn't a connection, was there?"（同じ民族同士だし、リラックスするのかなと想像するけれども、つながりはなかったわけ？）と念を押すように聞く。ロウは、(4) では、"There was."（つながりはあった）とその部分については肯定しつつ、(7) "They need to keep their distance."（彼らの方が僕たちから距離を取らなければならなかったのだ）と別の理由を述べる。それは、(4) に述べられているように、ロウが 12 歳の時に両親が離婚したことである。離婚は親の世代の中国人の間では、"huge NO-NO in Chinese culture"（あってはならないこと）であり、タブー視されていたからだという。(5) それでも"pariahs"（仲間はずれ）になったわけではなく、ただ (6) "scandalous"（噂の的）だったと音声的に強調して答えている。(8) "so, that added an extra sort of complicating dimension to our relationship with the Chinse Australian community in my area"（両親の離婚によって、自分の住む地域の中国系オーストラリア人たちとの関係がさらに複雑になった）とまとめている。ロウは、淡々と両親の離婚について語ってきたが、話題が両親の離婚に移ったため、司会者もロウもお互いに (9) "Yeah"（そうですか）、(10) "Yeah"（そうなのです）と協働でこのトピックを終了させている。

---

25 シドニーのエスニック・コミュニティーについての記事（Owen Roberts, 21 April 2018）を参照した。

3.13. アジア系移民の両親は良い学業成績を期待したか

[Excerpt 16] [29: 27-32: 59]

司会: (looking around the audience) All right, questions down front, yeah

聴衆: Yes, I'm a school teacher and I was just interested to know (…) I was actually wanting to know about the expectations you have with your parents. You mentioned also just then about the separation that was part of your story -and that's quite common that's a common thread with a lot of the stories but we' re all fascinated when we're studying this- the story compiled in the anthology about the expectations a lot of parents have on their children. (⤴)

ロウ: Yeah

聴衆: (1) <u>What was your experience with that?</u>

ロウ: Again, we were sort of anomalies when it came to this when you asked that question, (2) <u>I immediately thought of my cousin's, actually.</u> So, of my mum's siblings she was she was one of seven siblings and her sister also lived in the same area on the Sunshine Coast so they were that we were the two families that were related each other closely - and it was (3) <u>it was ODD seeing how they were being raised</u> because 【① THEY HAD TO BECOME ENGINEERS THEY HAD HAD TO BECOME ACCOUNTANTS THEY HAD TO GET A's BECAUSE B WAS THIS SHAMEFUL SHAMEFUL LETTER of the alphabet 】 and they were they were COMPLETELY THREATENED WITH, you know, CORPORAL PUNISHMENT to EMOTIONAL VIOLENCE and um and - I just thought that was always SO FULL-ON - and INTENSE those EXPECTATIONS but I think- what MY FAMILY HOW my family was different and maybe (4) <u>I'm making generalizations but BECAUSE there were FIVE of us. It's really HARD to discipline FIVE KIDS - at a time so we were sort of free-range organic children who ran amok (⤴) and probably had the upper hand on our parents (⤴) just by sheer numbers alone(⤴)</u> and 【② I did remember my dad saying you know it would be great if you were a doctor. I just thought that's not gonna happen sorry.】 And so WHAT MY PARENTS WERE ACTUALLY GOOD AT is that they fostered- not pressure as such but this idea that's studying and getting good grades was really really good it wasn't that they were emphasizing the negative stuff (↗) which I saw a lot of other Asian Australian parents doing which was just like【③ if you fail that's bad if you get a B that's bad】, 【④ DAD was saying if you get an A that's awesome but if you get a B, that's awesome you can probably do better but like that's pretty good as well】 - like that (↗) actually pretty good in that way and COMPLETE (5) when I talked to my other Asian Australian friends I realized that were COMPLETE FREAKS AS WELL in that sense you know like a sort of OUTLIERS in terms of that sort of parenting approach. I think that would good that they their main thing was DO EXACTLY WHAT YOU WANT (↗) because I think both of them recognize that they were both doing things that they didn't necessarily want to do. I don't think my dad wanted to work in a restaurant seven nights a week to support five kids. I don't think my mum necessarily wanted to look after five kids full time (↗) so I think amongst the kids and amongst my parents as well we both recognized that they had sacrificed a lot and (6) our OBLIGATION, unlike a lot of my Asian Australian peers, wasn't to become doctors but to do exactly what we wanted to DO but make sure we were good at it and could earn money off it.

司会: (7) Are they proud of you now?

ロウ: (8) Ah (.) I think YES, YEAH. They are very good they're very um yeah maybe too proud of me [like um (.)]

司会: (9) You should've been a doctor and turn things right down.

ロウ: (10) THAT'S RIGHT. THAT'S RIGHT.@- In the end I actually did become a doctor BUT A DOCTOR OF LITERATURE and I don't think that's what my dad necessarily thought of at the time.

ある聴衆が、「親からの子どもへの期待に関心がある」と前置きし、(1) "What was your experience with that?" (あなたのご経験はどうですか) とロウに尋ねる。するとロウは、(2) "I immediately thought of my cousin's, actually" (すぐに従妹の経験が頭に浮かんだよ) と、自身の経験よりも従妹の話を始める。スモール・ストーリー ① では、「『エンジニアになれ、会計士になれ、成績は A を取れ、B など恥ずべき文字だ』と従妹は完全に追い込まれ、体罰を受けたり、心を傷つけられたりするのが常だった」と、従妹が育った家庭環境、親の教育熱、子どもに対する過剰な期待を音声的にも強調しながら語り、そのことを (3) "odd" (奇妙だ) とコメントしている。中国人の母親による厳格な中国式教育を描いた *Battle Hymn of the Tiger Mother* (2011)[26] は米国で大きな反響を呼んだが、オーストラリア社会でも、「親が教育熱心なために中国人は成績が良い」という共有されているアジア人のステレオタイプが存在するのであろう。こうしてアジア人のステレオタイプに見事に合致した従妹のスモール・ストーリーを利用することで、ロウは自分の育った家庭と従妹の家庭との対比を明瞭にしている。

ロウの両親がほかのアジア系の親と大きく違っていた理由は、(4) 子どもが 5 人もいたから単純に親の手が回らなかったのだろうとロウは回想しており、"had the upper hand" (数で優勢だった) や "free-range" (大人に干渉されずに自由に行動できる) 、"organic" (自然に親しんだ) という独特の表現で 5 人の兄弟姉妹が自由奔放に育った様子を強調している。しかし、ロウの語りの中で父親とロウのスモール・ストーリー ② が立ち現れ、父親はロウに「お前が医者だったらなあ」と言い、ロウは「申し訳ないけど、それはあり得ないよ」と心の中でつぶやく。このスモール・ストーリーの挿入により、ロウの父親は、放任主義のようでありながら、実は子どもの社会的成功を願うごく普通の親としても表象されており、バランスの取れた人物として位置付けられている。

さらに、一般的なアジア系オーストラリア人と自分の父親を対比するようなスモール・ストーリー ③ がこの後に挿入される。それは、「単位を落とすことは、いけないこと。B はひどい成績」というアジア系の親に対し、ロウの父親

---

[26] Amy Chua (2011).

は、スモール・ストーリー ④ において、「Aは素晴らしい。でもBも凄い。もっと頑張れるとは思うけどBでも十分凄いことだよ」と励ましの言葉をかける。子どもの気持ちを大事にする教育方針を持ったロウの父親のスモール・ストーリーを紹介することで、「レストランの経営者」、「母国・香港のDVD鑑賞をする」など、これまでアジア系のステレオタイプのほぼすべてに当てはまっていたロウの父親がはじめて「ステレオタイプから外れたアジア系の父親」と位置付けられている。そのような父親の元で育った自分たちを、ほかのアジア系コミュニティーから見れば、(5) "complete freaks"、"outliers"（変わり者）だとロウは表現している。

一方で、両親が大切にしていたのは、(6) "Do exactly what you want"（心からやりたいと思うことをやれ）である。ロウの義務は、「本当に好きなことをして、成功し、それで稼いでいけること」と結論付けている。司会者は人気作家になったロウに対して (7) "Are they proud of you now?"（ご両親は今では君を誇りに思っているかな）と尋ねると、ロウは (8) で "I think Yes. Yeah. They are [...] maybe too proud of me."（そうだと思うよ。すごく誇りに思っているかも）と答える。司会者が、(9) "You should've been a doctor"（医者（ドクター）になるべきだった）と言うと、ロウは (10) "That's right"（その通り）と述べ、"In the end I actually did become a Doctor, but a Doctor of Literature"（結局、ドクターにはなったよ。文学博士（ドクター）だけど）とオチとも自慢とも取れる台詞を述べているが、いずれにしても「文学博士号を取得している」と聴衆に知らせることは、両親から余計なプレッシャーや期待をかけられなくても、本人の意思でもって学業で良い結果を修めたことを伝えると同時に、作家としてのロウを権威付けることになっている。

3.14. 聴衆が抱くアジア人のステレオタイプ

インタビューの終盤は質疑応答形式で、聴衆が質問をし、ロウが応答する。

[Excerpt 17] [33: 01-34: 15]

聴衆: (1) So, just growing up Asian

ロウ: (2) mm

聴衆: (3) What do you think had more effect on you like the outlook that society had upon you as being an Asian (⤴) - or the expectations of your parents to be Asian?

ロウ: (4) to be Asian YE:AH hm- $ (5) that's a tricky [question

司会: (6) [did you, did you play up to the stereotypes (⤴) the Asian stereotypes (⤴) - that kind of socially or in your non family environment?

ロウ: (7) LOOK, this question actually reminds me of something (...) actually both of these questions remind me of something weird that my siblings did a couple of years ago (⤴) - there were five of us. s:o you can sort of – we can sort of rank each other in surveys - and we did this survey called - WHICH SIBLING IS MOST ASIAN?

聴衆: (8) @

ロウ: (9) and there were ten criteria - so there were staff like um- how much do you hold on to Asian values - (10) how much do you like Asian food- how much how good are you at cooking Asian food -(11) how well do you speak Cantonese -(12) how many Asian friends do you have - um-(13) how attracted are you to Asian people - how ATTRACTIVE are you to Asian people? And we ranked each other on one two three four five –um- on an ascending scale – (14) and it turned out that my younger sister Tammy is the most Asian just you know and-

レベル 2 において質問者は (1) "So, just growing up Asian" (あなたはアジア人として育ったわけですが)、と「アジア人」としてのアイデンティティの確認を求め、それに対してロウは (2) "mm" (フム) という間投詞で相槌を打つことで質問者が提示したアイデンティティを了承する。すると、質問者は続けて、(3) "What do you think had more effect on you like the outlook that society had upon you as being an Asian or the expectations of your parents to be Asian?" (アジア人として育ったことで、どんなことがご自身に一番影響したと思いますか。たとえば社会から与えられる将来の展望であるとか、両親からのアジア人としての期待など）と尋ねるが、この質問からは「アジア人ゆえの社会や両親からの期待が、アジア人の家庭には当然存在する」という前提(assumption) が読み取れよう。

ロウは、(4) “to be Asian”（アジア人としてか）と一言述べてから、一瞬沈黙し、溜息をつき、ただ一言 (5) “that's a tricky question”（微妙な質問だね）と言う。ロウは質問に対する不満を表明しているのである。すると司会者が進行を促すように、(6) “Did you play up to the stereotypes, the Asian stereotypes that kind of socially or in your non family environment?”（アジア人のステレオタイプに甘んじることはありますか。社会生活で、あるいは家庭の外で）と更に質問する。その質問には、「アジア人のステレオタイプ」という元の質問にはなかった新たな表現が確認できる。ここでは、聴衆の中から選ばれた質問者が勝手なアジア人像をロウに対して抱き、それに符合するエピソードをロウの口から引き出そうとしており、司会者も質問者のそうした意図を理解した上で、敢えて「アジア人のステレオタイプに甘んじることはあるか」と聞き直しているのである。するとロウは、(7) “Look, this question actually reminds me of something [...] my siblings did a couple of years ago. There were five of us. [...] we can sort of rank each other in surveys and we did this survey called ‘Which sibling is most Asian?’”（ねえ、今の質問で思い出したけど（中略）2、3 年前に兄弟姉妹で遊んだゲームでは、僕ら 5 人をお互いに格付けしあった。そのゲームの名前は、『兄弟姉妹の中で誰が一番アジア人か』だ）と切り出し、聴衆と司会者からの質問によって思い出したとされるゲームのナラティブを始める。

ロウの発話には、ややストレスが置かれており、スクリプトの (8) に見られるように、笑い所であることを理解した聴衆から笑いが起こる。白人オーストラリア人の目には、十分に「アジア人」に映る兄弟姉妹が、互いにどちらがよりアジア人かを競っているというのは滑稽に思われるに違いない。司会者によってアジア人のステレオタイプについて定義付けが行われたわけでもないのに、ロウはこの自虐的ともいえる笑いを取りながら、質問者と司会者の期待を揶揄するかのように、彼らがいかにも思いつきそうなおきまりのアジア人像を (9) から (13) で列挙し、アジア人のステレオタイプの協働構築に参加する（レベル1)。

しかし、そのステレオタイプの類例も (9)「どれほどアジア人の価値観を維持しているか」や (11)「どれだけ上手に広東語が話せるか」は、本質的なものであるといえるが、それ以外の (10)「どれほどアジア料理が好きか」、(12)「どれだけアジア人の友人がいるか」、(13)「どれほどアジア人に魅かれるか、どれほどアジア人を魅了しているか」などは末梢的なものに過ぎない。しかも、最終的に「ロウが最もアジア的だった」いう結論であれば、話は落ち着くのだが、実際は (14)「妹のタミーが最もアジア人だった」という結論となっており、結局は、司会者の「アジア人のステレオタイプに甘んじることはあるか」という質問に対し、ナラティブを通して「ステレオタイプに甘んじることはない」とロウは間接的に回答しているのである。そして、ナラティブを利用して、「アジア人のステレオタイプから外れた自分」というアイデンティティ構築を行ったわけである (レベル2)。

ここまでから、ロウは、自身が「アジア人」という人種カテゴリーに属することは受け容れながらも、他者によってラベリングされたり、ステレオタイプ化されることに抵抗を感じていることが読み取れる (レベル3)。この後、ロウは会話のターンを維持したまま、話題を「アジア人とは何か」に転換し、さらに持論を展開していく。

3.15. 現代オーストラリアにおけるアジア人とは

[Excerpt 18] は、[Excerpt 17] の続きである。ロウは聴衆に対して、「『私はどれぐらいアジア人らしいか？』と常に自問自答するのは、アイデンティティに対する自己意識が高じているからであるが、そもそもオーストラリアというコンテクストにおいて、アジア人とはどういう意味を持つのかという新たな疑問が湧く。それは実は非常におもしろい問いだ」という問題提起をする。

[Excerpt 18] [34: 15-35:09]

ロウ: but- but- that's- that's sort of things like you are a little bit self-conscious about-about your identity and you are constantly questioning - HOW Asian am I ? or am I Asian enough? and THEN

> that builds into another question which is wh-wh-what does Asian actually MEAN ? - um and in an Australian context- that's um that's a really interesting question as well -because (1) I think - most Australians in some ways are some sort of hyphenated Australian whether you're an Indian Australian or a Greek Australian, 【 you know John Howard famously said he doesn't believe in hyphenated Australians】 (2) but I think - all of us are hyphenated in some ways you know – we're parents or we're kids or we're fans of some particular music artists and we've got an ethnic background like (3) we are all - jumbled really yeah. (4) thanks for your question-it's a good one.

ロウは、(1) "I think most Australians in some ways are some sort of hyphenated Australian whether you're an Indian-Australian or a Greek-Australian" (私が思うに、ほとんどのオーストラリア人は、インド系オーストラリア人やギリシャ系オーストラリア人のようにハイフンがついている) と述べた後、"you know, John Howard famously said he doesn't believe in hyphenated Australians" と権威者 (authority) である自由党のジョン・ハワード元首相に言及する指名ストラテジー (van Leeuwen,2008, p.40) を利用したスモール・ストーリーを挿入している。ハワードは、パシフィック・ソリューション[27]に代表される移民強硬策で知られる政治家であるが、ロウが言及しているのは、2006 年にラジオ放送局 2UE[28]にハワードが出演した際の以下の発言である。

> [...] "It's not a good idea in this debate to be segmenting the Australian community, we are all Australians, that's the aim of

---

27 パシフィック・ソリューションは、2001 年に発足した第 3 次ジョン・ハワード政権の難民政策。ボートで入国を試みた難民認定希望者をオーストラリア本土に上陸させず、太平洋の島国に収容し、国外で難民審査を行う政策。2007 年の総選挙で労働党に敗北するまで 6 年間続いた (出典 : Encyclopedia Britannica. (n.d.). *Australia*) 。

28 ハワードは、2006 年 2 月にジョン・ローズ (John Laws) がパーソナリティーを務める 2UE のラジオ番組に出演した(Australian Government Department of the Prime Minister and Cabinet, 2006, February 15)。

sensible policy for people to see themselves not as Muslim-Australians or Lebanese-Australians. I don't like the hyphens too much. I think we ought to try and drop the hyphens and just talk about Australians." [下線は筆者]

(Australian Government Department of the Prime Minister and Cabinet, 2006, February 15).

この頃、オーストラリア議会では、妊娠中絶薬の認可基準を緩和する法案が連日審議されていた。「オーストラリア人は中絶によって自ら絶滅への道を辿っている」、と法案に反対した自由党議員が、オーストラリアはやがてイスラム教徒の国になるという趣旨の発言をしたことが問題となり[29]、当時首相であったハワードは、番組司会者からこの件に関して意見を求められたわけである。

ハワードの本来の発言は、下線部の "I don't like the hyphens too much" であり、ロウは レベル1の物語世界において、その発言を引用する際に、節を引用する動詞 (quoting verb) には、"say" (ここでは過去形の "said") という中立的な動詞を用いながらも、投射された節 (projected cause) の中のHowardの心理過程 (Mental Process) については、"like" の代わりに "believe in" を用いている。"not like" は、「好きではない」、「良いとは思わない」という嗜好を表す表現にとどまるが、"not believe in" なら「価値を認めない」あるいは、そもそも「存在を信じない」とも解釈できる。「外国系オーストラリア人という表現を認めない、信じない」という風にハワードの発言を巧妙に歪めることは、ハワードの発言を偏った、非常に問題のあるものに見せ、聴衆にハワードの人となりや考え方について疑念を抱かせ、信頼性を損なわせる効果がある。さらにスモール・ストーリーの中でロウが用いた "famously" という副詞はハワードを皮肉った表現であり、実際は "notoriously" の意味で用いら

[29] ミフェプリストンという妊娠中絶薬の認可基準緩和の法案の審議中に、自由党下院議員のダナ・ヴェイル (Danna Vale)は次のような発言をした。"...we are aborting ourselves almost out of existence", "I have read ... comments by a certain imam from the Lakemba Mosque [who] actually said that Australia is going to be a Muslim nation in 50 years' time." (Stephanie Peatling, 2006, February 14).

れている。この語彙の使用により、ハワードの発言は誰もが知る「悪名高い話」となり、聴衆は、一層ハワードに対して否定的な感情を抱くようになるのである。

続けて、ロウは (2) “but I think all of us are hyphenated in some ways” (それでも私たちは皆、ある意味ハイフン付きだ)、さらに、(3) “We are all jumbled really, yeah.” (私たちはみんなどこかで混ざりあっているのだ) とジョン・ハワードとは反対の主張をする。ここでロウは、“all of us” の包括的 “we” (フェアクロー, 2008, p. 157) を用いている。フェアクラフは、“we” は使用の仕方によっては、聞き手を話し手と同じグループに取り込み、話し手の視点に立たせて意見に同調するように求める戦略となると述べている。ここでの “we” はオーストラリア国民全体を指しており、ロウは、ハワードに関するスモール・ストーリーとの相乗効果で、聴衆を自分の見解に同意させようと説得を試みているのである (レベル 2)。

ロウは、途中から論点を「オーストラリアにおけるアジア人とは何か」にシフトさせることで、おそらく日頃から考えていたのであろう持論を展開し、十分に訴えたことで幾分満足感を得たのか、(4) “Thanks for your question. It's a good one.” (質問してくれてありがとう。良い質問だったよ) と司会者の代わりに評価付けを行い、やり取りを終了してしまっている。ロウの考えでは、オーストラリアは「白人オーストラリア人」対「アジア系オーストラリア人」(“they-us”) という二項対立など存在しない、どのような人でも必ずエスニックな出自に還元できる多文化社会なのである。また、ハワードの主張する、外国系オーストラリア人という表現をなくして、皆「オーストラリア人」で良いではないかという主張にも反対なのである。なぜなら、それは社会から不当な扱いを受けているエスニックの存在を無視し、人種差別を隠蔽することにつながるからであろう。ロウは、たとえ善意であっても、「“color-blind” (皮膚の色による人種差別や偏見がない) を得意気に自称する人は、なぜ 19 パーセントものオーストラリア人が皮膚の色、民族的出自、あるいは宗教を理由とした差別を受けているのかに都合よく気付かないふりをしている」と主張しており、「互いを対等に扱うべきなのであって、皆が同じということではない」と別の著書の中で主張している (Law, 2015, pp. 246- 247)。

一方、聴衆は質問に対する回答らしい回答を得られないまま、「アジア人とは」という話題に転換されたことをどう感じているのだろうか。そもそも聴衆は、ロウに対して、どのような回答を期待したのであろうか。ここでオーストラリア文学研究に答えを求めたい。オーストラリア文学界においては、1990年中頃からマイノリティ作家（ディアスポラ作家とも呼ばれる）による作品の人気が高まってきていた。この現象について、有満（2003）は、故郷イギリスとの絆が断ち切られて久しいアングロ・ケルティック系作家の作品よりも、さまざまな地域出身の作家による多文化を反映させた作品の方が面白いという理由に加え、マイノリティ作品は、文化的「差異」や「符合」を持ち、文学的な価値以上に「本物（authentic）」の「移民の経験についての語り」であることが期待できるからだと説明している。つまり、『オーストラリアでアジア人として育って』のイベントに集まった聴衆も同じく、「アジア人」であるロウに、文化的「差異」や「符合」、「本物の移民二世ならではの体験」を期待したのではなかろうか。そして、ロウは見事にその期待を裏切ったのである。アジア系移民には、黄禍論に続き、（主に中国人に対する）チンク（Chink）という蔑称などで汚名を着せられてきた過去がある。ロウは、現在では「アジア人」という表現に何ら否定的な含みはなく、「アジア」とは地理的なくくりに過ぎないと訴える一方で、多文化社会を構成するさまざまなエスニックの中の「アジア人」というアイデンティティを構築しているのである（レベル3）。

3.16. アジア系オーストラリア人という総称

[Excerpt 19][40: 17-41: 01]

司会: (1) Are you more comfortable with Asian Australian?

ロウ: (2) than Chinese Australian?

司会: (3) or even just Asia[...

ロウ: [(4) ah - like if people just call me Asia ?@

聴衆: @ #

司会: (5) Asian.

ロウ: @Yeah, (6) I feel like -both are fine (7) like I'm AUSTRALIAN but as a CITIZEN that's how I identify myself when I go overseas (↗) (8) I think I think the Asian things sort of obvious (↗) to most people (↗), so I don't usually have to talk about it but but (9) in terms of like defining myself YEAH LIKE ASIAN AUSTRALIAN I think most of us are like I said before a mix of a few things SO THAT IS probably one of the - foremost ways how I how I introduce or explain myself (↗)

司会: Yeah

ロウ: Yeah

ロウは、(1) "Are you more comfortable with Asian Australian?" (アジア系オーストラリア人と呼ばれるほうが良いですか) と聞かれると、(2) "than Chinese Australian?" (それは中国系オーストラリア人と比較してですか) と聞き直す。司会者は、(3) "or even just Asia..." (あるいはアジア……) と言いかけたところでロウがオーバーラップし、(4) "like if people just call me Asia ?" (人が僕をアジアと呼ぶのに対して違和感がないかだって) と冗談を言う。司会者はその後 (5) "Asian" (アジア人) と言い直す。

ロウは、(6) "both are fine" (どちらでも構わない) とした上で、(7) "I'm Australian but as a citizen that's how I identify myself when I go overseas" (海外では、国籍上、自分はオーストラリア人だと説明する) と言う。それは、(8) "I think [...] the Asian things sort of obvious" (アジア系であることは一目瞭然) であることから、国籍がオーストラリアだと言っておけば、本人あるいは両親が移住したのだと事情を察してもらえるからである。

さらに (9) "most of us are [...] a mix of a few things" (僕たちのほとんどは、(……) どこかで混ざっているのだから) とオーストラリア人は皆、移民であり、それぞれに異なるルーツがあることに再び言及し、(9) "That (=Asian Australian) is probably one of the foremost ways how I how I introduce or explain myself" (アジア系オーストラリア人という呼称は自分を紹介したり、説明する上で最も明瞭な方法の 1 つだと思う) と述べている。

ここでは、ナラティブが続いており、レベル 1 の物語世界に相当するものはない。しかし、レベル 2 ではインタビューという相互行為を通して、「アジア系オーストラリア人としてのロウ」と「中国系オーストラリア人としてのロウ」

のどちらが、彼のアイデンティティなのか、司会者とロウの間で確認が行われている。このように、ロウは、中国人に分類されたり、アジア系に分類されたりして、アジア系であること、そしてアジア文化が、彼にとってどのような意味があるのか再評価するように常に周囲から迫られるのである。しかも、ロウは、父親こそ香港から移住してきたが、母親はもともとマレーシアのイポー(Ipoh）の生まれで、“Chinese Australian”（中国系オーストラリア人）という呼び名が“Asian Australian”（アジア系オーストラリア人）と同様、妥当なのかは判断が難しい。

ロウは、(9) で述べたように、見た目がアジア人なのは明らかなので「アジア系オーストラリア人というアイデンティティがわかりやすい」と結論付けており、レベル3では、やはり「アジア系オーストラリア人のロウ」というポジションが確立されている。

3.17. オーストラリアへの強い帰属意識

さらにロウのアイデンティティに関する質問が続く。

[Excerpt 20] [41: 05-42: 48]

聴衆: Sorry, me again. In terms of belonging within the anthology where do you feel like- you -belong - the most? Do you think that you can fit in Hong Kong - where like you were talking about before - or do you feel that -um- that is Australia that you resonate most with or [(.)

ロウ: [if going from country to country where do I feel most comfortable?

聴衆: yeah.

ロウ: (1) AUSTRALIA, DEFINITELY like I-(2) I've spent most of my life in Australia–(3) I was born in Australia (4) I was born in NAMBOUR (⤴) - 【① you know that's where Kevin Rudd was born】

聴衆: #

ロウ: um –(5) you have to pronounce it like that (⤴) - when you get there as well (⤴) - and you know because I-(6) I come from Brisbane – (7) I

> come from Queensland - and generally there are more bogans there (8) so there is this inner bogan in me all the time that I carry – (.) as much as my Asian heritage and I don't think that - they're completely distinguishable –um- or apart from each other they inform each other as well - like you go far north Queensland and there are (9) the most bogan Asian Australians you will ever meet -you know like shorts scratching themselves and it's amazing. It's awesome. 【② so- I think you know - people- people sometimes -a:sk do you see yourself more Asian or more Australian 】 and I'm and (10) for me that that question - is almost asking–um- someone who might be a teacher and a mom and a wife- 'do you see yourself more as a wife or a mom or -or a teacher?' you know? (↗) that (11) you are all of those things and those things are actually interact with each - other as well I think when you're when you're the minority - you're-you're in any way whether you're a gay or whether you're an ethnic minority you're forced to think about identity more -

聴衆からの質問は、「どの国に最も帰属意識を感じるか」という内容であり、ロウは躊躇なく (1) "Australia, definitely"(断然オーストラリアだ) とモーダル付加詞 "definitely" を用いながら断言し (categorical assertion)、また音声的にも強調して回答している。(2) "I've spent most of my life in Australia" (人生のほとんどをオーストラリアで過ごしてきた) や (3) "I was born in Australia" (私はオーストラリアで生まれた) は、オーストラリアとの社会的つながりを根拠としたアイデンティティの表明であり、オーストラリアに愛着と帰属意識があることがわかる。さらに (4) とスモール・ストーリー①の "I was born in Nambour, you know, that's where Kevin Rudd was born" (私はナンボー生まれで、ケビン・ラッドと同郷だ)、(6) "I come from Brisbane" (私はブリズベン出身だ)、(7) "I come from Queensland" (私はクイーンズランド州出身だ) と次々と「クイーンズランダー」としてのアイデンティティも表出していく (レベル2)。「クイーンズランダー」とは、クイーンズランドの住人であることを意味するのみならず、同州の地域性に対する愛着、自信、誇りを表す指名ストラテジーとしても機能する[30]。

スモール・ストーリーでは、自分の出身地がナンボーであり、労働党のケビン・ラッド元首相と同郷だという事実に触れている（レベル1)。3.15項のスモール・ストーリーは、ハワードを指名（Nomination）し、彼の政治的主張を真っ向から否定するために用いられていたが、ここでの狙いは、ラッド元首相の名前を挙げることによって、聴衆にナンボーに対する親近感を持たせることであろうと推察できる。また、おそらくロウの彼に対する親近感も理由に挙げられよう。労働党は、自由党と比較すると伝統的に移民に寛容であった上、ラッドはオーストラリア国立大学（The Australian National University）で中国語を専攻しており、流暢な標準中国語も話せることで知られている。外務省時代には、在北京オーストラリア大使館に赴任した経歴もあり[31]、現在はアジア・ソサエティ政策研究所長（President of the Asia Society Policy Institute）として米軍などで米中関係の講演を行うほどのアジア事情通である[32]。そのようなラッドと同郷であることを紹介しつつ、(5) "You have to pronounce it like that when you get there as well"（現地ではこう発音しなくてはならないよ）と、ロウはナンボーの発音の仕方について聴衆にレクチャーする。ここにはサンシャイン・コーストのスピーチ・コミュニティー（Gamperz, 1968)[33]の一員としてのアイデンティティが強烈に表明されている。3.4項の［Excerpt 5］のスモール・ストーリー②の中にも "We will talk in really thick bogan accents" とあったように、ただ英語を話すというだけでなく、クイーンズランド州の独特のイントネーションで英語が話せるという特殊な言語能力が備わっている自

---

30 たとえば、クイーンズランダーとしてのアイデンティティが高揚するイベントとして、QLD植民地誕生を祝う「クイーンズランドの日」やラグビーリーグのNSW対QLDの州対抗オールスター戦が挙げられる。杉田（2021, p.194-5）によると、この州対抗戦は両州のライバル関係もあって非常な盛り上がりを見せるという。

31 ケビン・ラッドの経歴は下記を参照。Australian Government National Archives of Australia. (n.d.)

32 Asia Society Policy Institute (2020).

33 スピーチ・コミュニティーはJohn J. Gumperz (1968/2009) が用いた概念であり、「共有する言語的サインを用いて一定の、あるいは、頻繁な相互行為を行い、言語の使用法に関する顕著な違いによってほかから区別される人々の集合体」である。林宅男（2008, p.197）により詳細な解説がある。

分をアピールしており、都市に住むオーストラリア人以上に、ことクイーンズランドに関しては事情通であり、クイーンズランダーとしてのアイデンティティがここにも構築されている。また、ロウは (8) “There is this inner bogan in me all the time that I carry as much as my Asian heritage”(アジア人であると同時に自分の中にいつでも “bogan” な部分がある) と語っているが、“bogan” [34]は、*The Macquarie Dictionary* (Delbridge et al., 1997) によると、“a young person who dresses and behaves in an uncouth fashion.” (服装や行動が洗練されていない無骨な若者) という意味がある。(9) “the most bogan Asian Australians” という表現からは、もともとは白人オーストラリア人を対象に用いられていたことがわかる。ロウは (8) “inner bogan in me” によって「アジア系オーストラリア人」であると同時に「地元に根付いたオーストラリア人」としてのアイデンティティを表明しているのである。

そして、ロウは最後に、ときどき受けるという “do you see yourself more Asian or more Australian?” (あなたは自分のことをアジア人とオーストラリア人のどちらだと思いますか) という質問をスモール・ストーリー②として語り (レベル 1) 、(10) そうした質問は、先生であり、母親でもあり、妻でもある人に向かって、“do you see yourself more as a wife or a mom or a teacher?” (あなたは自分のことを妻だと思いますか、母親だと思いますか、それとも先生だと思いますか) と聞いているのと同じことであると類例を用いて反論している。

つまり、「あなたは自分のことをアジア人とオーストラリア人のどちらだと思いますか」という主流派の質問は、分類 (Categorization) (van Leeuwen, 2008) を意図した行為であり、こうした社会主流派が行う人種による「分類行為」を見破っているロウは、聴衆にそれがいかにオーストラリアのような多文化社会においては、人種差別的で礼を欠いた行為であるかをやんわりと理解させようとしているのである (レベル 2)。ロウは十代の頃はアイデンティティに葛藤を抱いていたものの、今や「アジア系オーストラリア人」としてのアイデンティティを確立しており、「アジア人」と呼ばれることを許容しているが、彼の中でそのことは、すなわち「非オーストラリア人」であることを意味しない

---

34 豪 ABC 放送の *Upper Middle Bogan* (2013-2016) というコメディドラマでは Bogan” という表現は、女性に対しても用いられている。

のである。ロウの発言に、(8) “so there is this inner bogan in me all the time that I carry as much as my Asian heritage and I don't think that they're completely distinguishable or apart from each other”（だから私の内面にはアジア人として引き継いだものと同時にボーガンな面がいつもあるのです。それらは見分けがつかないし、切り離せるものでもない）とあるように、両親はアジア生まれながら、自分自身はオーストラリアで生まれ育っており、外見がアジア人だからといって、オーストラリア人でなくなるなどあろうはずがない。「教師」という職に就く者も、結婚し、出産したからといって「教師」、「妻」、「母親」の3つのアイデンティティのいずれかが完全に切り離されるなどということはないと主張している。(11) “you are all of those things and those things are actually interact with each other as well”（あなたはそれら3つのすべてであり、それらは実際、お互いに融合しているのだ）という発言にあるように、むしろ3つのアイデンティティは融合しているのである。このことと同じ理屈で、人種を問う質問は愚問であるとロウは訴えたかったのであろう。こうした日常で起こり得るさり気ない人種差別（everyday racism）(Essed, 1991）に対する毅然とした態度は、現代を生きる「アジア系オーストラリア人」の肯定的なアイデンティティの表れだといえよう（レベル3)。

3.18. 両親は異なる文化に適応するのに苦労したか

[Excerpt 21] [43: 24-45: 25]

司会: We have a time for one more quick question - yep

聴衆: Um - you know you talked about that you didn't find it that hard to fit in when you were younger. (1) <u>Did you see that your parents struggled more to fit in</u> because the culture is so different to what they were used to obviously when they were younger (⤴)in Australia (⤴)

ロウ: (2) <u>Yeah, that's a really good point</u>. Um you know my parents especially MY MOM. 【 My dad had spent a little time in Sydney before (⤴) so he'd already figured out or got in his mind an idea what Australia was and then when he married my mom in Hong Kong -she took this incredible leap of that phase 'cause she was coming to a country that she'd never visited before a:nd I mean by the time I was born (↗) which was like the early 80's they came to Australia in the mid-70's. They had adjusted more (...) made friendships and they were acclimatized to the culture. They actually preferred the culture in Australia. They preferred the space they were sort of sick of the the you know –stick of the brick housing of Hong Kong. They couldn't really breathe air but WHEN MY MOM FIRST CAME HERE you know she described Caloundra on Sunshine Coast as a ghost town literally because not only were there very few people there everyone was really white as well 】 and so she –

聴衆: @

ロウ: (3) SHE I think had a hard time figuring out where she belonged in in in this mix - AND I DON'T KNOW like for those of us who have parents who are migrants. FOR ME at least it wasn't until I was an adult that I thought of MYSELF LIKE MOM AT THIS AGE already had THIS many children and was raising them in an environment that was still relatively foreign to her you know this HUGE LEAP so there were there were all those adjustment processes that they THEY HAD TO DEAL WITH that we took completely for granted. Yeah.

司会: We are totally out of time and it's been fantastic having you here. Please thank Benjamin Law [

ロウ: [Thanks guys.

聴衆が、ロウに (1) "Did you see that your parents struggled more to fit in" (両親はオーストラリアに馴染むのにもっと苦労したのではないか) と質問すると、ロウは (2) で "Yeah, that's a really good point" (良い点をついてきましたね) と答える。ここから、ロウの母親を中心に据えたスモール・ストーリーが立ち現れる。父親にはシドニーで暮らした経験があったものの、香港で結婚してからオーストラリアに来た母親にとっては、"incredible leap" (大きな変化) だったとスモール・ストーリーの中で紹介されている。そして、"...they were acclimatized to the culture. They actually preferred the culture in Australia"（両親はオーストラリア文化に慣れ親しみ、出身国よりもむしろオーストラリアの文化を好んでいた）と説明し、アジア系移民のステレオタイプでありながらも「ホスト国の文化を重視するアジア系」として位置付けられている。さらに、"sort of sick of [...] the brick housing of Hong Kong"　では、（香港のレンガ造りの建物にうんざりしていた）は、出身国をむしろ否定的に表象しており、やはり「ホスト国志向の移民」として位置付けられている。"she described Caloundra on Sunshine Coast as a ghost town literally because not only were there very few people there, everyone was really white as well"（彼女は、サンシャイン・コーストのカラウンドラをゴースト・タウンだと呼んでいた。それは文字通り、人口が少ないからだけではなく、住人の顔が皆一様に白いから）という台詞があり、父親よりも母親が異文化に馴染むのに苦労したことが読み取れる。ロウは、続けて（3）で "She, I think, had a hard time figuring out where she belonged"（彼女はどこに帰属しているのか自分で折り合いをつけるのに苦労したと思う）と述べており、マレーシアでも香港でもアジア系に囲まれて生活していた母親が、突然、白人社会で暮らすことになった戸惑いを慮っている。

レベル1の物語世界における登場人物は、ロウの父親と母親で、それぞれ「オーストラリア社会に問題なく馴染んでいった父親」と「オーストラリアの環境を好意的に受け止めつつも、馴染むのに苦労をした母親」が描かれている。

移民一世の苦労話のナラティブによって、レベル2では、「異文化に馴染むことに苦労した母親」という移民一世のステレオタイプが確認され、レベル3においては、「アジア系オーストラリア人としてのロウ」と「オーストラリアで苦労した移民第一世代の両親」というポジションが成立している。

4. 本章のまとめ

本章の分析により、移民二世のアイデンティティに揺れる十代の心情や、自分のルーツと出会った時の衝撃、そして、社会のアジア系移民に対する固定的で因襲的な見方に対する彼の不満や葛藤が明らかになると同時に、聴衆にそういった点を伝えるためにロウが用いた言語的な戦略もより明確になった。たとえば、“not ~ at all” や、“definitely”、“famously” といったモダリティーを表す表現や、“not quite”、“completely” などの同じ語彙を二度繰り返す、再言のレトリック戦略、“comforting” と “disorientating” の相反する意味を持つ語彙を同時に使用することで内面の混乱を強調する表現手法などが確認できた。さらに、ディスコース・ストラテジーの分析で明らかになったのは、ロウがインタビューを好機と捉えて、言語的な戦略を駆使して問題提起を行った点である。この「問題提起」がロウの隠された意図である。ロウは、インタビュー全体を通して、白人によるアジア人差別を非難したりせず、オーストラリア人には皆それぞれのルーツがあり、その意味でアジア系オーストラリア人は特異な存在ではないことをやんわりと伝えている。それは、数量化（Aggregation）のストラテジー（van Leeuwen, 2008）でオーストラリアの多様性を数的根拠で示したり、指名ストラテジー（Nomination）でハワードを指名することで、ハワードとハワードの考えを支持する聴衆に対して、オーストラリアはそもそも多様な人種で構成されていると訴えることなどを通してなされていた。また、その一方で、同意できる点については、“exactly” などの誇張表現で積極的に同意を示すなど、司会者や聴衆と歩み寄る柔軟な姿勢も見せていた。ロウは、イベントに集まった聴衆はアジア系オーストラリア人のライフストーリーに高い関心を持っている人達であると信頼して、さまざまなストラテジーを駆使して彼の考えを共有したのだと思われる。明らかな人種差別ならば法に訴えることもできるが、アジア系移民に対する偏見を捨てさせるには、ユーモアやストラテジーで人の心に訴えるのが一番であると考えたのではないだろうか。

次に、ポジショニング理論による各レベルでの結論をまとめる。本章ではポジショニング理論を用いてデータを区切ったが、3 つのレベルで分析することで、ロウのアイデンティティをより多面的に捉えることができた。

レベル 1 では、まず香港のテレビドラマのビデオに関するナラティブの中で、「香港ドラマに関心がないロウ」と「香港ドラマが大好きな父、姉、妹たち」という家族の中での異なるポジションが明らかにされ、ホスト国であるオーストラリア文化の方に幼少期から親しんでいた人物としてロウが描かれていることが確認できた。次に、テーマ・パークへの家族旅行のスモール・ストーリーが見られた。そこでは、自分たちと見た目では変わらないアジア人旅行者を前にすると、「オーストラリア人」としてのアイデンティティをより強く意識した十代のロウや彼の兄弟姉妹のポジションが読み取れた。また、ハワード元首相に関わるスモール・ストーリーでは、同氏を「多文化社会の現実から目を背ける人物」として、ロウと対極に位置付けていることが確認できた。さらには、ナラティブの中で、白人が抱くアジア人のイメージを列挙して、聴衆の期待を一気に高めておきながら、結果として「アジア人のステレオタイプから外れた自分」というポジションを提示する場面も確認できた。インタビュー終盤の質疑応答では、聴衆から「どの国に一番帰属意識を感じますか」という質問を受けたロウが、「断然オーストラリアだ」と回答した上で、「『あなたは自分のことをアジア人とオーストラリア人のどちらだと思いますか』と人（“people”）が尋ねてくることがある……」と、登場人物を「一般オーストラリア市民」としたスモール・ストーリーを挿入する。ここでは、「アジア人であり、オーストラリア人でもある」という混成性 (hybridity) こそが「アジア系オーストラリア人」なのであり、自身のアイデンティティなのだとロウが表明していることが確認できた。

次にレベル2において、レベル1のスモール・ストーリーがどのような意図で利用されているのか、それらがレベル2においてどのような効果をもたらしているのかを考察する。ロウは、インタビューの冒頭のスモール・ストーリーで、「オーストラリアでアジア人として育つ、これはまさに私だ」と、アリス・プンから今回の寄稿依頼を受けた時の第一印象を述べており、「アジア系作家」としてのアイデンティティを自ら打ち出している。続いて、「オーストラリア社会で人種を問わず人気の作家・コメンテーター」としてのアイデンティティを司会者と協働構築し、テーマ・パークのスモール・ストーリーを利用して、「アジア系オーストラリア人」としてのアイデンティティをさらに全面に押し出していた。しかし、その後、ナラティブを利用して「アジア人のステレオタイプから外れた自分」を主張していることから、実はステレオタイプに当てはめられることには抵抗を感じていることがわかった。「アジア系オーストラリア人」というラベリングに対しては、ロウの学校時代には、さまざまなタイプのアジア系オーストラリア人の生徒が存在していたことをスモール・ストーリーで示すことで、ステレオタイプは一面だけを強調して取り上げたものに過ぎないと主張していた。しかし、司会者があるテレビ番組に言及して、番組に登場するアジア系オーストラリア人を「格好いいアジア人」と評価すると、ロウの方も態度を軟化させ、ステレオタイプは当たっているところもあって、必ずしも悪いものではないと今では思っていると、年を経て心境の変化が訪れたことを表明する。そこで司会者が、このテーマを終了させるために、「ステレオタイプは理由があって存在すると人は言うよね」と一般オーストラリア人のスモール・ストーリーを語ると、ロウもそれに応じるかのように、「全くその通り」と同意し、レベル2において、アジア人のステレオタイプは存在するということで意見の一致をみた。

また、レベル2においては、比較の目的でスモール・ストーリーが用いられるパターンも散見された。教育熱心なアジア人家庭の一例として従妹とその両親のスモール・ストーリーが立ち現れ、自由放任主義だったロウの家庭と比較されるパターンや、中国人であるという自覚が皆無だったウィリアム・ヤンのスモール・ストーリーにより、「幼いながらもアジア人だと自覚していたロウ」との違いが前景化されるパターンが確認できた。しかし、そのようなロウでさえ、香港を訪れたときには、自分と風貌の似た人たちが大勢いて、広東語を話している状況に衝撃を受けており、そのこともスモール・ストーリーにより鮮明に伝えられている。

また、マイノリティに対して人種を問う質問をすることは、「分類行為」であり、それは人種差別であると聴衆に訴えるためにスモール・ストーリーが用いられていたが、ロウは、「ときどき、人が尋ねてくるが……」と一般化したスモール・ストーリーを活用することで、質問をした聴衆を直接的・個人的に責めると角が立つところを、うまく両者の衝突を回避しているようであった。

さらに、ハワード元首相を登場させたスモール・ストーリーは、「オーストラリア人は誰しもエスニックな出自があるものだ」というロウ自らの主張を強めるために用いられたものであると解釈できた。

このように、ロウは、「アジア系オーストラリア人」のポジションを提示し、自分を冷静に俯瞰しているようだが、インタビュー後半になると、徐々に持論を展開し、自身と司会者・聴衆との間の友好的な関係を保ちながら相手を説得する目的で、スモール・ストーリーを巧みに利用していることが明らかになった。結果、レベル1でのスモール・ストーリーの利用により、レベル2における司会者と聴衆に「それぞれの出自を持つオーストラリア人」という新たなポジションが付与され、聴衆、司会者、およびロウの関係はより対等なものに変化したといえる。

最後にレベル3では、インタビューの開始時と終了時で、ロウのアイデンティティに変化がみられることが確認できた。インタビューの冒頭からロウは、「アジア系オーストラリア人作家」として位置付けられていたものの、おそらく司会者と聴衆からは、エスニックな「符合」や「体験」を持つ存在としてのアイデンティティを付与されていたはずである。ところが、ロウによるアイデンティティ構築とロウと司会者および聴衆とのアイデンティティ交渉を経て、インタビュー終了時には、そうした「符合」は消えていた。さらに、ロウの「みんなと異なる人種であることは自分にとっての財産だ」という一言が、エスニックであることの誇りを表しており、よく言われるような社会の主流派である「白人オーストラリア人」の対立項としての「アジア系オーストラリア人」ではなく、さまざまなエスニックが存在する多文化社会における「アジア系オーストラリア人」という肯定的なものにロウのポジションが変化したといえよう。

このように、インタビューを通して、ロウはステレオタイプに当てはまらないアジア系オーストラリア人としてのアイデンティティを構築しており、彼は「アジア人」対「白人」の二項対立を超越した存在となっていることが鮮明になったといえる。また、彼が望むことは、エスニック系オーストラリア人はオーストラリア社会において、特異な存在ではなく、対等な立場の参与者であり、オーストラリア人には皆それぞれにルーツがあることをそろそろ認めてほしいということであろう。

トランスクリプト記号 (based on Cameron, D. (2001) pp.31-41.)

[	オーバーラップ開始部
(.)	マイクロポーズ
(…)	聞き取り不可能な語
[...]	中略（英文の場合）
[……]	中略（日本語の場合）
大文字	強調、声が大きい箇所
-	長めのポーズ
:	長音
斜体	書籍の名前
‘’	引用文
@	笑い
＃	ざわめき
$	溜息
(↗)	上昇イントネーション
下線	著者による分析上の強調
【 】	スモール・ストーリー

第 7 章 まとめ

1. 研究結果のまとめ

本論では、それぞれがオーストラリアの多文化社会をどのように捉えているのかを解明する目的で、「政府および首相」、「メディア」、「マイノリティ」の 3 つの視座からオーストラリアの多文化社会をめぐるディスコースを分析した。以下に研究結果をまとめる。

1.1. 政府が考える多文化社会と理想とする移民像

政府の目指す多文化政策の特徴と多文化社会に取り組む姿勢を明らかにし、理想とする移民像をとらえるために、第 4 章ではターンブル政権の多文化政策報告書を DHA で分析した。

まず、社会的行為者の指名ストラテジーでは、包括的 “we”、“all Australians” の使用がすべての国民の「共同体」を構築し、“our First Australians” がアボリジナルの人々はオーストラリアにおいて特別な地位にあるという認識を示していた。ナショナル・アジェンダ (1989) のような「英語が話せるか」を基準にした関連化 (Association) は見られなかったが、英語がターンブル報告書において「国語」、「移民統合のツール」として叙述されていることから、英語力がオーストラリア社会の一員になるために移民に強く求められることがわかった。

人種差別問題に関しては、罰則などの法的措置についての言及は皆無であり、これはギラード報告書との相違点の 1 つであった。“We condemn people who incite racial hatred” (人種的憎悪を扇動する人々を強く非難する) は “condemn” という強い語彙で、一見人種差別を非難しているようだが、これは少数の過激な人種差別主義者に責任を転嫁する「人種差別の否定のディスコース」であり、van Dijk (1992) の研究で指摘された主流派による人種差別の否定のディスコースの使用と合致する結果となった。

次に、「共有する価値観」というディスコース・トピックが確認されたが、それらは、「自由」、「機会均等」、「民主主義」、「法の支配」などの総称であり、特に自由と機会均等が強調されていることがわかった。「機会均等」は「フェアゴー」という名称にも言い換えられており、こうしたオーストラリア独自の名称で呼ぶ「指名ストラテジー」は仲間意識の醸成を狙いとしているようであった。

「国家安全保障」と「国境警備」も政府の多文化社会ディスコースの一部を成していた。オーストラリアに船で上陸しようとする難民は「オーストラリア人とは価値観が異なる集団」として排除の対象とされており、「彼らの入国を許せば、オーストラリア人の共通の価値観が脅かされ、オーストラリア人は自由を失う」というディスコースにより、海軍を使った国境警備が正当化されていた。OSB については、保守連合と労働党の間で超党派合意が成立しているが、ターンブルは、名詞化（Nominalization）を用いてオーストラリア・コミュニティ内でテロに対する懸念（“concern”）が存在すると既成事実化し、そこに副詞“justifiably”を足すことで「国民の心配は無理もないことだ」として OSB の必要性の根拠を作り、OSB を国民の声に応える政策として正当化していることもわかった。

以上が、ディスコース分析で暴かれた政府の目指す多文化政策の特徴だが、ターンブル報告書には、比較分析に用いたほかの報告書のように「多文化政策」という語彙は使用されておらず、「多文化国家」、「移民国家」という語彙が使用されていた。ターンブルの多文化社会に対する姿勢は、多文化政策を積極的に推進するというよりは、「移民国家である」現状を維持する姿勢であるといえよう。

オーストラリア政府が求める移民像については、移民のコラムの分析の結果も合わせると、「共有する価値観を尊重する個人で、フェアゴーと相互尊重の精神のもと、平等な参与者として白人と実力で競える経済的に自立した移民」であることがわかった。とりわけ彼らの “contribution”（貢献）が重要視されており、ターンブル政権の移民の受け入れは、後々の彼らの経済貢献とセットとなっており、まるで「投資とリターン」として捉えられているようであった。

1.2. 首相の人種差別問題に対する姿勢と 18C 改正の正当化

第5章5節で行ったターンブル首相の 18C 改正スピーチのディスコース分析では、首相の採用したディスコース・ストラテジーやレトリック戦略から 18C

に対する態度を明らかにした。首相は、冒頭では “will strengthen the protection of~” を2度繰り返す対句法のレトリック戦略で「人種差別からの国民の保護の強化」と「表現の自由の保護の強化」という両立不可能な2つテーマを主張していたが、徐々に態度をシフトさせ、やがて “will provide the right balance between~” （両者の適正なバランスを取る）という主張に変え、最終的には「表現の自由は我々の価値観であり、これが最も重要である」と締めくくることで、18C改正案を正当化していることがわかった。表現の自由は「我々の民主主義」という叙述ストラテジーによって国民全体の価値観と結びつけられており、18C改正に反対することは、すなわち国民の絶対的価値観に背くかのようになり、反論が難しくされていた。いわば、ターンブルは18C改正を正当化するために、民主主義のイデオロギーのパワーを使ったといえる。

改正案は、叙述ストラテジーで肯定的評価が与えられ、指名ストラテジーで客観性と妥当性が付加されていた。指名ストラテジーで引き合いに出された人権に関する連邦議会合同委員会委員長イアン・グッドイナッフ氏は、シンガポール出身のアジア系オーストラリア人であり、彼自身が移民であることが改正案に説得力を与えていた。

スピーチ全文においてマイノリティの人権問題にはほとんど言及がなく、国民全体を指す “Australians” という社会的行為者の指名ストラテジーの使用で、白人オーストラリア人とエスニックの二項対立関係も背景化されていた。民主主義の価値観がオーストラリアの価値観として前面に打ち出されており、それを18C改正の正当性の根拠として、国民の説得を試みていることもわかった。

1.3. 新聞メディアのディスコース

第5章の6節および7節では、18C改正の首相発表後の新聞記事を分析し、マードック系のDTとAUおよびフェアファクス系のAFR、SMH、AGEの5紙が18C改正に賛成か反対か、また18C改正問題をマイノリティの権利を擁護する立場から報道しているのか、どのようなディスコースで語っているのかを明らかにした。

まず、マードック系のDTとAUは人種差別問題を「表現の自由」の問題にすりかえ、18C 改正に賛成の姿勢を表していた。フェアファクス系の AFR は選挙への影響を懸念して改正に反対し、SMH と AGE は、マイノリティの人権とマイノリティ保護の観点から反対していることがわかった。

DT は、現代社会は 18C によって表現の自由が制限されている監視社会で、ジャーナリストが思想警察としてその片棒を担いでいると主張していた。一部の人種差別主義者にすべての人種差別の責任を転嫁する「人種差別の否定のディスコース」や、イスラム教徒への差別や偏見を助長する「反イスラム的ディスコース」も共起していた。AU は、18C 改正反対派の主張内容を歪め、その上に反駁を重ねる誤謬が見られた。人種差別を行っているのは一部の人間だという「人種差別の否定のディスコース」や、公平な社会なのだから反論すれば良いという被害者側に責任を負わせるような主張も見られた。公平性重視の「新自由主義ディスコース」で 18C が語られており、マイノリティは特別扱いを受けたり、司法の保護を受けるべきではないという主張が見られた。社会主流派とマイノリティのパワーの非対称性は無視されており、マイノリティは、主体性を持った社会的行為者としては議論にまったく参加させられていないことも分析により明確になった。

フェアファクス系の AFR は、過去のナラティブを訓話として挿入し、選挙に勝つには、アジア系を刺激すべきでないという考えを示唆していた。ナラティブの中に立ち現れた Dramatic Monologue の中では、アジア系は自由党支持者にとって「厄介な存在」としても表象されていた。AFR は、18C 改正に反対する姿勢を見せていたものの、それは選挙を念頭に置いたものであって、「人種差別問題ディスコース」ではなく、「選挙ディスコース」で 18C 問題が語られていることを確認した。このことは、人種差別問題に関心のない人たちや人種差別を日頃から行っている人たちが政治的な打算で 18C 改正に反対している可能性も示唆している。

一方、SMH と AGE の 2 紙は、マイノリティの権利を擁護する立場を示し、18C 問題を「人種差別問題ディスコース」で語っていることを確認した。もっとも SMH には、エスニックの投票行動について言及する「選挙ディスコース」も共起していた。SMH は、効果的な引用の配置でさまざまなエスニック団体や文化団体の「声」をパッチワークのようにテクストに織り込みつつ、首尾一貫した主張を見せていた。AGE は、18C は表現の自由を侵害するものではないということを引用で裏付け、改正賛成派の主張に丁寧に反駁する姿勢を示していた。

1.4. マイノリティのアイデンティティ構築と多文化社会への要望

第6章では、オーストラリアのエスニック・マイノリティのディスコースを分析する目的で、作家・コラムニストとして活躍するアジア系オーストラリア人二世のベンジャミン・ロウのインタビューを取り上げた。インタビューの中でどのような言語ストラテジーを用いてアイデンティティをディスコース的に構築していくのかを DHA と Bamberg（1997, 2004b, 2004d, 2006）および Bamberg and Georgakopoulou（2008）のポジショニング理論を用いて、3つのレベル（レベル 1、2、3）から分析した。ナラティブを一方的な語りとしてではなく、相互行為としてダイナミックに捉え、司会者、ロウ、聴衆の相互行為を考慮に入れた分析を行うことでロウのアイデンティティ構築について次のような結果を得ることができた。

幼少期から自分と周囲の白人との差異を感じ取っていたロウだが、思春期には移民第一世代の両親と理解し合えないことに葛藤することもままあった。旅先でアジア人旅行者に出会えば、「オーストラリア人」としてのアイデンティティをより強く意識するも、初めて訪れた香港では、自分と同じアジア的な容姿で広東語を話す香港の人々を目の当たりにし、アイデンティティに混乱をきたすと同時に居心地の良さを感じる。こうした移民ならではのストーリーに敏感な聴衆は、ロウをアジア人のステレオタイプやアジア人としてのアイデンティティと結びつけようと試みるが、ロウは、世間のアジア系移民に対する固定的で因襲的な見方に抵抗する。彼のアイデンティティは「アジア人」ではなく、長年かけて確立した「アジア系オーストラリア人」であり、アジア人とオーストラリア人の混成性に自信と誇りを持っているのである。オーストラリアは移民国家ゆえ、誰しもエスニックなルーツに還元でき、アジア系オーストラリア人と呼ばれることには否定的な含意はないはずで、むしろ、ハワード元首相のように、エスニック・マイノリティもすべてまとめて「オーストラリア人」と呼べばよいという考え方をロウは問題視している。ロウが求めているのは、エスニック・マイノリティを同質的に扱うことではなく、差異を肯定した上で、対等な参与者として認知することなのである。ロウが、このインタビューを利用して主流派の考え方を内側から変革させようとしていることもアイデンティティの交渉を３つのレベルで分析することにより明らかになった。

2. おわりに

多文化報告書の分析からは、自由とフェアゴーに代表される「オーストラリアの価値観の共有」と「移民による経済貢献」がメイン・テーマとして浮かび上がり、社会保障・福祉サービスを必要とするような移民や難民の存在はテクストの中では隠蔽されていた。そこで、本研究の第１の結論は、ターンブル（元）首相の目指す多文化社会は、「民主主義の基本原則が守られ、個人の自由も最大限に保障された社会であり、その中に身を置く参与者全員が、権利として与えられた平等な機会を利用し、経済貢献する義務を負う」という新自由主義的な社会であるということである。加えて、ハワード時代から技術移民重視政策を進め、高度人材受け入れを優遇してきた保守連合政権らしく、ターンブル政権にとって多文化主義はグローバル資本主義で優位に立てる人材を確保する手段であるということだ。

次に、マイノリティの人種差別からの保護についてだが、ターンブル報告書では、人種差別は一部の人種差別主義者が行っている程度の問題と片づけられており、18C 改正の意向を発表した首相スピーチでは、マイノリティを人種差別から守るはずの同法律を無力化するような文言変更を提案し、「表現の自由」を何よりも優先させる考えを示した。つまり、第２の結論は、ターンブルは共有する価値観の中でもとりわけ「自由」を尊重しているということである。人種差別は「相互尊重」という共有する価値観のもとで徐々に解消されていくべき問題であり、一部の国民のための法律は、全体の自由を制限し、それは「フェアゴー」に反するというのが彼の論理ではないかと推測される[1]。

メディアの姿勢として第３の結論をまとめると、マードック系は 18C 改正に賛成、フェアファクス系は反対であった。その根拠は、マードック系は「18C

---

1 ただし、ターンブルは自叙伝の中で、アボット首相の 18C 改正案には反対したと書いている(Malcom Turnbull, 2020, p.213) [Kindle 版]。

は表現の自由を侵害する」、「マイノリティは政府や法律の保護を受けるべきでない」などの新自由主義的考えにほぼ集約できる。一方のフェアファクスは、改正反対の理由はさまざまで、AGEとSMHはマイノリティの人権の観点から、AFRは選挙で保守連合がエスニック・マイノリティの票を獲得するために反対していたといえる。

最後に、ベンジャミン・ロウのインタビューの分析からは、オーストラリアで生まれ育った移民第二世代のエスニック・マイノリティは、「エスニック系オーストラリア人」としての独自のアイデンティティを確立していることがわかった。本論の第4の結論は、エスニック・マイノリティは自分たちが築いてきた「エスニック系オーストラリア人」としてのアイデンティティや文化を主流派のそれらと対等なものとして広く認知し、ステレオタイプや偏見を捨てることをオーストラリア社会に要求しているということである。

オーストラリアは1991年以来、29年にわたって景気拡大を続けてきた。2020年に新型コロナの影響もあって景気後退局面を迎えたが、それまでの世界最長の拡大を支えてきた柱の一つは間違いなく移民である。移民の力で、人口(population)、生産性（productivity）、労働参加率（participation）の3つのPを拡大してきた（翁, 2019, p.2)。移民の経済貢献は相当なものであるにもかかわらず、彼らはそれにふさわしい扱いを受けていないといえる。市民権やその他の諸権利は獲得してきたものの、人種やエスニシティの壁は依然として存在し、ようやく制定された人種差別禁止法18Cも「表現の自由」を理由に改正論や廃止論がたびたび持ち上がる。その「表現の自由」というのも、オーストラリアのコンテクストにおいては、弱者が権力に立ち向かうためだけでなく、社会の主流派である白人オーストラリア人がマイノリティに対して自由に発言する権利を意味することも本研究で露呈したとえいる。そうした意味では、AGEやSMHのようにマイノリティの「声」やマイノリティの味方をする白人の「声」を引用する新聞が存在することは救いである。こうしたメディアは読者のエスニックに対する理解を深めるだけでなく、社会でのマイノリティへの力の付与(empowerment）に寄与することがこれからも期待される。

参考文献

有田有希（2013).「食わせれる？旦那」にみる伝統的結婚観とそれに拮抗する新たな規範の交渉」佐藤彰・秦かおり(編)『ナラティブ研究の最前線：人は語ることで何をなすのか』(pp. 225-245). ひつじ書房.

有満保江（2003).『オーストラリアのアイデンティティ―文学にみるその模索と変容―』東京大学出版会.

飯笹佐代子（2020).「庇護希望者と国境管理―ボートピープルをめぐって」関根政美・塩原良和・栗田梨津子・藤田智子（編著)『オーストラリア多文化社会論－移民・難民・先住民族との共生をめざして』(pp.177-192). 京都：法律文化社.

石井由香（2009).「『社交クラブ』を超えて－アジア系専門職移民のエスニック・アソシエーション活動－」石井由香・関根政美・塩原良和（著)『アジア系専門職移民の現在－変容するマルチカルチュラル・オーストラリア』(pp.71-97). 慶応義塾大学出版会.

臼杵陽（2012).「ユダヤ人」大澤真幸・吉見俊哉・鷲田清一(編)『現代社会学事典』(pp.1283-1284). 弘文堂.

大石了（2006).「『水のメタファー』再考―コーパスを用いた概念メタファー分析の試みー」『日本認知言語学会論文集』*6*, 227-87.

翁百合（2019).『オーストラリアの移民政策の現状と評価』日本総研. (2020年5月23日取得, http://www.jri.co.jp)

越智道雄（2005).『オーストラリアを知るための55章』第2版.明石書店.

外務省（2021年9月7日).「人種差別撤廃条約」『人権外交』(2021年9月14日取得, http://www.mofa.go.jp/mofaj/gaiko/jinshu/index.html）

唐津麻里子（2011).「ストーリーテリングにおける語り手の自己表出と語彙・文法表現―会話物語『サンタクロースの衣装を買った』の分析―」『日本語／日本語教育研究』(2) web版，267-286. 日本語／日本語教育研究会.

佐藤由利子（2015).「留学生政策と技術移民政策の連携と課題―主要国の取組み傾向とオーストラリアの事例分析から」『移民政策研究』*7*, 101-117.移民政策学会.

沢田敬人（2012).『多文化社会を形成する実践者たち：メディア・政治・地域』横浜：オセアニア出版社.

塩原良和（2010).「ネオリベラル多文化主義とグローバル化する『選別／排除』の論理」『社会科学』*86*, 63-89.同志社大学人文科学研究所.

塩原良和（2017).『分断するコミュニティーオーストラリアの移民・先住民族政策』法政大学出版局.

塩原良和（2020).「移民・難民の受け入れと支援」関根政美・塩原良和・栗田梨津子・藤田智子（編著)『オーストラリア多文化社会論－移民・難民・先住民族との共生をめざして』(pp.145-158). 京都：法律文化社.

信濃グランセローズ（2014 年 7 月 23 日).「大塚監督活動自粛のお知らせ」(2021 年 11 月 7 日取得, https://www.grandserows.co.jp/news/)

下村隆之（2020).「ニュー・サウス・ウェールズ州における歴史教育の変容―ナショナル・カリキュラムの影響を受けて一」『オーストラリア研究』*33*, 15-28. オーストラリア学会.

菅野楯樹（2007).『レトリック論を学ぶ人のために』世界思想社.

杉田弘也（2012).「オーストラリア型二党制の終焉：2010 年連邦総選挙の持つ意味」『オーストラリア研究』*25*, 56-72. オーストラリア学会.

杉田弘也（2013).「『タフで人道的』な対策を模索するオーストラリアのボート・ピープル政策：オーストラリア多文化主義の『ドリアングレイの肖像』」『国際経営論集』*46*, 1-22. 神奈川大学経営学部.

杉田弘也（2020).「移民・難民問題とオーストラリアの政党政治」関根政美・塩原良和・栗田梨津子・藤田智子（編著)『オーストラリア多文化社会論－移民・難民・先住民族との共生をめざして』(pp.159-176). 京都：法律文化社.

鈴木健（2007).「コミュニケーション論からのアプローチ」菅野盾樹(編著)『レトリック論を学ぶ人のために』(p.112-138).世界思想社.

住裕美（2020 年 9 月 3 日).「第 2 四半期 GDP 成長率、前期比マイナス 7%、景気後退入りへ」『ビジネス短信（オーストラリア)』.JETRO. (2022 年 2 月 8 日取得, https://www.jetro.go.jp/biznews/2020/09/60f9f37d677f95

ed.html)

関根政美 (2000).『多文化社会の到来』朝日選書.

関根政美 (2005).「多文化社会における移民政策のジレンマ:新自由主義・民主主義・多文化主義」『社会学評論』*56*.(2) 329-346.日本社会学会.

関根政美 (2011). 「ハワード・シティズンシップ・テストからラッド・シティズンシップ・テストへ」『法学研究』*84*(6), 31-76. 慶應義塾大学法学研究会.

竹田いさみ (1991). 『移民・難民・援助の政治学－オーストラリアと国際社会－』 剄草書房.

竹田いさみ (2000).『物語オーストラリアの歴史』中公新書.

竹林滋・小島義郎・東信行・赤須薫 (編) (2005). 『ルミナス英和辞典』第 2 版. 研究社.

田村京子 (2017).「2017 オーストラリア昨今」『南半球評論』*33*, 72-81.オーストラリア・ニュージーランド文学会.

伊達聖伸 (2015).「ライシテの再強化が道を踏み外さないように」鹿島茂・関口涼子・堀茂樹編著『シャルリ・エブド事件を考える』(pp.58-63).白水社.

土田映子 (2007).「『エスニシティ』概観:コンセプトの形成と理論的枠組み」伊藤章 (編)『グローバリゼーションと多文化共生』, 国際広報メディア研究科・言語文化部研究報告叢書,*68*, 219-239.北海道大学国際広報メディア研究科. (2019 年 7 月 10 日取得, https://eprints.lib.hokudai.ac.jp/dspace/bitstream /2115/52864/1/Ethnicity.pdf)

中岡成文 (1996).『ハーバーマス:コミュニケーション行為』講談社.

仲西恭子 (2015).「豪州移民国境警備省のテクストの＜表象＞と目的」『Media, English and Communication』*5*, 59-74.日本メディア英語学会.

仲西恭子 (2016).「豪紙 *The Age* の社説に見られる説得戦術－オーストラリア社会における庇護希望者の問題－」石上文正・高木佐知子 (編著) 稲永知世・相田洋明・富成絢子・仲西恭子 (著)『ディスコース分析の実践―メディアが作る「現実」を明らかにする―』(pp.81-102). くろしお出版.

仲西恭子 (2017).「先住民問題に関する豪政府の姿勢」『オーストラリア研究』*30*, 37-49. オーストラリア学会.

名嶋義直・神田靖子（編）(2015).『3.11 原発事故後の公共メディアの言説を考える』. ひつじ書房.

日本経済団体連合会（2022).「Innovating Migration Policies : 2030 年に向けた外国人政策のあり方」『Policy(提言・報告書) 産業政策、行革、運輸流通、農業』 一般社団法人経済団体連合会. (2023 年 1 月 29 日取得, https://www.keidanren.or.jp/policy/2022/016_honbun.html)

秦かおり（2013).「『何となく合意』の舞台裏：在英日本人女性のインタビュー・ナラティブにみる規範意識の表出と交渉のストラテジー」佐藤彰・秦かおり(編)『ナラティブ研究の最前線 ： 人は語ることで何をなすのか』(pp. 247-271). ひつじ書房.

秦かおり（2014).「国外在留邦人が語る東日本大震災：対面の場における意見交渉の過程とアイデンティティ表出を分析する」『言語文化研究』*40*, 123-142, 大阪大学大学院言語文化研究科. (2021 年 10 月 22 日取得, http://doi.org/10.18910/27606).

林宅男（2008).『談話分析のアプローチ－理論と実践－』.研究社.

林礼子（2015).「[書評論文] 名嶋義直・神田靖子(編)(2015)「3.11 原発事故後の公共メディアの言説を考える」ひつじ書房」『語用論研究』*17*, 83-90. 日本語用論学会.

一言剛之（2021 年 1 月 4 日).「豪 国歌の歌詞変更―先住民歴史に配慮」『読売新聞』.

福澤一吉（2002).『議論のレッスン』. NHK 出版, 生活人新書 25.

藤川隆男（2007).『猫に紅茶を―生活に刻まれたオーストラリアの歴史―』大阪大学出版会.

法務省（2022).「令和 4 年 6 月末現在における在留外国人数について」プレスリリース. (2023 年 1 月 12 日取得, https://www.moj.go.jp/isa/content/001381744.pdf)

アング, I.&ストラットン, J.(1998).「アジア化するオーストラリア：カルチュラル・スタディーズにおける批判的なトランスナショナリズムに向けての考察」(伊豫谷登士翁・テッサ・モリス＝スズキ・酒井直樹編)『グローバリゼーションのなかのアジア―カルチュラル・スタディーズの現在― 』

(pp.35-80).未来社.

オユナー, N. (2019).「外国人妻のナラティブにみるアイデンティティーの揺れ－在日モンゴル人女性を事例に－」『大阪大学言語文化学』*28*, 43-56. 大阪大学.

クープ, S. (2013).「オーストラリアにおける人種に基づく中傷の禁止と表現の自由：イートック V. ボルトを中心に」『アジア太平洋レビュー』*10*, 2-14. 大阪経済法科大学アジア太平洋研究センター.

グラスビー, A. (2002). (藤森黎子訳)『寛容のレシピ: オーストラリア風多文化主義を召し上がれ』東京：NTT 出版. [原著：Grasby, Al. (1984) *The tyranny of prejudice*. Melbourne: Australian Educa Press.]

ジェンシュ, D. (1985). (関根政美・関根薫訳)『オーストラリア政治入門』慶応通信.[原著：Jaensch, D. (1984) *An introduction to Australian politics*. Melbourne: Longman Cheshire.]

タウリーコープス, V. (2020). (角田猛之訳)「先住民族の権利に関する国連特別報告者報告―オーストラリア訪問」『ノモス』*47*, 91-122. 関西大学法学研究所.[原著：Tauli-Corpuz, V.(2017). *Report of the special rapporteur on the rights of indigenous peoples on her visit to Australia* (A/HRC/36/46/Add.2)]

チュートリアル徳井の会見全文 1 (2019 年 10 月 24 日).ヤフーニュース (2021 年 10 月 16 日取得, https://news.yahoo.co.jp/articles/583a9709d1d0586dc296f4f7a008d7a713858010)

トゥールミン, S. (2011). (戸田山和久・福澤一吉訳) 『議論の技法：トゥールミンモデルの原点』東京図書. [原著：Toulmin, S. (1958/2003). *The Uses of argument* (updated ed.). Cambridge University Press.]

ハージ, G. (2003). (保苅実・塩原良和訳) 『ホワイト・ネイション』平凡社. [原著：Hage, G. (1998). *White nation: Fantasies of white supremacy in a multicultural society*. Sydney: Pluto Press.]

ハーバマス, J. (1986).(藤沢賢一郎・岩倉正博・徳永恂・平野嘉彦・山口節郎訳)『コミュニケイション的行為の理論 (中) 』未來社.[原著：Habermas, J. (1981). *Theorie des kommunikativen Handelns*, Bde. 1-2. Suhrkamp

Verlag, Ffm.]

バンガシュ, Z. (2017). (バレット、K.J. 編)(伊藤力司訳「シャルリ・エブドと欧米の対イスラム文化戦争」板垣雄三監訳『シャルリ・エブド事件を読み解く一世界の自由思想家たちがフランス版 9.11 を問う』(pp.266-275). 第三書館.[原著：Bangash, Z (2015).Charlie Hebdo and the West's cultural war on Islam, in Barrett, K.J.(Ed.). *We are not Charlie Hebdo!：Free thinkers question the French 9/11.* Shifting and Winnowing Books.]

フェアクラフ, N. (2012). 『ディスコースを分析する—社会研究のためのテクスト分析－』（日本メディア英語学会メディア英語談話分析研究分科会訳). くろしお出版. [原著：Fairclough, N. (2003). *Analysing discourse: Textual analysis for social research.* Abingdon: Routledge.]

フェアクロー, N. (2008).(貫井孝典監修、他訳)『言語とパワー』 大阪：大阪教育図書.[原著: Fairclough, N.(1989) *Language and Power.* Essex: Longman.]

フーコー, M. (2006). (小林康夫・石田英敬・松浦壽輝編) 『フーコー・ガイドブック』ちくま学芸文庫.

ホルスタイン, J.A.&グブリアム, J.F. (2004).(山田富秋・兼子一・倉石一郎・矢原隆行訳) 『アクティヴ・インタビュー：相互行為としての社会調査』東京：せりか書房. [原著：Holstein, J.A.,& Gubrium, J.F.(1995). *The active interview: Qualitative research methods.* London: Sage.]

マキューン, E. (2018). 「気候変動を否定する大企業経営者たち」: 山元里美翻訳『Global Dialogue』*8* (2), 14-15. (2020 年 12 月 9 日取得, https://globaldialogue.isa-sociology.org/wp-content/uploads/2018/08/v8i2-japanese.pdf)

マルティニエッロ, M. (2002).(宮島喬訳)『エスニシティの社会学』白水社. [原著：Martiniello, M. (1995). *L'ethnicité dans les sciences sociales contemporaines.* Presses Universitaires de France.]

メリル, J.C. (1970). (山室まりや訳)『世界の一流新聞』早川書房.[原著：Merrill, J.C. (1968). *The elite press: The great newspapers of the world.* New York: Pitman.

ライジグル, M.&ヴォダック, R. (2018). 「ディスコースの歴史的アプローチ(DHA)」R. ヴォダック&M. マイヤー編 (野呂佳代子・神田靖子他訳). 『批判的談話分析研究とは何か』(pp.33-87).三元社. [原著 : Reisigl, M., & Wodak, R. (2016). The discourse-historical approach (DHA). In R. Wodak & M. Meyer (Eds.), *Methods of critical discourse studies.* (3rd ed.). London: Sage.]

リドリー, Y. (2017). (バレット、K.J.編)(伊藤力司訳「わたしは混乱状態」板垣雄三監訳『シャルリ・エブド事件を読み解く―世界の自由思想家たちがフランス版 9.11 を問う』(pp.312-316). 第三書館.[原著 : Ridley, Y. (2015). 'Je suis confused,' in Barrett, K.J.(Ed.). *We are not Charlie Hebdo! : Free thinkers question the French 9/11.* Shifting and Winnowing Books.]

ヴォダック, R. (2010). 「談話の歴史的アプローチ」R. ヴォダック&M.マイヤー編 (野呂佳代子監訳). 『批判的談話分析入門 : クリティカル・ディスコース・アナリシスの方法』(pp.93-131).三元社.[原著 : Wodak, R. (2001). The discourse- historical approach. In R. Wodak & M. Meyer (Eds.), *Methods of critical discourse analysis.* London: Sage.]

ヴォダック, R.&マイヤー, M. (2018). 「批判的談話分析 : 歴史、課題、理論、方法論」. R. ヴォダック, R.&M. マイヤー編 (野呂佳代子・神田靖子他訳). 『批判的談話分析研究とは何か』(pp.1-32).三元社. [原著 : M. Reisigl., & R. Wodak. (2016). The discourse-historical approach (DHA). In R. Wodak & M. Meyer (Eds.), *Methods of critical discourse studies.* (3rd ed.). London: Sage.]

Abrams, M.H. (1999). Dramatic Dialogue. In *A Glossary of Literary Terms*, 7th Edition (pp.70-71). Boston: Heinle & Heinle.

Allan, S. (2004). *News culture* (2nd ed.). Buckingham: Open University Press.

Ang, I. (2000). *Alter/Asians: Asian-Australian identities in art, media, and popular culture.* Sydney: Pluto Press.

Asia Society Policy Institute (2020). *The Honorable Kevin Rudd-President.*

Retrieved December 26, 2020, from https://asiasociety.org/policy-institute/honorable-kevin-rudd

Australia. (n.d.). In *Encyclopedia Britannica Online.* Retrieved from https://academic.eb.com/levels/collegiate/article/Australia/110544

Australian Bureau of Statistics (2017, June 27).*2016 Census: Multicultural.* Retrieved March 20, 2018, from http://www.abs.gov.au/ausstats/abs@.nsf/lookup/Media%20Release3

Australian Bureau of Statistics (2019, December 18). *Australian Stand ard Classification of Cultural and Ethnic Groups (ASCCEG).* Retrieved March 26, 2021, from https://www.abs.gov.au/AUSSTATS/abs@.nsf/DetailsPage/1249.02019?OpenDocument

Australian Government Department of Home Affairs. (2017). *Multicultural Australia: United, strong, successful.* Retrieved March 25, 2020 from https://www.homeaffairs.gov.au/mca/Statements/english-multicultural-statement.pdf

Australian Government Department of Immigration and Citizenship. (2011). *The People of Australia: Australia's Multicultural Policy.* Retrieved March 25, 2020 from https://www.runnymedetrust.org/uploads/events/people-of-australia-multicultural-policy-booklet.pdf

Australian Government Department of Immigration and Multicultural Affairs. (1999). *A new agenda for multicultural Australia.* Retrieved March 25, 2020 from https://aiatsis.library.link/portal/A-new-agenda-for-multicultural-Australia/W7kvjKiubIs/

Australian Government Department of Immigration and Multicultural and Indigenous Affairs. (2003). *Multicultural Australia, united in diversity: Updating the 1999 new agenda for multicultural Australia: Strategic directions for 2003-2006.* Retrievable March 25, 2020 from http://www.multiculturalaustralia.edu.au/doc/ma_1.pdf

Australian Government Department of the Prime Minister and Cabinet (2006, February 15). *PM transcripts: Interview with John Laws*

Radio 2UE, Sydney. Retrieved October 27, 2017 from https://pmtranscripts.pmc.gov.au/release/transcript-22130

Australian Government Department of the Prime Minister and Cabinet Office of Multicultural Affairs. (1989). *National Agenda for a Multicultural Australia: Sharing our future.* Australian Government Publishing Service. Canberra.

Australian Government National Archives of Australia. (n.d.). *Australia's prime ministers.* Retrieved September 22, 2018, from http://primeministers.naa.gov.au/primeministers/rudd/before-office.aspx

Australian Human Rights Commission (2014). *Amendment to part IIA, racial discrimination act 1975 in Australian human rights commission.* Retrieved June 18, 2020, from https://humanrights.gov.au/our-work/legal/submission/amendments-part-iia-racial-discrimination-act-1975#Heading198

Australian Human Rights Commission. (2016, September 8). *Section 18 C and free speech.* Retrieved March 27, 2018, from https://www.humanrights.gov.au/our-work/race-discrimination/projects/race-hate-and-rda#Heading33

Australian Human Rights Commission. (n.d.). *Australian human rights commission.* Retrieved January 7, 2022, from https://www.humanrights.gov.au/our-work/rights-and-freedoms/parliamentary-joint-committee-human-rights

Australian Human Rights Commission. (n.d.). *Conciliation-how it works.* Retrieved January 7, 2022, from https://www.humanrights.gov.au/complaints/complaint-guides/conciliation-how-it-works

Australian Human Rights Commission. (n.d.). *2017-18 Complaint statistics.* Retrieved October 12, 2021, from https://humanrights.gov.au/sites/default/files/AHRC_Complaints_AR_

Stats_Tables_2017-18.pdf

Australian Human Rights Commission.(n.d.) *The passage of the racial hatred act 1995.* Retrieved September 14, 2021, from https://humanrights.gov.au/our-work/legal/submission/amendments-part-iia-racial-discrimination-act-1975#Heading228

Australian Multicultural Advisory Council (AMAC) (2010). *The people of Australia: The Australian multicultural advisory council's statement on cultural diversity and recommendations to government.* AMAC, Canberra.

Baker, N. (2019, May 1). Please explain: The history of Pauline Hanson's One Nation party. *SBS news.* Retrieved February 4, 2021, from https://www.sbs.com.au/news/please-explain-the-history-of-pauline-hanson-s-one-nation-party

Bakhtin, M. (1981). *The Dialogic Imagination.* Austin, TX: University of Texas Press.

Bamberg, M. (1997). Positioning between structure and performance. *Journal of Narrative and Life History, 7* (1-4), 335-342.

Bamberg, M. (2004a). Considering counter narratives. In M. Bamberg & M. Andrews (Eds.), *Considering counter narratives: Narrating, resisting and making sense* (pp.351–371). Amsterdam: John Benjamins Publishing Company.

Bamberg, M. (2004b). Form and functions of 'slut bashing' in male identity constructions in 15-year-olds. *Human Development, 47*(6), 331–353. Doi : 10.1159/000081036

Bamberg, M. (2004c). Positioning with Davie Hogan. Stories, tellings and identities. In C. Daiute & C. Lightfoot (Eds.), *Narrative analysis: Studying the development of individuals in society* (pp.135–157). London: Sage.

Bamberg, M. (2004d). Talk, small stories, and adolescent identity. *Human Development, 47*(6), 366–369.

Bamberg, M. (2006). Stories: Big or small. *Narrative Inquiry, 16*, 139-147.

Bamberg, M. (2011). Who am I ?: Narration and its contribution to self and identity. *Theory & Psychology. 21 (1)*, 1-22. SAGE.

Bamberg, M. & Georgakopoulou, A. (2008). Small stories. *Text & Talk, 28*(3), 377-396.

Bell, A. (1991). *The language of news media.* Oxford: Blackwell.

Blainey, G. (1984, May 10). Blainey: Why I'm not a racist. *The Sydney Morning Herald.* p.1. Retrieved October 12, 2021, from The Sydney Morning Herald Archives. https://archives.smh.com.au/

Bolt, A. (2009, April 15). It's so hip to be black. *Herald Sun.* Retrieved November 8, 2021, from https://www.abc.net.au/mediawatch/transcripts/1109_heraldsun09.pdf

Bolt, A. (2009, August 21). White Fellas in the Black. *Herald Sun.* Retrieved October 24, 2018, from http://www.heraldsun.com.au/news/opinion/white-fellas-in-the-black/story-e6frfifo-1225764532947

Brett, J. (2010). The Liberal Party. In A. Parkin, J. Summers & D.F. Woodward (Eds.), *Government, politics, power and policy in Australia* (pp.238-239). Frenchs Forest, NSW: Pearson Australia Group.

Caldas-Coulthard, C.R. (1994). On reporting reporting: The representation of speech in factual and factional narratives. In M. Coulthard (Ed.), *Advances in written text analysis* (pp.295-308). London: Routledge.

Cameron, D. (2001). *Working with spoken discourse.* London: SAGE

Chinnery, K. (2012, January 30). No shortage of openings for blacks. *Australian Financial Review.* Retrieved from https://www.afr.com/politics/insensitive-headline-20120131-i3q0j.

Chua, A. (2011). *Battle hymn of the tiger mother.* New York: Penguin Books.

Clark, A. (August 10, 2018). The journalist, the PM and the China. *The Australian financial review.* Retrieved October 17, 2021, from https://www.afr.com/policy/the-journalist-the-pm-and-the-china-reset-20180809-h13rs0

Cleo magazine to close after 44 years in print, Bauer Media Group confirms. (2016, January 20). *ABC News.* Retrieved November 13, 2020, from https://www.abc.net.au/news/2016-01-20/cleo-magazine-to-close-bauer-media-group-confirms/7100808

Colic-Peisker, V. (2009). The rise of multicultural middle class: A new stage of Australian multiculturalism? *The Australian Sociological Association [TASA] 2009 Annual Conference Papers.* Retrieved October 12, 2021, from Document library of TASA, "TASA conference", https://www.tasa.org.au/content.aspx?page_id=86&club_id=671860

Committee to Advise on Australia's Immigration Policies. [Chairman, Stephen FitzGerald]. (1988). *Immigration: A Commitment to Australia. The report by the Committee to Advise on Australia's Immigration Policies.*

Commonwealth of Australia, Department of the Prime Minister and Cabinet Office of Multicultural Affairs. (1989). *National Agenda for a Multicultural Australia: Sharing our future.* Australian Government Publishing Service. Canberra.

Commonwealth of Australia (2015). *A history of the department of immigration: managing migration to Australia.* The department of immigration and border protection. Retrieved November12, 2022, from https://www.homeaffairs.gov.au/about-us-subsite/files/immigration-history.pdf

Commonwealth of Australia (2017, February 28). *Report, Freedom of speech in Australia: Inquiry into the operation of Part IIA of the Racial Discrimination Act 1975 (Cth) and related procedures under the Australian Human Rights Commission Act 1986 (Cth).*
Retrieved July 6, 2020, from https://www.aph.gov.au/Parliamentary_Business/Committees/Joint/Human_Rights_inquiries/FreedomspeechAustralia/Report

Commonwealth of Australia (2018). *Australian citizenship - our common bond.* Retrieved June 20, 2020, from https://immi.homeaffairs.gov.au/citizenship-subsite/files/our-common-bond.pdf ［翻訳版『オーストラリア市民権—私たちの共通の絆』］

Coorey, P. (2017, March 25). Quietly now, but 18C may remain lead in the saddlebag. *The Australian Financial Review, p.47.* Retrieved May 23, 2019 from LexisNexis Academic database.

Crystal, D. (2016). *Making a point: The pernickety story of English punctuation.* London: Profile books.

Davies, B., & Harré, R. (1990). Positioning: The discursive production of selves. *Journal for the Theory of Social Behaviour, 20* (1), 43–63.

Delbridge, A., Bernard, J., Blair, D. Butler, S. Peters, P. & Yallop, C. (Eds.). (1997).*The Macquarie Dictionary* (3rd ed.).Sydney: The Macquarie Library.

De Leon, A. (2020, April 8). The long history of US racism against Asian Americans from 'yellow peril' to 'model minority' to the 'Chinese virus'. *The Conversation.* Retrieved October 21, 2020, from https://theconversation.com/the-long-history-of-us-racism-against-asian-americans-from-yellow-peril-to-model-minority-to-the-chinese-virus-135793

Dor, D. (2003). On newspaper headlines as relevance optimizers. *Journal of Pragmatics 35*, 695-721.Elsevier.

Dunn, K. M., Forrest, J., Babacan, H., Paradies, Y., & Pedersen, A. (2011). *Challenging racism: The anti-racism research project: National level findings.* Retrieved October 12, 2021, from http://www.uws.edu.au/__data/assets/pdf_file/0007/173635/NationalLevelFindingsV1.pdf

Dunn, K.M., & Nelson, J. K. (2011). Challenging the public denial of racism for a deeper multiculturalism. *Journal of Intercultural Studies, 32* (6), 587-602. Routledge.

Errington, W., & van Onselen, P. (2007). *John Winston Howard: The definitive biography.* Carlton, Vic.: Melbourne University Publishing.

Essed, P. (1991). *Understanding everyday racism: An interdisciplinary theory.* Thousand Oaks, CA: Sage Publications, Inc.

Fairclough, N. (1989). *Language and power.* Essex: Longman.

Fairclough, N. (1993). *Discourse and social change.* Cambridge: Polity Press. (Original work published 1992).

Fairclough, N. & Wodak, R. (1997). Critical discourse analysis. In T.A.van Dijk (Ed.), *Discourse as social interaction* (pp.258-84). London: Sage.

Fowler, R. (1991). *Language in the news: Discourse and ideology in the press.* London: Routledge.

Fowler, R., Hodge, R., Kress, G., & Trew, T. (1979). *Language and control.* London: Routledge.

#FreedomOfSeech. Retrieved June 20, 2020, from https://twitter.com/mrbenjaminlaw/status/844020773970886661

Gauja, A., Chen, P., Curtin, J. & Pietsch, J. (2018). *Double Disillusion: The 2016 Australian Federal Election.* (p.18). ANU Press.

Georgakopoulou, A. (2007). *Small stories, interaction and identities.* Amsterdam: John Benjamins Publishing Company.

Goffman, E. (1981). *Forms of Talk.* Philadelphia: University of Pennsylvania.

Grattan, M. (2017, October 26). Turnbull government says no to Indigenous 'Voice to Parliament', The Conversation. Retrieved January 26, 2023 from https://theconversation.com/turnbull-government-says-no-to-indigenous-voice-to-parliament-86421

Griffiths, E. (2014, March 24). George Brandis defends 'right to be a bigot' amid government plan to amend Racial Discrimination Act, *ABC News, Australia.* Retrieved October 12, 2021, from https://www.abc.net.au/news/2014-03-24/brandisdefends-right-to-be-a-bigot/5341552

Gumperz, J. (2009). The speech community. In A. Duranti (Ed.), *Linguistic anthropology: A reader,* (2nd ed.,pp. 66-73).Malden, MA: Blackwell.

Hall, A. (2012, August 28). Australian supermarket chain embroiled in racist job ad row. *ABC News, Australia*. Retrieved November 3, 2021, from https://www.abc.net.au/news/2012-08-28/an-coles-supermarket-racist-row/4229248

Halliday, M. A. K. (1994). *An introduction to functional grammar* (2nd ed.). London: Edward Arnold.

Hanson, P. (2016). Transcript: Pauline Hanson's 2016 maiden speech to the Senate. *ABC News, Australia*. Retrieved April 6, 2018, from http://www.abc.net.au/news/2016-09-15/pauline-hanson-maiden-speech-2016/7847136

Hatoss, A. (2012). Where are you from? : Identity construction and experiences of 'othering' in the narratives of Sudanese refugee-background Australians. *Discourse & Society*, *23* (1), 47-68.

Henningham, J. (1993). Characteristics and attitudes of Australian journalists, *EJC*, *3* (3&4). Retrieved October 12, 2021, from http://www.cios.org/EJCPUBLIC/003/3/00337.HTML

Hodge, R., & Kress, G. (1993). *Language and ideology*. London: Routledge.

Holman, J. (2016, November 8). 18C: Liberal MP urges party not to meddle with Racial Discrimination Act. *ABC NEWS*. Retrieved December 29, 2020, from https://www.abc.net.au/news/2016-11-08/liberal-mp-urges-party-not-to-change-18C/8003870

Holmes, J. & McGauran, J. (Executive Producers). (1988 – present). *Home and Away*. [Television Series]. Sydney: Seven Studios, Seven Network Operations Limited, Red Heart Entertainment & Kepper Media.

Hornby, A.S. (2000). *The Oxford Advanced Leaner's Dictionary* (6th ed.). Oxford: Oxford University Press.

Howard, J. (2007, January 23). *Transcript of the Prime Minister The Hon John Howard MP, Press Conference, Parliament House, Canberra, media release, Canberra*. Retrieved August 18, 2010, from http://parlinfo.aph.gov.au/parlInfo/search/display/display.w3p;query=I

d%3A%22media%2Fpressrel%2FYR0M6%22

Iarovici, E., & Amel, R. (1989). The strategy of the headline. *Semiotica 77*(4), 441-459.

Iedema, R., Feez, S., & White, P. (1994). *Literacy in industry research project: Stage two – Media literacy.* Sydney: New South Wales Department of School Education, Disadvantaged Schools Program, Metropolitan East Region.

Isaacs, V., & Kirkpatrick, R. (2003). *Two hundred years of Sydney newspapers: A short history.* North Richmond, New South Wales: Rural Press Ltd. Retrieved February 1, 2024, from https://www.mq.edu.au/research/research-centres-groups-and-facilities/resilient-societies/centres/centre-for-media-history/australian-media-history-database/associations/australian-newspaper-history-group

It's time for a vote of greater independence. (2004, October 8). *The Sydney Morning Herald.* Retrieved March 11, 2019, from https://www.smh.com.au/opinion/its-time-for-a-vote-of-greater-independence-20041008-gdjvnv.html

Jary, M. (2022, April 16). Jessica Mauboy reveals how her time on Australian Idol has shaped the way she judges contestants on The Voice: 'Words can really hurt.' *Mail online.* The Daily Mail. Retrieved August 18, 2022, from https://www.dailymail.co.uk/tvshowbiz/article-10723935/Jessica-Mauboy-Time-Australian-Idol-shaped-way-judges-contestants-Voice.html.

Johnson, S. (2017, October 3). Harassment escalated into brazen Anti-Semitism: TV reporter Caroline Marcus claims 'proud pedo' ACA reporter Ben McCormack taunted her for being Jewish. *The Daily Mail Australia.* Retrieved January 14, 2022, from https://www.dailymail.co.uk/news/article-4942868/Sky-reporter-tormented-Ben-McCormack-Jewish.html

Jost, J. T., & Banaji, M. R. (1994). The role of stereotyping in system-justification and the production of false consciousness. *British Journal of Social Psychology, 33* (1), 1-27.

Jupp, J. (1991). *Immigration.* Sydney: Sydney University Press.

Jupp, J. (2001). *The Australian people: An encyclopedia of the nation, its people and their origins.* Cambridge: Cambridge University Press.

Kaiser, C. R., Dyrenforth, P. S., & Hagiwara, N. (2006). Why are attributions to discrimination interpersonally costly? : A test of system- and group-justifying motivations. *Personality and Social Psychology Bulletin, 32* (11), 1523-1536.

Knott, M. (2017). Fairfax-Ipsos poll: Eight in 10 voters oppose Turnbull government's 18C race hate law changes. *The Sydney Morning Herald.* Retrieved March 28, 2021, from https://www.smh.com.au/politics/federal/fairfaxipsos-poll-eight-in-10-voters-oppose-turnbull-governments-18C-race-hate-law-changes-20170327-gv7dlq.html

Koziol, M. & Remeikis, A. (2017, March 21). Ethnic groups slam Turnbull government's proposed 18C changes. *The Sydney Morning Herald, News.* Retrieved May 23, 2019 from LexisNexis Academic database.

Kress, G., & van Leeuwen, T. (2006). *Reading images: The grammar of visual design.* London: Routledge.

Krzyźanowski, M., & Wodak, R. (2007). Multiple identities, migration and belonging: 'Voices of migrants'. In C-R. Caldas-Coulthard, & R. Iedema (Eds.), *Identity trouble: Critical discourse and contested identities* (pp.95-119). Basingstoke: Palgrave.

Labov, W., & Waletzky, J. (1967). Narrative analysis: Oral versions of personal experience. In J. Helm (Ed.), *Essays on the verbal and visual arts* (pp.12-44). Seattle: University of Washington Press.

Law, B. (2011). Tourism. *The family law.* Schwartz Publishing Pty. Ltd. (ebook-Kindle, ch.6, par.5).

Law, B. (2015). It's easy to make friends with white people. In T, Soutphommasane (Ed.), *I'm not racist, but...* (pp.244-248). Sydney: NewSouth Publishing.

Leak, B. (2016, August 4). "You'll have to sit down and talk to your son about personal responsibility" (Editorial cartoon). *The Australian.* Retrieved January 17, 2022, from https://www.theaustralian.com.au/

Leak, B. (2017, February 15). Bill Leak address to 18C parliamentary inquiry. *The Australian.* Retrieved January 7, 2022, from https://www.theaustralian.com.au/news/bill-leak-address-to-18c-parliamentary-inquiry/news-story/138cef1db1efbc3939033a83186c837f

Lee, J. (1889). Anti-Chinese Legislation in Australasia. *The Quarterly Journal of Economics, 3* (2) (Jan.), 218-224.

Levinson, S. (1983). *Pragmatics.* Cambridge: Cambridge University Press.

Li, J.Y., Yu AC, J., Law, B., Wong, S., Ayres, T., Wah, A.S. et al. (2020, April 8). *Open letter on national unity during the coronavirus pandemic: From 16 Australians of Chinese heritage*. China Neican. Retrieved July 21, 2020, from https://neican.substack.com/p/open-letter-on-national-unity-during

Lilley, C., & Waters, L. (Producers). (2011). *Angry boys* [Television Series]. Melbourne: Princess Pictures, ABC, & HBO. Retrieved March 19, 2019, from https://www.abc.net.au/news/2011-12-15/chris-lilley-in-angry-boys/3732478

Lindemann, B. (1990). Cheap thrills we live by: Some notes on the poetics of tabloid headlines. *Journal of Literary Semantics 19*, 46-59.

Lindy, E. (April, 19, 2018). Labor and Liberal: Are they really that different? UNSW Canberra's website. Retrieved December 11, 2020, from https://www.unsw.adfa.edu.au/labor-and-liberal-are-they-really-different.

Livsey, A. (2017, March 21). #FreedomOfSpeech: Twitter shares stories of racism in Australia. *The Guardian.* Retrieved August 28, 2018, from https://www.theguardian.com/australia-news/2017/mar/21/freedomofspeech-twitter-shares-stories-of-racism-in-australia

Machin, D., & Mayr, A. (2012). *How to do critical discourse analysis: A multimodal introduction*. London: SAGE.

Manne, R. (2011). Bad News: Murdoch's *Australian* and the shaping of the nation. *Quarterly Essay, 43*. Retrieved October 24, 2021, from https://www.quarterlyessay.com.au/essay/2011/09/bad-news

Marcus, C. (2017, March 28). A big bother. *The Daily Telegraph, p.13*. Retrieved May 23, 2019 from LexisNexis Academic database.

Martin, J.R. (1984). Language, register and genre, In F. Christie (Ed.), *Children writing: Reader*. (pp.21-29). Geelong, Vic: Deakin University Press.

Martin, P. (2017, June 27). Census 2016: Milestone Passed as Australia becomes more Asian, less European. *The Sydney Morning Herald*. Retrieved March 20, 2018, from https://www.smh.com.au/business/the-economy/census-2016-milestone-passed-as-australian-becomes-more-asian-than-european-20170627-gwz3ow.html

McGuirk, R. (May, 17, 2019). Policy differences at stake in Australian federal election. *AP News*. Retrieved December 11, 2020, from https://apnews.com/article/f8fc5eefb4ab4393a43ac8501482b5a8

McNally, L. (2014, July 31). Karen Bailey gets good behaviour bond, avoids recorded conviction after racist train rant. *ABC News, Australia*. Retrieved November 3, 2021, from https://www.abc.net.au/news/2014-07-31/karen-bailey-avoids-conviction-after-racist-train-rant/5638192?nw=0&r=HtmlFragment

Miles, R., & Brown, M. (1989). *Racism*. London: Routledge.

Minority. (n.d.). In *Encyclopedia Britannica Online*. Retrieved from https://www.britannica.com/topic/minority

Museum of Contemporary Art of Australia (n.d.). *Artist profile: William Yang*. Retrieved November 13, 2020, from https://www.mca.com.au/artists-works/artists/william-yang/

National Curriculum Board (2009, May). *The shape of the Australian curriculum.* Barton ACT: Commonwealth of Australia. Retrieved February 28, 2020, from https://docs.acara.edu.au/resources/The_Shape_of_the_Australian_Curriculum_May_2009_file.pdf

National Multicultural Advisory Council. (1999). *Australian multiculturalism for a new century: Towards inclusiveness.* Commonwealth of Australia. Retrieved May 28, 2022, from https://catalogue.nla.gov.au/Record/494695

Nelson, J.K. (2013). Denial of racism and its implications for local action. *Discourse & Society. 24* (1), 89-109. Sage Publications.

Olle, E. (2020, July 8). Asian shoppers targeted in foul-mouthed tirade at Woolworths. *7 News.* Retrieved November, 3 2021, from https://7news.com.au/lifestyle/woolworths/asian-shoppers-targeted-in-foul-mouthed-tirade-at-woolworths-c-1153984

Ommundsen, W. (2000). Birds of passage? The new generation of Chinese-Australian writers. In I. Ang, L.B. Law, & M. Thomas. (Eds.). *Alter/Asians: Asian-Australian identities in art, media and popular culture* (pp.89-106). Pluto Press Australia.

O'Neill, B. (2017, March 25). Freedom of speech easily beats 18C as a civilising force. *The Australian.* Retrieved May 23, 2019 from LexisNexis Academic database.

Paltridge, T., Mayson, S., & Schapper, J. (2014). Welcome and exclusion: An analysis of *The Australian* newspaper's coverage of international students. *Higher Education, 68* (1), 103-116.

Parkes, W.F., & MacDonald, L. (Producer), & Verbinski, G. (Director). (2002). *The Ring.* [Motion picture]. The USA: DreamWorks Pictures.

Parliament of Australia (Updated 2013, July 23). Boat arrivals in Australia since 1976. Retrieved June 27, 2020, from https://www.aph.gov.au/about_parliament/parliamentary_departments/parliamentary_library/pubs/bn/2012-2013/boatarrivals

Parliament of Australia. (2017, March 21). Press Conference with the Attorney-General Parliament House, Canberra SUBJECTS: *Reform to section 18C of the Racial Discrimination Act. Parliament of Australia.* Retrieved June 22, 2020 from https://parlinfo.aph.gov.au/parlInfo/search/display/display.w3p;query=Id%3A%22media%2Fpressrel%2F5170416%22

Parliament of Australia (Updated 2018, July 20). *Boat 'turnbacks' in Australia: a quick guide to the statistics since 2001.* Retrieved June 27, 2020, from https://www.aph.gov.au/About_Parliament/Parliamentary_Departments/Parliamentary_Library/pubs/rp/rp1819/Quick_Guides/BoatTurnbacksSince2001

Parliamentary Joint Committee on Human Rights (2016). Freedom of Speech in Australia. Retrieved July 6, 2020, from https://www.aph.gov.au/Parliamentary_Business/Committees/Joint/Human_Rights_inquiries/FreedomspeechAustralia

Peatling, S. (2006, February 14). Abortion will lead to Muslim nation: MP. *The Sydney Morning Herald.* Retrieved October 13, 2018, from https://www.smh.com.au/national/abortion-will-lead-to-muslim-nation-mp-20060214-gdmys8.html

Petersen, W. (1966, January 6). Success story: Japanese American Style. *New York Times Magazine,* 20-43.

Pfau, M.R. (1995). Covering urban unrest: The headline says it all. *Journal of Urban Affairs, 17*(2), 131-141.

Phillips, J., & Simon-Davies, J. (Updated 2017, January18). Migration to Australia: A quick guide to the statistics. *ABS, Australian Demographic Statistics cat. No. 3101.0.* Retrieved November 11, 2021, from

https://www.aph.gov.au/About_Parliament/Parliamentary_Departmen

ts/Parliamentary_Library/pubs/rp/rp1617/Quick_Guides/MigrationStatistics#_Table_4:_Components

Pung, A. (2008). *Growing up Asian in Australia*. Melbourne, Australia: Black Inc.

Pung, A. (2009, November 27). *The original introduction to "Growing up Asian in Australia"*. Peril. Retrieved December 11, 2021, from https://peril.com.au/back-editions/edition08/the-original-introduction-to-growing-up-asian-in-australia/

Reiner, R. (1986). (Director).*Stand by me*. [Motion picture]. Sony Pictures.

Reisigl, M. (2008). Analyzing political rhetoric. In R. Wodak & M. Krzyźanowski (Eds.), *Qualitative discourse analysis in the social sciences* (pp.96-120). Basingstoke: Palgrave Macmillan.

Reisigl, M., & Wodak, R. (2001). *Discourse and discrimination*. London: Routledge.

Reisigl, M., & Wodak, R. (2009). The discourse-historical approach (DHA). In R. Wodak & M. Meyer (Eds.), *Methods of critical discourse analysis* (2nd ed.). (pp. 87-121). London: Routledge.

Reisigl, M., & Wodak, R. (2016). The discourse-historical approach (DHA). In R. Wodak & M. Meyer (Eds.), *Methods of critical discourse studies.* (3rd ed.). (pp. 23-61). London: Sage.

Ritzer, G. (Ed.). (2007). *The Blackwell encyclopedia of sociology* (Vol. 1479). (p.3731). New York: Blackwell Publishing.

Roberts, O. (2018, April 21). The new ethnic hot spots in Sydney. *The Daily Telegraph*. Retrieved November 4, 2020, from https://www.realestate.com.au/news/the-new-ethnic-hot-spots-in-sydney/

Rupert Murdoch. (n.d.). In *Encyclopedia Britannica Online*. Retrieved from https://academic.eb.com/levels/collegiate/article/Rupert-Murdoch/54336

Sacks, H. (1992). *Lectures on conversation,* volume one and two. In G.

Jefferson (Ed.), Cambridge, MA: Blackwell Publishers.

Sacks, H., Schegloff, E. A., & Jefferson, G. (1974). A simplest systematics for the organization of turn-taking for conversation. *Language, 50*(4), 696-735.

Samios, Z. (2017, August 22). *ABCs: Half yearly circulation audit sees many newspapers suffer 10% declines while Sunday Telegraph falls below 400,000. Mumbrella.* Retrieved from https://mumbrella.com.au/abcs-sunday-telegraph-falls-below-400000-as-weekend-newspapers-decline-466270

Schermerhorn, R. (1970). *Comparative ethnic relations.* New York: Random House.

Schiffrin, D. (2006). *In other words: Variation in reference and narrative.* Cambridge: Cambridge University Press.

School of Law, University of Queensland. (Updated 2017, March 24). *Statistics relating to migrant smuggling in Australia.* Retrieved July 20, 2018, from http://www.law.uq.edu.au/migrantsmuggling-statistics

Sicakkan, H. G. & Lithman, Y. (2005). Theorizing citizenship, identity politics and belonging modes. In H. G. Sicakkan & Y. Lithman (Eds.). *Changing the basis of citizenship in the modern state: Political theory and the politics of diversity.* New York: Edwin Mellen Press.

Sheridan, C. (2019, April 30). *Nova Peris.* The National Museum of Australia. Retrieved December 29, 2022, from https://www.nma.gov.au/explore/blog/nova-peris

Sinclair, J. (Ed.). (1995). *Collins COBUILD English Dictionary: Helping learners with real English.* London: HarperCollins Publishers.

Soutphommasane, T. (2014, March 13). Commentary on section 18C often blind to substantial body of case law. *The Australian.* Retrieved June 18, 2020, from https://www.theaustralian.com.au/business/legal-affairs/commentary-on-section-18c-often-blind-to-substantial-body-of-case-law/story-e6frg97x-1226854177771

Soutphommasane, T. (2015). *I'm not racist but... : 40 years of the racial discrimination act.* Sydney: NewSouth Publishing.

Statistics Canada. (2007, November 14). *Visible minority population.* Retrieved September 18, 2018, from https://www12.statcan.gc.ca/census-recensement/2006/ref/dict/pop127-eng.cfm

Senate Committee on Foreign Affairs, Defence and Trade References. *Official Committee Hansard*, October 14, 2020. Retrieved January 9, 2023, from https://www.aph.gov.au/Parliamentary_Business/Hansard/Hansard_Display?bid=committees/commsen/67468563-3779-4ac6-b135-bb278c052b6a/&sid=0001

Stevens, R. (2016). *Immigration policy from 1970 to the present.* New York: Routledge.

Stone, A. (2015). The ironic aftermath of 'Eatock v Bolt.' *Melbourne University Law Review. 38* (3), 926-943.

Summers, D. (Ed.). (1992). *Longman Dictionary of English Language and Culture.* Essex: Longman.

Tajfel, H., & Turner, J. C. (1979). An integrative theory of intergroup conflict. In W. G. Austin & S. Worchel (Eds.), *The Social psychology of intergroup relations* (pp. 33-47). Monterey, CA: Brooks/Cole.

Tannen, D. (1984). *Conversational Style: Analyzing talk among friends.* Norwood, NJ: Ablex Publishing Corporation.

Teo, P. (2000). Racism in the news: A critical discourse analysis of news reporting in two Australian newspapers. *Discourse & Society. 11*(1), 7-49. Sage publications.

The Age. (2017, March 22). *No, Malcom Turnbull, bigotry is not freedom. The Age.* Retrieved May 23, 2019 from LexisNexis Academic database.

The Office of Parliamentary Counsel, Canberra. (2016, January 29). *Racial Discrimination Act 1975.* Federal Register of Legislation. Retrieved November 8, 2021, from legislation.gov.au/Details/C2016C0089

The Wheeler Centre (2012, March 6). Interview with Benjamin Law.

"Growing up Asian in Australia" [Video recording]. Texts in the City. The Wheeler Centre. Melbourne. Retrieved September 30, 2018 from https://www.wheelercentre.com/broadcasts/texts-in-the-city-growing-up-asian-in-australia.

Turnbull, M. (2020). *A bigger picture.* London: Hardie Grant Books.

van Dijk, T.A. (1984). *Prejudice in discourse: An analysis of ethnic prejudice in cognition and conversation.* Amsterdam: John Benjamin Publishing.

van Dijk, T.A. (1987). *Communicating racism: Ethnic prejudice in thought and talk.* Newbury Park, Calif.: Sage Publications.

van Dijk, T.A. (1991). *Racism and the press.* London: Routledge.

van Dijk, T.A. (1992). Discourse and the denial of racism. *Discourse & Society, 3* (1), 87-118.

van Dijk, T.A. (1996). Discourse, power and access. In C. R. Caldas-Coulthard & M. Coulthard (Eds.), *Texts and practices: Readings in critical discourse analysis.* (pp. 84-106). London: Routledge.

van Dijk, T.A. (1998). *Ideology: A multidisciplinary approach.* Thousand Oaks: Sage.

van Leeuwen, T. (1996). The Representation of social actors. In C. R. Caldas-Coulthard & M. Coulthard (Eds.), *Texts and practices: Readings in critical discourse analysis* (pp. 32-70). London: Routledge.

van Leeuwen, T. (2008). *Discourse and practice: New tools for critical discourse analysis.* New York: Oxford University Press.

Wang, W. (Producer & Director). (1993). *The Joy luck club.* [Motion picture]. The USA: Hollywood Pictures Company.

Waters, L. (Producer). (2005). *We can be heroes: Finding the Australian of the year* [Television Series]. Melbourne: Princess Pictures. Retrieved March 19, 2019, from https://www.abc.net.au/tv/heroes/about.htm

Western Sydney University (n.d.). *Challenging Racism Project.* Retrieved October 31, 2021, from https://www.westernsydney.edu.au/challengingracism/challenging_racism_project

Wodak, R. (2009). *The Discourse of politics in action: Politics as usual.* London: Palgrave Macmillan.

Yang, J. (2014). Representation of immigrant students in Canadian print media: A critical discourse analysis. *Critical Intersections in Education: An OISE/UT Students' Journal Winter (2),* 27-43. Retrieved October 26, 2021, from file:///E:/cie,+Yang_CIE_Vol2_Final.pdf

Yang, W. (2013, June 8). Artistic expression helps overcome years of repression. *The Sydney Morning Herald.* Retrieved on November 13, 2020, from https://www.smh.com.au/opinion/artistic-expression-helps-overcome-years-of-repression-20130607-2nvl9.html

Žagar, I.Ž. (2010). Topoi in critical discourse analysis. *Lodz Papers in Pragmatics, 6* (1), 3-27. Retrieved October 22, 2021, from https://www.degruyter.com/document/doi/10.2478/v10016-010-0002-1/html

Zhou, C. (2019, May 17). Chinese-Australians pay tribute to Bob Hawke for safety promise after Tiananmen massacre. *ABC News.* Retrieved on December 28, 2022, from https://www.abc.net.au/news/2019-05-17/chinese-australians-pay-tribute-to-bob-hawke/11123312

著者紹介

仲西 恭子（なかにし きょうこ）

マクウォリー大学大学院通訳翻訳修士課程修了 MA (通訳・翻訳)、ニューサウスウェールズ大学大学院日本語応用言語学修士課程修了 MA (応用言語学)、大阪府立大学大学院人間社会システム科学研究科博士後期課程修了 博士 (言語文化学)

【現職】関西外国語大学短期大学部教授

【専門】談話研究、社会言語学、オーストラリア研究

【主要業績】「豪紙 *The Age* の社説に見られる説得戦術—オーストラリア社会における庇護希望者問題—」石上文正・高木佐知子 (編)『ディスコース分析の実践—メディアが作る「現実」を明らかにする—』くろしお出版、2016 年、81-102。「先住民問題に関する豪政府の姿勢」『オーストラリア研究』オーストラリア学会、30 号、2017 年、37-49。

大阪公立大学出版会（OMUP）とは
本出版会は、大阪の５公立大学－大阪市立大学、大阪府立大学、大阪女子大学、大阪府立看護大学、大阪府立看護大学医療技術短期大学部－の教授を中心に2001年に設立された大阪公立大学共同出版会を母体としています。2005年に大阪府立の４大学が統合されたことにより、公立大学は大阪府立大学と大阪市立大学のみになり、2022年にその両大学が統合され、大阪公立大学となりました。これを機に、本出版会は大阪公立大学出版会（Osaka Metropolitan University Press「略称：OMUP」）と名称を改め、現在に至っています。なお、本出版会は、2006年から特定非営利活動法人（NPO）として活動しています。

About Osaka Metropolitan University Press (OMUP)
Osaka Metropolitan University Press was originally named Osaka Municipal Universities Press and was founded in 2001 by professors from Osaka City University, Osaka Prefecture University, Osaka Women's University, Osaka Prefectural College of Nursing, and Osaka Prefectural Medical Technology College. Four of these universities later merged in 2005, and a further merger with Osaka City University in 2022 resulted in the newly-established Osaka Metropolitan University. On this occasion, Osaka Municipal Universities Press was renamed to Osaka Metropolitan University Press (OMUP). OMUP has been recognized as a Non-Profit Organization (NPO) since 2006.

オーストラリアの多文化社会をめぐる
ディスコースの分析

2024 年 5 月 31 日　初版第 1 刷発行

著　者　仲西　恭子
発行者　八木　孝司
発行所　大阪公立大学出版会（OMUP）
　　　　〒599-8531 大阪府堺市中区学園町１－１
　　　　大阪公立大学内
　　　　TEL　072 (251) 6533　FAX　072 (254) 9539
印刷所　和泉出版印刷株式会社

ISBN978-4-909933-73-7